LA MÉNOPAUSE:

Une autre approche...

Danièle Starenkyj

LA MÉNOPAUSE:

Une autre approche...

ÊTRE «TOUTE FEMME» À TOUT ÂGE

ORION

AVERTISSEMENT: *Le but de ce livre est d'informer un public de plus en plus soucieux de prévenir la maladie et non de se substituer aux soins éclairés d'un professionnel de la santé. En cas de maladie nous vous recommandons de consulter votre médecin.*

Diffusion pour l'Amérique:

Publications ORION Inc.,
C.P. 1280, RICHMOND, (Québec),
Canada J0B 2H0
Tél.: (819) 848-2888
FAX: (819) 848-2021

Diffusion pour l'Europe:

DIFFUSION-EXPRESS
Chemin du Serre Blanc
Boisset-et-Gaujac
30140 ANDUZE, France
Tél.: 66.61.67.66
FAX: 66.61.78.93

Publications ORION Inc.,
C.P. 1280, Richmond (Québec),
Canada J0B 2H0

ISBN 2-89124-018-9

Dépôts légaux — 4ᵉ trimestre 1992
Bibliothèque Nationale du Québec
Bibliothèque Nationale du Canada

Introduction

La langue française, depuis que Hans Selye a décrit le syndrome général d'adaptation, s'est enrichie en 1950, d'un nouveau mot qui est devenu le véhicule d'une réalité qui ne cesse d'obnubiler notre société : le stress.

Le Dr Selye est parti du principe qu'une perturbation du milieu extérieur provoquait chez l'individu un *stress*, mot anglais intraduisible en français et qui désigne l'action de tous les agents mécaniques, physiques ou chimiques susceptibles d'altérer sérieusement l'équilibre de l'organisme en entraînant des modifications du cortex surrénal.

Le stress, c'est donc l'agression et peu à peu, il en est venu à désigner tout fait ou toute situation qui a un caractère éprouvant ou traumatisant pour l'individu. Le stress, aujourd'hui, ne désigne pas seulement les émotions, les infections, les intoxications, etc., mais aussi les réactions de défense normales ou pathologiques que ces agents dits stressants déterminent dans l'organisme.

On a ainsi pu comprendre pourquoi et comment des sociétés entières, à la longue ou à la suite d'une action violente ou persistante exercée sur leurs règles de vie, leurs habitudes, leurs modes de pensée, leurs idéaux, leurs croyances, pouvaient connaître un état de tension aiguë qui affectait profondément les individus qui les composaient au point que leur comportement en soit totalement bouleversé et qu'il en résulte une altération parfois radicale de leur état de santé physique et mentale.

L'histoire nous donne, entre autres, l'exemple dramatique des effets dévastateurs qu'eurent sur la société médiévale du XIVe siècle, les premières épidémies de la peste noire. On estime qu'entre 1347 et 1350, un tiers de la population européenne, soit 25 millions de personnes, a été exterminé par ce fléau, laissant les survivants dans un état de très grande détresse morale et d'anxiété profonde.

Or, immédiatement après 1350, on put observer l'explosion massive de phénomènes bizarres : la renaissance d'une ancienne confrérie, les Flagellants, dont les membres se fouettaient les uns les autres en public ; une persécution massive des Juifs ; des débordements de danses hypnotiques prolongées ; des interminables errances de meutes d'enfants vagabonds et la réapparition de la lycanthropie, dormante depuis l'Antiquité, ce délire de ceux qui se croient transformés en loup et qui se mettent à hanter les rues ou les champs, la nuit[1].

La société médiévale avait été littéralement ravagée par ces épidémies et ses rescapés furent, en très grand nombre, entraînés aux confins de la folie par la peur de la contagion, l'horreur de la mort, la vanité de la vie, la faim, le froid et quoi...?

S'il existe des agressions puissantes et facilement identifiables comme les pestes, les famines et les guerres qui ravagent et détruisent, il en est d'autres plus subtiles, plus floues comme la déchéance des mœurs, comme l'effondrement des valeurs, comme la confusion des rôles, qui modifient peu à peu, qui métamorphosent imperceptiblement la mentalité en la noyant d'incertitudes...

On reconnaît aujourd'hui que le cerveau, quelles que soient ses autres fonctions d'intégration, est la principale glande endocrine de notre corps et l'on sait ainsi que c'est dans le cerveau que les événements psychosociaux qui sollicitent tellement les cinq sens, se traduisent en événements physiologiques qui activent l'axe neuroendocrinien et d'autres systèmes, comme les mécanismes de régulation autonome.

Ces événements psychosociaux constituent des stress qui provoquent toujours chez l'individu des sueurs, de la douleur, des tensions musculaires, l'élévation des taux sanguins de cholestérol, de la haute pression, de l'hypogly-cémie[2] ainsi que de l'anxiété et de la dépression en dose croissante qui abaissent dangereusement l'immunité[3].

On accepte donc, sans aucun doute possible, que les changements, les transformations et les bouleversements qui surviennent dans une société, dans une vie ou dans une mentalité, sont capables de provoquer la survenue de mala-dies graves comme la leucémie infantile, le diabète juvénile, la tuberculose, l'arthrite rhumatoïde, les complications de la grossesse et de l'accouchement, la sténose (le rétrécisse-ment) du pylore, les cancers, les accidents coronariens[4].

Il semble par conséquent que le bonheur des individus d'une société est lié à la stabilité de cette société, à la force de ses traditions, à l'immutabilité de ses lois et de ses con-ventions. Les vicissitudes de la vie sont une cause directe de stress et le stress, qu'il soit aigu ou chronique, conscient ou inconscient, individuel ou collectif, modifie toujours les activités du corps et de l'esprit douloureusement.

«Tu viens de loin, petite...», pouvait-on lire, il y a quelques années, sur les immenses panneaux publicitaires d'une compagnie de tabac américaine, destinés à vendre son produit à la population féminine de ce pays. Certes la femme d'aujourd'hui en jeans serrés, aux cheveux rasés courts, fumant la cigarette, a parcouru un long chemin. Pouvons-nous le mesurer? Pouvons-nous saisir l'impact des stress subis pour y avancer? Pouvons-nous comprendre combien ceux-ci ont affecté sa santé?

Par exemple, savons-nous que la cessation des règles, donc l'arrêt de l'ovulation et la fin de la fertilité, chez la femme entre 45 et 55 ans, est un fait universel, mondial, bio-logique et qui ne comporte aucun stress spécifique ou vague pour la presque totalité de nos sœurs africaines, asiatiques, arabes, indiennes, sud-américaines et européennes de l'Est? Par contre, percevons-nous que la ménopause est un phéno-mène culturel, aux symptômes variés, multiples et désolants qui a commencé à se manifester à un moment précis de l'his-toire occidentale, dans une classe sociale bien déterminée, pour s'étendre progressivement au cours des siècles à l'en-semble des femmes de notre civilisation?

Pour découvrir d'où la femme d'aujourd'hui vient, nous devons faire marche arrière. Ayant fait marche arrière, ne trouverons-nous pas les causes qui, pour la femme occidentale, ont transformé cette étape inévitable dans une détresse à effacer? Ayant découvert les causes de ce syndrome, nous pourrons élaborer une solution moderne et ainsi considérer une autre approche...

1. Starenkyj D., *L'allergie au soleil*, Les loups-garous: légende ou réalité? p. 9-11, Orion, Québec, 1986.
2. Starenkyj D., *Le mal du sucre*, La maladie de notre siècle, p. 25-41, Orion, Québec, 1990.
3. Starenkyj D., *L'adolescent et sa nutrition*, Le stress et l'immunité, p. 180-181, Orion, Québec, 1989.
4. Rahe R.H., Arthur R.J., Life Change and Illness Studies: Post History and Future Directions, *Journal of Human Stress*, 3-15, March 1978.

1

La naissance d'un syndrome

C'est en remontant le défilé des siècles que nous allons pouvoir comprendre, dans l'esquisse des choses du passé, comment est né un phénomène qui à l'aube du XXIe siècle, constitue toujours un spectre effroyable pour un nombre incalculable de femmes occidentales.

Arrêtons-nous tout d'abord à la cour de Versailles, à l'époque de la monarchie absolue, sous l'Ancien Régime. Louis XIV, le Roi-Soleil, y entretient régulièrement plus de 10 000 ducs et duchesses, comtes et comtesses, marquis et marquises, évêques, prêtres, moines, abbés, soldats, ambassadeurs et invités, avec leurs serviteurs et servantes qui se considèrent tous supérieurs ou inférieurs aux autres serviteurs et servantes selon le rang de leur maître ou maîtresse.

Pourquoi sont-ils là, si nombreux? Attirés par le roi qui veut les empêcher de se révolter, ils ont appris à profiter de la situation et à tout attendre et tout vouloir de lui. Vivre à la cour coûte cher. On s'y ruine facilement en beaux habits, en dépenses de jeu, en frais de fêtes. Il faut donc recevoir des pensions pour continuer à évoluer dans le luxe, et des fonctions importantes pour pouvoir jouer un certain rôle dans le gouvernement. Cela permet de justifier sa présence et d'occuper son temps à la cour.

Courtisans, grands seigneurs, nobles dames se pressent autour du roi qui, pour frapper ses sujets par l'image de sa puissance, les asservit à tourner autour de sa personne : lever, coucher, repas, chaque moment de sa vie est réglé comme une cérémonie à laquelle ils sont honorés de participer.

Mais le roi a l'humeur changeante. «Car tel est notre plaisir» est sa devise, et tout ce beau monde a bien vite appris, que ce que chacun voulait ne pouvait être gagné qu'aux dépens de quelqu'un d'autre. Le roi s'amuse à les dresser les uns contre les autres grâce à des complots destinés à créer un chaos organisé avec soin. Il croit passionnément que sa royauté, et même sa personne, sont de droit divin ; donc tout sujet de son royaume et toute propriété lui appartiennent afin qu'il en dispose comme bon lui semble.

Le roi croit aussi que les lois morales qui lient le commun mortel ne s'appliquent pas à lui et il exprime cette conviction en affichant une conduite sexuelle des plus licencieuses. Il affirme que tout mari ou tout père devrait être fier d'avoir une femme ou une fille qui aurait été au service du monarque et c'est dans la mesure où une femme lui a plu ou lui a déplu qu'il lui assure ou lui retire, ainsi qu'à sa famille, une position et une fortune élevées. On raconte qu'un jour une gamine qui vendait des poulets, enflamma l'imagination du roi au point qu'il la promut sans autre à la tête de ses courtisanes qui se pamèrent mais en vain, de colère et de dépit.

Être femme à Versailles, sous l'Ancien Régime, c'est vivre, de Louis XIII à Louis XVI, à l'ombre d'un monarque absolu qui veut tout diriger : et l'État — le roi décide seul car ses ministres ne jouent que le rôle de conseillers —, et la société — le roi à cette fin domestique la noblesse, s'entoure de débauchés qu'il déclare lui-même n'être que des roués, des individus dignes du supplice de la roue, pour les entraîner dans une farandole ininterrompue de bals, de soupers fins et d'orgies —, et l'économie — le roi crée les manufactures ou les fait disparaître, développe les commerces et les colonies selon ses humeurs —, et la religion — le roi veut régenter l'Église catholique et il persécute sans pitié les Protestants — et les esprits — ne réussissent, ne sont honorés, ne sont tolérés que les artistes et les écrivains qui servent la gloire du roi —.

Être femme à Versailles, c'est aussi avoir un statut de femme très spécial : C'est être courtisane, maîtresse ou favorite du roi ou d'un prince ou à défaut de mieux d'un noble quelconque qui évidemment partage la mentalité du roi, chaque femme pouvant et devant très souvent cumuler les trois fonctions en même temps auprès d'hommes différents. La compétition est âpre et pour accéder à un rang et y rester, il faut beaucoup lutter, beaucoup intriguer, beaucoup démolir, beaucoup s'avilir... Être femme à la cour, c'est être très malheureusement une femme de mauvaise vie quoique de rang social élevé. C'est évoluer, chaque jour qui passe au milieu de clans et de coteries, de cabales et de coalitions avec pour rivales absolues, toutes les autres femmes, sans exception aucune.

L'histoire nous dépeint ainsi une société de femmes tout à fait spéciale, une société de femmes qui ne sont plus des sœurs mais des ennemies, et qui, peu à peu, se tourneront vers les hommes considérés comme des experts, pour obtenir d'eux conseils, encouragement et directives, même pour les problèmes les plus intimes de leur vie de femme.

Il faut remonter à l'Empire romain (27 avant J.-C. à 192 après J.-C.) qui instaure alors le pouvoir monarchique en faisant de l'Empereur un dieu vivant qui a pour clients 150 000 prolétaires qui reçoivent de lui leur vie durant des vivres mensuels, pour en trouver une de semblable. À cette époque lointaine, les femmes patriciennes de Rome qui par leur naissance appartenaient à la classe supérieure des citoyens romains et jouissaient déjà de nombreuses prérogatives, ont alors gagné la première révolution en faveur de la libération de la femme et lui ont acquis une véritable « émancipation ».

Bien que n'ayant jamais obtenu de droits politiques, ces femmes avaient néanmoins réussi à établir deux choses : premièrement, leur indépendance économique en conservant le contrôle sur leur dot et sur leur part de la propriété familiale divisée en deux parties égales lors d'une séparation; et deuxièmement, leur indépendance sexuelle, en recevant le droit au divorce et au remariage immédiat ainsi qu'au concubinage.

Le mariage, évidemment, est ébranlé et si quelques femmes exploitent ce vent nouveau pour se métamorphoser d'humbles compagnes en auxiliaires dévouées à leur mari, la majorité d'entre elles en profite pour se livrer à toutes les débauches. Inévitablement, hommes et femmes mariés développent bientôt des rapports emprunts d'indifférence mutuelle. La puissance paternelle a été anéantie et des rapports de confiance ou de camaraderie désinvolte ont remplacé, dans les meilleurs cas, les rapports d'autorité entre le père et ses enfants.

On a voulu dénigré la femme romaine traitée, a-t-il été dit, en éternelle mineure, et n'échappant à l'autorité de son père que pour tomber sous celle de son mari, mais on ne peut nier qu'à l'époque de la Rome royale, elle est honorée en tant que mère de famille et gardienne du foyer, et pour n'être pas légale, son influence sur les décisions du ménage se fait sentir sans contredit. Elle partage avec son mari l'éducation morale ainsi que l'instruction de ses enfants et elle en retire beaucoup de fierté et une autorité qui ne lui est pas contestée.

Sous la République et sous l'Empire, la famille romaine normalement féconde, se désagrège et l'on voit apparaître le ménage sans enfant. Face à un grave problème de dénatalité, Auguste qui favorise les familles de trois enfants, instaure, sans grand succès, une politique de la famille. Il cherche à restreindre le divorce, à pénaliser l'adultère, mais les femmes patriciennes ne se laissent pas gagner. Les enfants ne les intéressent plus et ceux qu'elles ont quand même, elles les confient à des esclaves sans grande autorité, souvent d'un déplorable exemple. Le divorce devient une maladie sociale et Sénèque d'observer: «Les femmes ne comptent plus les années par le nom des consuls mais par celui de leurs différents maris»...

Il n'existe aucune description de troubles quelconques reliés au retour d'âge dans la littérature médicale avant le XVIIIe siècle, bien que ce fait et l'âge où il se produit soient très fréquemment cités dans la littérature du Moyen Âge et de la Renaissance. Par contre, sous l'Empire romain, on trouve dans les œuvres d'Ovide et de Martial des descriptions pathologiques de «vieilles» dames qui cherchent désespérément à conserver l'illusion de leur jeunesse et de leur beauté. En effet, pour toutes leurs activités sexuelles dirigées vers l'obtention d'une fortune de plus en plus élaborée, ces femmes libérées n'ont qu'une seule arme, leur corps, et il est impossible de se faire d'illusion: perdre sa beauté à une époque où les jeunes filles ont conquis le droit d'assister aux repas publics, ces orgies grossières, en compagnie des hommes et des femmes mariés, signifie purement et simplement, perdre son statut social.

C'est ainsi que ces femmes patriciennes, à l'approche de la cessation des règles, cherchent anxieusement à les conserver et pour la première fois dans l'histoire du monde, elles ont recours à des médications agressives et à des artifices vestimentaires et cosmétiques pour continuer à briller et à intriguer. Tuniques richement brodées et colorées, coiffures élaborées que la mode modifie fréquemment — on portera des chignons postiches en cheveux blonds tressés de femmes germaines —, bijoux extravagants, dentiers faits de dents saines arrachées sans autre aux jeunes esclaves, et maquillage savant deviennent l'arsenal de ces femmes pour qui vieillir est devenu synonyme de relégation, d'abandon, de mise au rancart.

«La civilisation romaine n'est pas morte de sa belle mort: elle a été assassinée» a dit un auteur et Montesquieu d'expliquer que c'était parce qu'on y avait «violé les mœurs plus que les lois». La politique de la famille instaurée par Auguste et reprise par d'autres empereurs, a fait échec. C'est le christianisme triomphant qui devait alors sauver la famille en propageant les principes domestiques énoncés dans les écrits bibliques des apôtres Pierre et Paul. Il a ainsi offert aux femmes plus de mille ans de paix avec elles-mêmes, leurs maris et leurs enfants.

Il faut attendre la fin de la Renaissance pour retrouver en Occident une situation semblable à celle de l'Empire romain décadent. Une fois de plus, les femmes de l'aristocratie partent à la conquête de «leur» libération. Les idées anciennes ont refait surface et désireuses de s'affranchir de la protection masculine et d'acquérir ce qu'elles considèrent des droits égaux, ces femmes, après avoir mis au monde un héritier, estiment qu'elles ont maintenant le privilège de suivre les inclinations de leur cœur volage. Elles affirment qu'elles ont été créées pour l'amour et non pour le plaisir exclusif d'un seul homme et elles déclarent avoir la liberté de choisir et de changer d'amant au gré de leurs désirs.

Bientôt, cependant, ces dames durent apprendre la pénible leçon de leurs consœurs romaines: Pour réussir dans cette course, il faut un corps jeune et si possible joli. Alors, peu à peu, mais irrésistiblement, le corps se met à

imposer sa présence indiscrète à cette société hardie:
Moyen puissant de prestige tant qu'il peut se soumettre à la
passion et à la volupté, il devient, à la cessation des règles,
un lourd fardeau de chair qui traîné un temps dans le vice,
crie maintenant sa misère, ses maladies, sa vieillesse. Pour
les femmes de l'aristocratie européenne, le retour d'âge se
transforme en un âge critique qui signe la perte de leur statut de femmes libérées en mettant fin à leurs aventures...

Et voilà que montent dans l'air déjà tout imprégné de
la vision apocalyptique d'un devenir implacable qui pousse
tout le monde vers la mort, les regrets de la belle Heaumière[1]:

> *«Quand je pense, lasse! au bon temps,*
> *Quelle (je) fus, quelle (je suis) devenue;*
> *Quand me regarde toute nue,*
> *Et je me vois si très changée*
> *Pauvre, sèche, maigre, menue,*
> *Je suis presque toute enragée.»*

La première thèse ayant pour sujet les troubles du climatère féminin a été défendue à l'Université de Magdebourg
à Halle (Allemagne) au mois de février 1710. Louis XIV
devait mourir en 1715. Une révision de l'Encyclopédie, véhicule de l'esprit nouveau, comporte un article intitulé:
«Conseils pour les femmes de 45 à 50 ans, ou conduite à
tenir lors de la cessation des règles», écrit en 1776 par un
médecin britannique, John Fothergill, et traduit par son
admirateur français, Petit-Radel, médecin, professeur à
l'Université de Paris.

La moyenne de la vie depuis le XIVe siècle s'est allongée considérablement et de 51,1 ans en 1479, elle a grimpé
à 64,2 ans en 1779, pour atteindre en 1949, 74,3 ans. Dès
le XVIIIe siècle, la majorité des femmes atteint donc la
ménopause et vit un bon nombre d'années passé cet
événement. Par contre pour le moment, et jusqu'à l'aube du
XXe siècle, la ménopause va rester une «maladie française».
Certes, certains articles comme celui de Fothergill
paraissent en Angleterre et l'on peut nommer l'ouvrage de
E.J. Tilt paru en 1857. Il sera le seul livre en anglais publié
sur le sujet au XIXe siècle. Il connaîtra plusieurs éditions
jusqu'en 1880, sera traduit en français en 1885 et continuera
à être cité et à constituer un ouvrage de référence jusqu'au
milieu de notre XXe siècle.

Par contre, si l'on parle de ménopause en Angleterre, en Allemagne, en Amérique, c'est parce qu'il est de mode pour quiconque veut pratiquer la médecine, d'aller faire ses études post-universitaires à Paris et là, impossible d'échapper à la connaissance de cette étrange maladie féminine dont les «maux secrets» soulèvent la pitié des médecins français. Jeannet des Longrois, par exemple, déclare que le proverbe qui dit que la nature est le meilleur guérisseur des femmes à l'âge critique est aussi faux qu'il est sans cœur. La nature, affirme-t-il, ne peut guérir que des maux simples dus à des causes physiques fortuites et cela ne s'applique pas aux maladies des femmes, car, affectées par leur sensibilité et leur état mental, elles sont toujours complexes.

Évidemment, de retour chez eux, ces médecins étrangers chercheront à parler de la ménopause, mais plutôt en vain. On les considère comme des charlatans. On ne sait pas de quoi ils parlent. Pour des raisons que nous analyserons plus loin, il faudra attendre le tout dernier quart du XIXe siècle et le début du XXe siècle pour que cette maladie importée de France, s'acclimate dans les milieux britanniques et américains, entre autres.

Oui, la ménopause, de la fin de la Renaissance à la fin du XIXe siècle, devait rester presque exclusivement une maladie française mais plus précisément une maladie des femmes de la noblesse française. On a beaucoup parlé et on parle encore beaucoup de la Révolution française, mais comme le fait remarquer un historien, on a peu dit sur l'effet de cette énorme convulsion sociale sur les femmes de l'Ancien Régime. Elle fut dévastatrice.

Il y avait sous l'Ancien Régime 300 000 nobles. Si la moitié était des femmes, celles-ci furent soumises à une expérience historique de taille. Privées des privilèges inhérents à la noblesse, obligées d'évoluer du jour au lendemain dans une société post-révolutionnaire où toutes les conditions sociales avaient été perturbées et bouleversées et le resteront malgré les espoirs soulevés par les divers régimes qui se succèderont pour s'écrouler à leur tour (Monarchie constitutionnelle, Directoire, Empire) — ces femmes une fois de plus libérées des entraves du mariage*, des

---

* Le duc d'Orléans leur a acquis le droit au divorce et Olympe de Gauge a publié une déclaration des droits des femmes.

servitudes de la maternité et de l'obligation de travailler, verront leur statut, leur position et leur existence même au sein de cette société à peine moins licencieuse que l'ancienne, dépendre encore plus de leur apparence, de leurs attraits, de leurs charmes et de leur capacité sexuelle. On ne peut être surpris de voir alors apparaître une mode choquante caractérisée par des décolletés plongeants à l'extrême, des robes relevées pendant la marche au-dessus des genoux et des tissus carrément transparents. De 1794 à 1799, Muscadins aux cheveux longs et Merveilleuses aux atours provocants, scandaliseront sans rougir un peuple pauvre et encore pieux...

C'est à la fin de la Révolution, alors que la vieille société fondée sur la naissance et les privilèges est morte, alors que tout le monde ne s'appelle plus que citoyen et citoyenne et que le tutoiement est devenu obligatoire, que l'on voit apparaître, pour la première fois dans l'histoire du monde, vers 1800, dans les ouvrages médicaux publiés en France, un nouveau concept pour lequel on forge un nouveau mot : La Ménespausie. Frappé par de Gardanne, un médecin français, il fut assez rapidement raccourci à ménopause (1823) et il connut un succès immédiat. Dès 1840, il était utilisé librement et presque exclusivement par tous. Cristallisant les diverses plaintes et misères de la cessation des règles dans une «maladie», ce mot devait imposer à toute une culture un concept nouveau : celui d'un événement biologique précipitant brusquement la femme dans un état de mort sociale et de désertion et causant, sous l'effet du stress ainsi provoqué, des troubles physiques et mentaux.

Les médecins français — ils seront, notons-le bien, les seuls à en parler jusqu'à la veille du XX\ue siècle — remplis de sympathie envers leurs patientes, réalisant la part des facteurs sociaux dans leur maladie, parlent de la ménopause comme de «l'enfer des femmes». Pourquoi ? Parce que, disent-ils, elles deviennent alors «des reines détrônées», des reines abandonnées de leurs sujets, leurs amants. Ils rappellent constamment dans leurs écrits le destin de «ces femmes qui faisaient autrefois l'ornement des cercles de la bonne société par leur beauté et qui maintenant en sont réduites à interroger en vain les yeux de ceux qu'elles rencontrent».

Mais en fait de quoi se plaignent ces dames? Fondamentalement de voir leurs règles diminuer puis disparaître. Depuis toujours, semble-t-il, que ce soit dans la littérature populaire ou dans la littérature médicale, la menstruation a été considérée comme un moyen de purification du corps féminin, une marque ineffable de féminité, un signe indubitable de jeunesse. Par contre, chaque fois qu'une femme n'était pas satisfaite de la quantité de son flux menstruel ou qu'elle sautait une règle, elle s'inquiétait, car on croyait aussi que le vieillissement sexuel qui s'installait vers le milieu de la vie, était causé par les effets toxiques du sang «retenu».

Les traditions gréco-latines qui devaient envahir la médecine européenne, considéraient le sang menstruel comme un poison et la menstruation comme un processus qui assurait la santé de la femme en purgeant son corps de ses impuretés. La cessation des règles, pour des femmes qui devaient rester jeunes, belles et féminines, constituait donc un stress sérieux parce que, pensait-on, les règles «retenues» empoisonnaient progressivement le corps. La preuve la plus flagrante et la plus désolante en était l'involution des caractères sexuels secondaires et «la mort du sexe».

Le sang «retenu» détruisait maintenant le corps de l'intérieur. Il fallait donc, à tout prix, faire quelque chose pour arrêter ce processus d'anéantissement et les femmes se mettent à chercher à perpétuer leurs règles par tous les moyens possibles et impossibles, dont des tisanes emménagogues à base d'aloès vendu jusqu'au milieu du XXe siècle comme un emménagogue mais aussi comme un abortif. Si cela ne marchait pas, on entreprenait un traitement un peu plus agressif à base de purgatifs, de lavements appelés autrefois des clystères, de sinapismes (des cataplasmes de moutarde), de moxas (des branches d'armoise brûlées au contact de la peau dans des régions bien déterminées selon les mêmes principes que ceux de l'acupuncture), de pose de vantouses (des petites cloches de verre placées sur la peau après qu'on y ait raréfié l'air dans le but de provoquer un afflux de sang, une révulsion), d'applications sur le col de l'utérus ou sur les lèvres du vagin, de sangsues, des vers qui se fixent sur la peau par leurs vantouses pour sucer le sang.

Tous ces gestes thérapeutiques pouvaient être posés par des femmes-guérisseuses et faisaient partie de leur traitement routinier de la «rétention des règles». Par contre, de plus en plus de femmes nobles les trouvent inefficaces et, désespérées, elles se tournent vers les barbiers-chirurgiens, des hommes seuls investis du droit légal de faire des opérations* et possédant des instruments spécialisés: lancette, spéculum, forceps, crochets et couteaux. Ces trois derniers, ils les cachent sous leurs robes puis sous le drap qui, lié à leur cou, couvre l'accouchée afin de préserver sa modestie, et ils les utilisent pour sortir de force, morceau par morceau, un bébé coincé dans le passage parce que la sage-femme n'a pas osé le tourner.

Dès la fin du Moyen Âge, alors que l'accouchement avait toujours été exclusivement le domaine des sages-femmes, l'accouchement déclaré à risque devait devenir celui du barbier-chirurgien qui, peu à peu, au cours des XVIIe et XVIIIe siècles, se transforme en «homme sage-femme» puis en accoucheur et ce, à la faveur d'une décision du roi Louis XIV lors d'un accouchement de sa maîtresse, Mme de Montespan. Oui, c'est en 1663, que Louis XIV, faisant fi de la bienséance millénaire qui ne permettait même pas d'imaginer une telle grossièreté, emploie un chirurgien de Paris nommé Boucher, de préférence aux sages-femmes qu'il déclare être trop bavardes. Sa conduite faite de décorum et de faste lui plût et il l'honora du nom pompeux d'«accoucheur». Évidemment, cette nouvelle mode ne tarda pas à se répandre... À la cour, les femmes nobles avaient appris à laisser tomber les barrières naturelles de pudeur, de modestie et de décence qui ont de tout temps caractérisé les rapports sains entre hommes et femmes de bonne volonté, puis, elles avaient appris à trouver «chic» de s'exposer à la vue d'un étranger au cours d'un acte éminemment intime et féminin, la mise au monde d'un enfant. Elles étaient prêtes maintenant à s'ouvrir à des hommes pour leur confier sans rougir leurs misères secrètes de femmes qui ne pouvaient envisager de vieillir.

---

* Ils pratiquent, entre autres, la version, une manœuvre connue depuis l'Antiquité et enseignée à l'aube de notre ère par Cléopâtre, mais interdite aux sages-femmes depuis le XIVe siècle, sous peine d'être accusées de sorcellerie. La version s'effectue au cours de l'accouchement pour modifier la position du fœtus dans l'utérus et permettre son expulsion naturellement.

C'est ainsi que les femmes de l'aristocratie — il faut bien garder à l'esprit qu'à cette époque comme à la nôtre, ce n'était pas *toutes* les femmes qui consultaient mais seulement celles qui pouvaient se le permettre financièrement ou socialement — vont demander à ces hommes des phlébotomies, c'est-à-dire l'incision d'une veine au-dessous des organes génitaux, dans un pied par exemple, pour y provoquer une saignée, toujours dans le but unique de dériver le sang empoisonné et de provoquer son évacuation. Puis, si cela ne devait pas réussir, on essayait alors de provoquer l'excrétion des toxines par la peau en créant des «issues», au moyen de cautérisations (on brûlait la peau en divers endroits avec une tige métallique chauffée au rouge dans le but de créer des escarres, des plaies sèches qui tendent à se décoller des tissus avoisinants et à s'éliminer) ou de sétons, un procédé qui consistait à passer sous la peau une mèche de soie ou de crin, ce qui provoquait la formation de pus, une preuve incontestable, pensait-on, que les toxines étaient éliminées. Ce n'était pas tout. À cela, il fallait encore ajouter les procédés destinés à promouvoir la transpiration et la sueur : Bains de vapeur, compresses, fomentations étaient pris avec assiduité et avec la conviction qu'ils étaient régénérateurs.

Je ne sais si le proverbe «il faut souffrir pour être belle» date de cette époque, mais il est inouï de constater jusqu'où une femme qui semble n'avoir pour toute identité que la jeunesse et la beauté de son corps, peut aller pour conserver l'illusion de les conserver. Hélas! ces thérapies agressives eurent très tôt des effets secondaires graves et c'est Fothergill que nous avons déjà nommé qui, le premier, présentera l'idée révolutionnaire que les symptômes de la ménopause, dont se plaignent maintenant avec déchirement les dames de la noblesse, — l'embonpoint mis à part — sont, presque en totalité, iatrogènes, c'est-à-dire causés par l'administration abusive de toute cette panoplie de médicaments et d'interventions chirurgicales : Il nomme les hémorroïdes, les suffocations et les étouffements, les douleurs dans les reins et chose inquiétante, révoltante, inacceptable entre toutes, les hémorragies utérines. Celles-ci deviendront rapidement et pour plus de deux siècles, elles resteront *le* symptôme redoutable et haïssable au plus haut point de la ménopause. Elles atteindront souvent une violence incroyable et terriblement impressionnante et provoqueront chez les femmes une vague d'anxiété profonde qui permettra à la médecine du XIXe siècle de classifier la ménopause, non plus comme une maladie «du sang», mais comme une maladie nerveuse précipitant les femmes dans l'alcoolisme et nécessitant obligatoirement l'usage généreux de sédatifs, dont l'opium et le cannabis. Mais n'avançons pas trop vite.

Jean Astruc (1684-1766) était le médecin de Louis XV. Il était donc bien placé pour se pencher sur le sort des femmes de la cour et c'est ce qu'il fit avec beaucoup de zèle. Écrivain prolifique, il se mit à remettre en question la théorie classique sur le danger des règles «retenues». La cessation des règles, affirme-t-il, est une disposition de la nature et donc elle ne peut être considérée comme dangereuse. Sûr, les femmes vers 45 ou 50 ans commencent à avoir des irrégularités: pour les unes, les règles cessent sans accident, pour les autres la cessation provoque des crises d'hystérie, pour d'autres encore, elles deviennent capricieuses et causent des surprises — elles viennent trop tôt ou trop tard dans le mois; elles sont trop «maigres» ou trop abondantes, — mais peu importe, toutes ces irrégularités font partie de cette étape de la vie et elles sont bénignes, bien que chez certaines femmes les pertes rouges se transforment en pertes blanches difficiles à guérir. Elles ne nécessitent donc pas de traitement particulier, pas plus que celles de la puberté.

Fothergill va plus loin et affirme qu'il est ridicule, à cette période de la vie des femmes, de vouloir provoquer par des médicaments et des interventions chirurgicales des règles qui veulent cesser et que le faire exerce sur l'utérus une force, une pression qui le blesse, car, affirme-t-il, ces médicaments sont parmi les plus dangereux que la médecine possède. (On sait aujourd'hui que les emménagogues alors employés étaient toxiques pour les reins et y provoquaient de graves lésions.)

Timidement, ces hommes se mettent à affirmer que le sang menstruel n'est pas un poison, mais que c'est un surplus de sang pur et vital qui anime la constitution d'une personne saine. Il ne faut donc pas en provoquer l'écoulement sous le prétexte qu'il peut intoxiquer. Par contre, pour éviter tout problème à la cessation des règles, il serait bon de diminuer progressivement le volume du sang qui parcourt les vaisseaux en se soumettant à des phlébotomies — Astruc les appelle des évacuations — régulières un ou deux ans avant «le temps critique». Sinon, la négligence de cette mesure hygié-nique deviendra la cause des hémorragies pernicieuses.

Au moment où le retour d'âge présente pour les femmes du XVIIIe siècle un symptôme catastrophique, la ménorra-gie ou l'exagération de l'écoulement menstruel, les médecins vers lesquels elles se sont tournées avec tant d'espoir se mettent non seulement à ébranler leurs convictions — si le sang menstruel retenu n'est plus un poison mortel, qu'est-ce qui alors les détruit ainsi de l'intérieur? — mais encore à leur retirer tout espoir de s'en sortir en condamnant comme dan-gereux et pernicieux les traitements dans lesquels elles ont tant eu confiance. Maintenant, sans plus pouvoir rien y faire, les femmes non seulement vieillissent mais encore elles saignent plus qu'elles ne le désirent, et ces «hémorragies déplétives» transforment leurs victimes en parias, en intou-chables sociales et sexuelles condamnées à traîner «une vie languissante, exposée à toutes sortes d'écueils».

Le sang les envahit. Le sang les mine. Le sang leur interdit de tenir salon, une activité que les femmes nobles, une fois leur première jeunesse passée, aiment bien pour-suivre car elle leur permet de continuer à régner en proté-geant ces artistes, ces savants et ces philosophes qui leur plaisent et qu'elles veulent bien reconnaître. Le sang les chasse de la cour — que pourraient-elles encore y faire sans admirateurs ni flagorneurs intéressés? — et c'est affaiblies, ébranlées nerveusement que beaucoup de femmes aristocra-tiques entrent alors en religion ou dans une retraite austère dans leur domaine en province, loin de Paris.

Fort heureusement, le médecin Astruc est un habile manieur du spéculum redécouvert à son époque, puis imposé par Récamier à toute la profession médicale en 1802. Avec cet instrument, il peut enfin examiner le vagin et le cervix des femmes et comme celles-ci n'ont plus de pudeur naturelle et qu'elles sont prêtes à à peu près n'importe quoi pour être guéries, il l'utilise d'une manière routinière à leur demande même. Un auteur rapporte: «Les femmes alarmées par l'ap-proche de l'âge critique engagent leur médecin à les tou-cher*...» Et que trouvent-ils? «Des désorganisations si avan-cées de la matrice...»

---

* Astruc admet que les petites tumeurs sont difficiles à distinguer et que leur diagnostic exige, en plus de l'usage du spéculum, l'introduction du doigt dans le vagin pour remonter jusqu'à l'utérus qui sera poussé contre la main appuyée sur l'abdomen.

Ces désorganisations, ulcères et cancers, seront d'abord mises au compte des hémorragies. Le sang menstruel redeviendra pour un temps toxique, porteur «d'un virus dont la matière acre et morbifique peut engendrer des effets délétères».

C'est à cette époque que la peur du cancer s'attachera fortement à la ménopause pour en faire un phénomène angoissant et très proche de la mort. Désormais les femmes sont terrorisées par la cessation des règles, par les hémorragies violentes qui la précède souvent de plusieurs années et par la perspective du cancer qui les envahit de l'intérieur, au cœur même de leur féminité. Tout ce climat d'épouvante les amènera à s'attacher fortement à leurs médecins et à établir elles-mêmes, bien avant le XXe siècle, une routine d'examens gynécologiques réguliers en vue de dépister et de prévenir le cancer. Elles se soumettent ainsi à des examens vaginaux répétés, à l'application de substances caustiques (soude, potasse, nitrate d'argent, ammoniaque, acides) destinées à désorganiser, attaquer et corroder les tissus dégénérés, puis, plus tard, elles accepteront même leur cautérisation, leur brûlure à l'aide d'une mèche chauffée au rouge.

Pourtant, vers la fin du XVIIIe siècle, malgré l'abandon des anciennes thérapies déclarées iatrogènes, malgré les examens de routine, malgré les traitements sophistiqués, les hémorragies persistent, les cancers aussi et la détresse des femmes qui consultent, confine à la folie.

C'est alors que les médecins de la fin du XVIIIe siècle et du début du XIXe siècle changent leur fusil d'épaule. Ils se mettent carrément à combattre les croyances anciennes qui incriminent la rétention des poisons auparavant purgés par les règles; ils se reprennent au sujet de leur condamnation des traitements traditionnels et affirment que bien qu'ils aient été pernicieux, ils ne pouvaient pas l'être tant que ça et ils déclarent ouvertement que les maladies des femmes lors du retour d'âge sont... tout simplement... le résultat de... *leur mauvais style de vie.*

Ces hommes possèdent maintenant suffisamment de recul et ils ont accumulé suffisamment d'observations anthropologiques pour reconnaître que la ménorragie ou le flux menstruel excessif et prolongé n'est pas un phénomène universel de la cessation des règles. En réalité, il n'affecte, depuis la fin de la Renaissance, que les femmes de l'aristocratie française. Ce sont les dames de Paris et de quelques autres villes européennes (les Allemands parlent de la Mitteleuropa) qui souffrent de dérèglements à cette époque de leur vie. Il n'y a qu'à traverser la Manche ou à descendre l'échelle sociale en France pour découvrir que les femmes britanniques de la haute classe industrielle ou que les bourgeoises et les paysannes de la province française en sont totalement exemptes. C'est d'ailleurs cette observation qui avait poussé Fothergill en 1776 à déclarer que les «complications» du climatère étaient iatrogènes: les femmes aristocratiques françaises étaient les seules à «traiter» leur cessation des règles et elles étaient aussi les seules à en souffrir. Dans son pays, ce médecin britannique avait pu observer les dames de la vieille aristocratie mais aussi les épouses de cette nouvelle race d'hommes industriels, capitalistes, grands travailleurs et fervents qui avaient été convertis par la prédication de John Wesley (1703-1791) qui enseignait une morale chrétienne stricte et un retour complet et profond à la piété quotidienne. Or — et cela sera un leitmotiv en Angleterre et en Amérique jusqu'au dernier quart du XIXe siècle — ces femmes croyantes ne souffrent pas de leur cessation des règles. Elles ne connaissent à cette époque ni intoxication, ni hémorragies, ni dépression liées à cet événement. En France, dans un livre intitulé «Conseils aux femmes de 40 ans (1781)», Jeannet décrit les paysannes de ce pays et il déclare que leur retour d'âge est particulièrement uni, pour trois raisons fondamentales:

● elles vivent au milieu d'un air libre et pur;
● elles occupent une position sociale importante «à la tête d'une famille où elles régneront jusqu'à la mort dans leurs qualités d'épouse et de mère»;
● elles ont «un régime frugal et salutaire qu'elles pratiquent depuis leur enfance».

Ces observations irréfutables deviendront rapidement des exhortations puis de strictes prescriptions, et en 1816 de Gardanne — rappelons que nous lui devons le mot ménopause — déclarera avec autorité: «La femme, à l'époque de la ménespausie, doit vivre sobrement et imiter le genre de vie des femmes de la campagne, chez lesquelles il est rare de voir de suites funestes de la cessation des règles».

Pauvres femmes aristocratiques de la fin de la Monarchie, du Directoire et de l'Empire! comment peuvent-elles tout d'un coup imiter un style de vie qui est aux antipodes mêmes de leur existence «molle, sédentaire, consumée dans les plaisirs de l'amour, du sommeil, du jeu, de la table et des spectacles»? Comment ces femmes «perpétuellement nourries dans une atmosphère épaisse et humide, et en qui le tumulte des passions, la profusion des mets, l'abus des parfums, les liqueurs fermentées et la jouissance de mille plaisirs ont sans cesse allumé le sang», oui, comment ces femmes vont-elles pouvoir acquérir du jour au lendemain des habitudes de femmes vertueuses? Et Jeannet de constater que par un juste retour des choses, «comme leur jeunesse eut plus d'éclat et leur vie plus de volupté, leur âge mûr amène communément à sa suite bien plus de maux à craindre, de regrets à former, de soins à prendre, de privations à s'imposer».

Ces femmes sont affligées, ces femmes saignent, mais comment en serait-il autrement avec toutes ces choses qu'elles font qui échauffent et agitent le sang? Et Astruc de nommer: rester debout toute la nuit, l'usage des liqueurs et même du vin, celui du café et du chocolat, particulièrement celui qui est fait avec de la vanille et, détail qui sera signalé avec de plus en plus de sérieux, les passions trop puissantes qui provoquent de fortes et toniques contractions de l'utérus. Béclard, lui, parle «des abandons fréquents aux plaisirs de l'amour, puis à la colère, de l'habitude de la bonne chair, de l'abus du vin et des maladies vénériennes» alors que Chouffe énumère «une susceptibilité nerveuse extrême qui rend l'influence des passions plus puissantes, une vie passée dans l'opulence, l'oisiveté, la bonne chair, les veilles prolongées dans les jeux, les grandes assemblées, l'abus des liqueurs spiritueuses, l'usage immodéré du café et du thé, les excès dans les plaisirs de l'amour et les maladies antérieures qui ont dérangé les menstruations depuis la puberté». De Gardanne sera plus précis. La ménorragie est la conséquence du «mauvais emploi de la vie», car, c'est un fait irréfutable, «les femmes qui suivent les lois de la nature, qui ont des enfants et qui les allaitent, ne connaissent pas de troubles, alors que la poursuite d'activités libertines et débauchées, les grossesses avortées, les bébés qui n'ont jamais été portés au sein» ont pour conséquence obligatoire des femmes qui connaîtront un âge «critique», qui auront des troubles et des difficultés à la cessation des règles. Plus, comme toutes les maladies antérieures, et plus particulièrement, les maladies génitales, s'aggravent avec le temps, l'on peut ainsi prédire, par le biais de l'histoire médicale d'une patiente, quelle est la tournure que prendra sa ménopause.

Nous avons là, en germe, l'idée actuelle de la nécessité non seulement de prévenir mais encore de promouvoir la santé et cela dès le début de la vie, si on veut la voir se prolonger pour s'épanouir[2]. Ainsi vers la fin du XVIIIe siècle et au début du XIXe, les médecins cherchent à éduquer les femmes aristocratiques en leur faisant comprendre les conséquences de leur style de vie:

1.) «*La bonne chair*», c'est-à-dire la profusion des viandes, l'abus de l'alcool et l'usage de plus en plus répandu du café, du thé et du chocolat consommés avec force gâteaux et friandises sont la cause de leurs coliques hépatiques, de leurs indigestions fréquentes, de leurs problèmes intestinaux. Ils sont aussi la cause de leur visage congestionné, tout rouge et même violacé, — hélas! fort peu à la mode — qu'elles cherchent à n'importe quel prix à blanchir au point qu'il en devienne vert. En effet, les femmes de la noblesse estiment qu'il est vulgaire d'avoir le teint coloré, car avoir l'air en santé, c'est être paysanne, et cela, pour le moment, ne les intéresse pas. Elles veulent être délicates, fragiles, vulnérables, pitoyables et pour obtenir un visage d'une extrême paleur au milieu duquel brillent de grands yeux fiévreux, elles multiplient les régimes déséquilibrés bannissant le pain, les soupes et les légumineuses; elles se font faire des phlébotomies à répétition; elles s'appliquent des sangsues sur le cou, même si celles-ci les défigurent en leur laissant d'affreuses cicatrices; plus, elles utilisent du blanc de plomb, un colorant blanc, dont elles se badigeonnent le visage, et avalent du vinaigre, de la craie et même de l'arsenic quotidiennement*. Tout cela ne peut pas faire autrement que de les maintenir dans un état de malnutrition débilitant qui ne s'améliorera pas à la ménopause mais en aggravera tous les symptômes et plus particulièrement les hémorragies utérines.

2.) La vie brillante, excitante et cousue d'intrigues de la cour stimule des passions trop fortes qui ne peuvent faire

---

* Ces femmes souffraient ainsi de chlorose, une forme d'anémie par manque de fer, caractérisée par une pâleur verdâtre de la peau, jugée par elles comme admirable.

autrement que de déboucher sur «*les plaisirs de l'amour*». Les femmes vivent dans la débauche la plus extrême, ce qui multiplie à l'infini les risques de transmission de maladies vénériennes. Elles font fi des règles les plus élémentaires de l'hygiène en ne s'interrompant même pas pendant leurs menstruations. Or on le sait déjà à cette époque, le cancer de l'utérus dont le symptôme le plus criant sont des saignements violents, est toujours associé à des infections acquises sexuellement: «inflammations des tubes, hydropisie des trompes, abcès des ovaires, chancres, verrues et condylomes».

3.)   Et puis, il y a «*les jouissances stériles*». La noblesse a de moins en moins d'enfants. Bien qu'on ne puisse nier que cette société subit une perte involontaire de sa fertilité parce que ses femmes ont les trompes bouchées à la suite des infections vénériennes, post-abortives et post-natales, sans compter les effets généraux de la syphilis, il est impossible d'ignorer que cette stérilité, conséquence d'un style de vie basé sur la licence et le plaisir, est doublée d'une pratique de plus en plus répandue d'un siècle à l'autre, d'une contraception volontaire.

Ce sont les hommes de l'époque qui sont les instigateurs de ce phénomène. Ils veulent éviter, disent-ils, le morcellement des héritages et cela d'autant plus que la Révolution a supprimé le droit d'aînesse. Ils affirment qu'ils assurent ainsi une existence plus facile à des enfants moins nombreux. En fait, tout ce que ces hommes exigent, c'est un héritier unique et légitime. Ceci accompli, le désir de se reproduire ne les tourmente plus et dans leurs nombreuses aventures, ils utilisent des méthodes contraceptives qui leur permettent de jouir de la femme sans la rendre féconde, donc sans qu'ils aient à se sentir responsables de leurs actes.

Déjà au Moyen Âge les troubadours, ces chanteurs d'un amour où l'homme et la femme ne s'unissent pas pour se reproduire mais pour profiter l'un de l'autre en tant qu'êtres indépendants, avaient mis au point la technique du *coïtus reservatus* ou «karezza», remise à la mode aujourd'hui dans certains milieux spiritualistes et appelée étreinte réservée. Celle-ci consistait en rapports sexuels non suivis d'éjaculation. Ces rapports pouvaient, avec une certaine maîtrise que ces chevaliers servants donnaient pour preuve de «leur» grand respect de la femme, rester «stériles».

28

Puis, au XVIᵉ siècle, étaient apparus, à la suite de la panique que la propagation fulgurante de la syphilis avait provoqué dans les cours européennes, «des caleçons de lin médicamenté» que Gabriello Fallapio (1523-1563) avait présenté comme permettant des relations sexuelles sans danger. Ces tout premiers préservatifs masculins ne furent pas très populaires car ils masquaient les sensations, mais 250 ans plus tard, on peut trouver sans difficulté dans les magasins chics de la plupart des capitales européennes des condoms, faits de peau animale et dès 1840, de caoutchouc. Ils sont nommés d'après le Dr Condom, médecin de Charles II (1630-1685) qui devait favoriser leur popularité car il avait trouvé dans leur usage, le moyen d'échapper aux exigences de ses maîtresses qui auraient bien voulu pouvoir lui réclamer des pensions alimentaires et la légitimation de leurs enfants et obtenir ainsi, fantasme de femmes illégitimes, sinon un statut de reine, du moins une reconnaissance semi-officielle...

Jusque-là, la contraception est strictement masculine. —Il ne faut pas oublier le *coïtus interruptus* ou coït interrompu, certainement la plus vieille méthode au monde et la plus universelle qui devait rester, même au XXᵉ siècle, la méthode la plus utilisée dans certains pays européens. Les hommes de la noblesse veulent «dérober des jouissances stériles». Ils veulent la femme mais non les enfants qu'elle peut leur donner. Alors, à l'époque de la Révolution, les femmes de la noblesse abdiquent leur fertilité. Elles décident, elles aussi, qu'elles ne veulent absolument plus d'enfants et déchargeant l'homme de cette responsabilité, elles se mettent à utiliser des méthodes contraceptives qu'elles peuvent diriger elles-mêmes: des éponges trempées dans du vinaigre furent la méthode contraceptive de la France révolutionnaire; le lourd bidet de bois richement sculpté favorisant la douche vaginale et l'usage de forts astringents spermicides, fait partie des bagages des épouses des officiers de Napoléon lorsqu'elles les suivent en campagne; la cape cervicale apparaît en Allemagne en 1823, probablement à la suite de la suggestion de Casanova, un aventurier libertin qui conseillait à ses conquêtes l'utilisation d'un demi-citron recouvrant le cervix; le diaphragme inventé en Allemagne également, reçoit, dès 1882, une grande publicité.

L'aristocratie, d'abord par le biais des hommes, puis quelques siècles plus tard, par celui des femmes, a réussi à éliminer la fertilité de la sexualité féminine pour en faire exclusivement une sexualité du plaisir pour le plaisir. La famille s'est rétrécie. Les femmes nobles n'ont plus qu'un ou deux enfants et les médecins interrogent: N'y a-t-il pas là encore, dans cet aspect de ce nouveau style de vie, une cause directe des hémorragies de la ménopause? Ces hommes sont soupçonneux, car ils ont observé que les paysannes qui ont eu beaucoup d'enfants n'en souffrent pas. Aujourd'hui nous savons que la stérilité qu'elle soit la conséquence de la chasteté, d'une contraception bien menée ou des maladies sexuellement transmissibles, est une cause de fibromyomes utérins, des tumeurs qui se développent aux dépens du tissu de l'utérus, et que celles-ci sont la cause majeure des anomalies des règles au retour d'âge: règles hémorragiques, trop abondantes, trop longues, chargées de caillots, parfois accompagnées de pertes au milieu du cycle. Or ces fibromes sont causés par l'action isolée et prolongée des œstrogènes, action non soulagée par la progestérone d'une grossesse, d'un accouchement et d'un allaitement bien menés. La femme stérile est constamment soumise à l'action d'un taux élevé d'œstrogènes qui agressent l'utérus et les seins, des organes dits hormono-dépendants, et qui favorisent la formation de tumeurs bénignes et malignes. La femme fertile connaît régulièrement de longues périodes où enceinte, accouchant et allaitant, elle est soumise à l'action freinatrice, stabilisatrice et préventive de la progestérone. Avoir des enfants lui permet de conserver l'intégrité de son utérus et de sa poitrine. Or, c'est une sérieuse inquiétude de plus, le cancer, remarquent les médecins de la fin du XVIIIe siècle et du début du XIXe siècle, s'attache maintenant aussi au sein...

Évidemment, tous ces bons conseils, toutes ces craintes, toutes ces mises en garde ne pouvaient pas être bien reçus par des dames de l'aristocratie qui consultaient dans le but précis et unique, non de mettre fin à leur style de vie, mais au contraire, de le poursuivre aussi longtemps que possible... La bonne chair, les plaisirs de l'amour et la stérilité étaient les marques de «leur liberté» et elles n'avaient aucune intention de les perdre. L'histoire nous rapporte qu'à ce moment — au tout début du XIXe siècle — ces femmes boudant les hommes se tournent à nouveau vers les femmes-guérisseuses. De Gardanne se plaint que beaucoup d'entre elles «ont plus de confiance dans les médicaments des vieilles commères que dans les secours de l'hygiène», alors que d'autres «consultent plus souvent leurs marchandes de mode» que leur médecin. Tilt, lui, est plus catégorique et il affirme que les femmes ne veulent tout simplement pas être guéries. Elles repoussent les secours de l'hygiène et préfèrent s'accrocher à leurs préjugés tant elles sont opposées à tout changement personnel.

Il est intéressant de remarquer que ce que les médecins de cette époque ne réussissent pas à faire malgré leurs nombreuses interdictions, Napoléon l'accomplit en promulguant, le 21 mars 1804, le Code civil. Restaurant l'importance de la famille, il établit légalement l'autorité du père de famille et déclare que le mari doit protection à sa femme. C'est le triomphe de la bourgeoisie et de sa morale stricte. Pour un temps le mouvement en faveur de l'émancipation sexuelle et politique de la femme amorcé depuis deux siècles, se ralentit. Aux côtés d'hommes, pères de famille autoritaires et maris responsables, les femmes semblent capituler et l'on peut lire sous la plume d'un observateur du temps, que maintenant que «les différents actes de leur entendement ne sont plus dominés par l'influence quelquefois tyrannique du besoin des voluptés», les femmes «jouissant du bonheur le plus pur que donnent les affections de la famille et les qualités inhérentes à leur sexe» renoncent à leur ancien style de vie «à l'honneur de notre époque et à louange de leur sexe et n'ambitionnent plus que la gloire de rehausser l'éclat des noms si doux de mères et d'épouses». Et c'est ainsi que «lorsque l'âge vient, elles écoutent la voix de la nature et la subissent avec un noble courage».

Ce recul ne fut que de courte durée. Assez rapidement, la société occidentale aristocratique ébranlée au plus profond d'elle-même par les promesses de bonheur des Philosophes, devait reprendre sa course contre elle-même. Par la voix de femmes qui faisaient scandale comme Mme de Staël et George Sand, on entend à nouveau les clameurs des revendications féminines aux droits de la passion considérée comme une force sacrée pour peu qu'on puisse justifier sa sincérité. Rechercher son bonheur personnel, disent ces prophétesses de l'esprit nouveau, c'est opérer une régénération morale. L'amour «libre», déclarent-elles, est souverain et son plus grand ennemi est la société, avec ses conventions, ses préjugés, ses interdits et même ses proverbes comme celui qui affirme qu'il vaut mieux prévenir que guérir... Ces femmes ne veulent plus de contraintes et c'est volontairement qu'elles choisissent à nouveau de prendre le risque de suivre leurs inclinations, peu importe les conséquences. Il n'est plus question pour elles de changer de style de vie et prenant à nouveau d'assaut la profession médicale masculine, elles exigent maintenant que celle-ci lui offre les moyens de poursuivre leur émancipation sans entraves.

Les médecins, conscients de leur échec à convaincre les femmes de faire amende honorable, encore sous le coup brutal de leur délaissement boudeur, se plient à leurs exigences et ils décident de s'attaquer directement aux hémorragies du retour d'âge, cause d'anémie profonde avec insuffisance cardiaque et œdème prononcé. Ils ne chercheront plus à prévenir*. Ils vont se mettre à traiter. Non, ils ne sermoneront plus leurs patientes : Ils utiliseront le bistouri qui deviendra un instrument de libération, un moyen sûr d'obtenir l'absolution...

Tilt fut le premier médecin à suggérer que les symptômes de la ménopause avaient leur origine dans l'involution des ovaires. C'est ainsi que le chirurgien anglais Tait devait commencer, vers le milieu du XIXe siècle, à pratiquer l'ablation des ovaires ou ovariectomie bilatérale, non seulement pour hâter la ménopause et ainsi en contrôler les hémorragies rebelles mais aussi pour provoquer une castration, remède aux désordres «nerveux» de cette période de la vie

---

* C'est à cette époque que la médecine cessera probablement définitivement d'être préventive. En 1986, un médecin constatait que malgré les nombreuses exhortations de l'OMS et d'autres organismes influents, soulignant l'urgence pour les médecins de se lancer dans la prévention des maladies, peu d'entre eux sentaient qu'ils pouvaient être à l'aise dans cette entreprise[3]. Prévenir, c'est éduquer et éduquer, c'est obligatoirement enseigner ce qui est bien ou bon, mal ou mauvais. Or les médecins ont été entraînés à ne pas porter de jugement sur le comportement de leurs patients, à ne pas poser de questions directes et embarrassantes, à être amoraux dans leurs recommandations. Ils ont appris à n'être là que pour «essayer d'aider», à faire tout en leur pouvoir pour des gens qui, ils le savent, n'écouteraient pas ce qu'ils pourraient leur conseiller et qui, comme autrefois, pour la majorité d'entre eux, ne veulent rien changer à leur style de vie.

des femmes. Il faut le signaler, à présent non seulement les femmes saignent mais elles se sont aussi mises à boire et cette tendance des femmes à faire un usage abusif de l'alcool est étiqueté comme «la forme la plus terrible des maladies mentales». Considérée comme affreusement grossière et offensante, cette nouvelle habitude va faire énormément pour changer la mentalité médicale face à la ménopause. L'ablation des ovaires, largement pratiquée, sera cependant abandonnée assez rapidement car, bien que contrôlant les hémorragies utérines, «elle entraînait souvent une perte de l'équilibre mental et débouchait parfois sur la folie».

C'est alors que l'on se met à raisonner que si ce sont les ovaires qui sont le siège de la féminité, l'utérus ne l'est pas. Il n'y a donc aucun problème à l'éliminer. La première hystérectomie abdominale a été réalisée, par accident, en 1843. Le chirurgien Clay de Manchester en Angleterre, s'était préparé à faire une ovariectomie. Tombant sur un utérus hypertrophié, il décida de le couper. Un chirurgien rival ne voulant pas être dépassé, décida de faire «la même erreur de diagnostic» et répéta l'opération quelques jours plus tard. Entre 1843 et 1866, cette opération devait être pratiquée sur 42 femmes dont 33 en moururent. En 1853, un nommé Burnham avait pratiqué une hystérectomie qui avait réussi. Incapable de répéter son succès jusqu'en 1876, il fut néanmoins supplié par 14 femmes qui exigèrent qu'il les opère. Douze d'entre elles moururent. En 1872, l'Académie de Paris à la suite de nombreux médecins et chirurgiens, condamnait cette opération comme étant l'«une des opérations les plus cruelles et infaisables qui ait jamais été projetée ou exécutée par la tête ou la main d'un homme».

Pourtant, malgré la perspective d'un échec irrémédiable et malgré un coût prohibitif — la société de gynécologie de Chicago indique en décembre 1879 que le prix d'une telle opération est de 1 000 dollars, soit l'équivalent de 50 000 à 100 000 dollars aujourd'hui —, les femmes se mettent à réclamer avec force d'être coupées, débarrassées de cet organe de leur corps, source de tous leurs malheurs. Elles en ont assez d'être reléguées à la maison, de saigner constamment, d'être rejetées par leurs maris et par leurs amants. Elles veulent vivre et elles voient dans cette opération un espoir de guérison, la promesse d'une régénération sexuelle qui leur permettrait d'être à nouveau remarquées et aimées.

Une complicité formidable dans ses effets s'installe alors entre les femmes et les médecins et bientôt ceux-ci poussés, acculés, pressés par l'urgence de leurs supplications arrivent, grâce à de nouvelles techniques chirurgicales et à l'aseptie, à mettre au point cette opération : la mortalité tombe de 80 p. 100 en 1866 à moins de 10 p. 100 en 1890 et à moins de 2 p. 100 en 1920.

Le XIXe siècle se termine, entre autres, par le triomphe des femmes aristocratiques. L'hystérectomie qui préserve l'intégrité vaginale et cervicale et assure, dit-on, ainsi la capacité orgastique, est enfin à la portée de toutes les femmes. Moyen de contraception absolu, elle sera exigée par beaucoup d'entre elles après une grossesse ou deux au maximum et accordée sans difficulté par de nombreux médecins prétextant tout simplement un problème quelconque chez ces utérus tout jeunes. Tolérée tant par les autorités religieuses que médicales, cette chirurgie a permis à des millions de femmes de se dégager et de la peur d'une grossesse non désirée et de la culpabilité d'utiliser une méthode contraceptive. L'hystérectomie a aussi libéré la femme du fardeau des règles mensuelles ainsi que de toutes les pertes vaginales et, bien sûr, elle a totalement dégagé la ménopause de la malédiction des hémorragies. Plus, elle a permis une réduction générale du taux des cancers de l'utérus et elle a finalement rompu l'association tragique entre la peur du cancer et le temps critique.

Les femmes qui le voulaient, avec le concours actif de leurs médecins, pouvaient finalement réussir à vivre selon leurs choix sociaux et culturels et suivre leurs inclinations sans en subir les conséquences. Non, ces femmes ne se sont pas soumises, elles ne sont pas revenues en arrière, elles n'ont pas corrigé ni abandonné leur style de vie dangereux, comme les médecins le voulaient. Au contraire, elles ont forcé ces hommes à trouver des moyens de les protéger alors qu'elles continuaient à vivre comme bon leur semblait, même si cela était mauvais pour leur santé.

Ces efforts extraordinaires pour ne pas récolter ce qui a été semé, seront decevants au XXe siècle. Le style de vie des femmes de l'aristocratie française des XVIIe et XVIIIe siècles s'étant peu à peu, mais sûrement, diffusé dans toutes les couches de la société occidentale, on rapportera que vers la fin des années 70, plus d'un million de femmes par an en Amérique du Nord et en Australie, plus encore en Europe de l'Ouest, subissent une hystérectomie. La ménopause reste cependant, avec de nouveaux symptômes obsédants de chaleurs, de sueurs, d'atrophie vaginale et de cancer du sein, un spectre menaçant qui angoisse tout autant les femmes de la fin de notre siècle.

On veut maintenant un retour à la nature... Pourtant, peut-on ignorer que lorsque la femme est près de la nature, comme elle l'était dans l'Europe pré-industrielle ou comme elle l'est encore aujourd'hui dans d'autres cultures, sous le chaud et lumineux soleil du Midi, de l'Orient ou de l'Afrique, elle n'a, de la puberté à la ménopause, qu'une vie?: être l'épouse d'un homme viril et la mère de nombreux fils et filles...

Alors que les femmes d'aujourd'hui veulent refuser les hormones de remplacement et l'hystérectomie parce qu'elles les considèrent comme des agressions contre leur personne, on entend à nouveau parler d'hémorragies et de cancers désolants de la ménopause[3]...

Ce fait, démontré par l'histoire que nous venons de passer en revue[4,5,6], est-il irréfutable? Est-il véritablement impossible pour une femme d'avoir une ménopause «naturelle» quand elle a voulu auparavant mener une vie «artificielle»[7,8,9,10,11,12]?

1. Villon F., *Poésies*, Les regrets de la belle Heaumière, G.F. — Flammarion, p. 65, 1965.
2. Voir, du même auteur, *Le bébé et sa nutrition, L'enfant et sa nutrition, L'adolescent et sa nutrition*, Orion, Québec.
3. Willbush J., WONCA 1986, *Canadian Family Physician*, B_2: 1413-1414, 1520, 1986 b.
4. Oldenhave A., Abstracts, 5th International Congress on the Menopause, Sorrento, *Abstracts*, 35: 51, 1987.
5. Hacquard G., Dautry J., Maisani O., *Guide romain antique*, Classiques Hachette, 1952.
6. Coquerelle S. et P., Genet L., *La fin de l'Ancien Régime et les débuts du Monde Contemporain*, 1715-1870, Hatier, 1966.
7. Bernstein G., Buzacoux A., Gauthier Y., *Histoire/Géographie 4e*, Fernand Nathan, 1979.
8. Willbush J., Menorrhagia and menopause: a historical review, *Maturitas*, 10: 5-26, 1988.
9. Willbush J., What's in a name? Some linguistic aspects of the climacteric, *Maturitas*, 3: 1-9, 1981.
10. Willbush J., Menopause and menorrhagia: a historical exploration, *Maturitas*, 10: 83-108, 1988.
11. Willbush J., La mésespausie — The birth of a syndrome, *Maturitas*, 1: 145-151, 1979.
12. Willbush J., Tilt, E.J. and the change of life (1857) — The only work on the subject in the English language, *Maturitas*, 2: 259-267, 1980.
13. Willbush J., The Climacteric syndrome: historical perspectives, in Notelovitz M., van Keep P.A., eds. *The Climacteric in perspective*, 121-129, 4th International Cong. on the Menopause, Lancaster, Boston, The Hague and Dordrecht: MTP Press, 1986.

2

Femmes d'antan... femmes d'ailleurs...

Toutes les sociétés ont, de tout temps, possédé des moyens spontanés et reconnus comme tels par les femmes, qui leur ont permis de contrôler leur croissance afin qu'elle ne soit pas anarchique. Un de ces moyens, sans contredit, a été pendant des millénaires, l'allaitement libre et prolongé[1] qui permet un espacement naturel d'un minimum de deux ans[2], trois ans et même quatre ans étant chose courante, entre chaque enfant. Par contre, la contraception ou la volonté de provoquer l'infécondité n'a jamais fait partie des mœurs d'aucune culture, la société aristocratique occidentale ayant été pendant des siècles, l'unique exception majeure. Or si cette mentalité, après s'être peu à peu infiltrée tout d'abord chez les grands propriétaires terriens, puis dans la bourgeoisie, a finalement imprégné toute notre civilisation, il n'en reste pas moins vrai qu'elle est loin d'être partagée, encore aujourd'hui, par le reste du monde.

Nous devons ainsi quitter maintenant l'aristocratie européenne qui, ayant choisi de croire aux philosophies nouvelles, commence à entrevoir à l'aube du XXᵉ siècle qu'après avoir tout détruit, elle s'est vouée à construire sans fondations... Laissons les villes industrielles qui ruissellent de suie, qui grouillent de vices, qui hurlent de solitude. Il nous faut aller voir sous d'autres cieux comment les choses se passent pour les femmes à la ménopause, et puisque c'est le berceau de la civilisation occidentale, arrêtons-nous au Sud de l'Europe, sur ces terres qui bordent les côtes est et sud de la Méditerranée.

Il y a là, tout le monde le sait, une luminosité éblouissante, des paysages d'une très grande beauté et... des hommes, des hommes heureux et fiers d'être homme, des hommes pour qui être homme, c'est être chef de famille, c'est être père, c'est avoir beaucoup d'enfants. Or pour s'accomplir, pour réaliser leur destin d'hommes, pour être les hommes qu'ils veulent être, ces hommes ont absolument besoin de femmes...

C'est ainsi qu'il existe dans ces sociétés méditerranéennes entre les hommes et les femmes, des rapports d'étroite dépendance, un homme ne pouvant être complet tant qu'il ne s'est pas uni à une femme. Les hommes cherchent donc des femmes et ils appliquent à cette activité toutes leurs forces, toute leur énergie. Ils savent qu'un père ne laissera pas sa fille quitter sa maison pour aller avec n'importe qui. Avant d'obtenir la main de leur bien-aimée, ils devront donc verser dans les mains de leur futur beau-père, à titre de garantie, une certaine somme d'argent ou son équivalent en espèces. Loin d'être une preuve que les femmes sont achetées comme des choses, cette coutume démontre qu'elles ont énormément de valeur et qu'elles sont des personnes à part entière. Ces pères de famille ne jugent pas prudent de confier le bonheur de leurs filles à des hommes qui n'ont pas donné la preuve qu'ils sont capables d'entretenir une femme et des enfants. Si ceux-ci ne sont pas assez économes et travailleurs pour acquérir du bétail ou des terres, il est douteux qu'ils soient capables de rendre une femme heureuse et un bon père préférera garder sa fille chez lui que de l'exposer à une vie misérable chez un prétendant incapable de fournir de garanties.

Les hommes qui veulent une femme doivent donc verser à leur père une dot qui lui sera remise le jour du mariage et qui restera, avec les cadeaux que son père lui fera, sa propriété personnelle. En réalité, ces hommes qui ont une saine estime de soi recherchent des femmes qui ont une saine estime de soi et la dot versée par le futur mari et le père, est la mesure de leur grande valeur[3].

Le mariage est donc le but premier et ultime de la vie d'un jeune homme et à cette fin, il n'épargne aucune peine. Il est prêt à n'importe quel sacrifice. Et lorsque vient le jour où l'épouse, chargée de cadeaux qui constituent sa part d'investissement dans l'entreprise familiale — part qui restera sienne et qu'elle sera libre d'investir pour en accroître le capital —, quitte le foyer paternel pour aller dans la maison de son mari, elle se sent comme une reine qui prend possession de son domaine. Comment ne peut-elle pas être fière? Pour elle, son mari a quitté son père et sa mère. Entre plusieurs à choisir, il s'est attaché à *elle* et maintenant, ils vont devenir «une seule chair». Leurs deux vies pour toujours seront intimement unies. Ils partageront les mêmes joies et les mêmes chagrins; ils porteront les mêmes responsabilités; ils relèveront les mêmes défis. Leur amour va les transformer totalement et faire d'eux une famille car les enfants, c'est sûr, vont bientôt venir. Ils seront alors une communauté d'individus responsables les uns des autres, attachés les uns aux autres par les liens du respect, de l'honneur et de la reconnaissance.

Épouse choisie, mère honorée, la femme méditerranéenne est en plus, et cela il ne faut pas l'ignorer, une partenaire d'affaires avisée et obligatoire. Cette femme dirige sa maison comme on dirige aujourd'hui en Occident une entreprise: Elle supervise une équipe de travailleurs qui participent aux travaux des champs et à ceux de la maison; elle achète les matières premières nécessaires à ses nombreuses activités; elle vend ce qu'elle produit et en investit personnellement les profits; elle n'oublie pas de faire la charité et sa sagesse est reconnue de tous.

Une telle femme n'est pas un objet. Non! C'est une personne à part entière qui «a bien plus de valeur que les perles». Nous le savons car nous possédons encore aujourd'hui un très vieux texte intitulé «Qui peut trouver une femme vertueuse?[4]». On y découvre la description d'une femme dont on fait l'éloge dans une série de proverbes qui composent un magnifique poème qui, fait intéressant, devait être lu à haute voix par tous les maris hébreux de ces communautés devant leur famille réunie, chaque vendredi soir au coucher du soleil alors que la semaine de travail était terminée.

Un texte beaucoup plus récent que nous devons à la plume d'un écrivain du XVIIe ou XVIIIe siècle, décrit le travail des femmes de la campagne française. Certes leur vie n'était ni molle ni sédentaire et il est facile de comprendre qu'elles ne pouvaient pas faire autrement que d'avoir une très haute opinion de leurs capacités et le sens très net qu'elles étaient tout simplement indispensables. D'ailleurs, il n'est personne, dans ces sociétés pré-industrielles, qui aurait pensé à seulement penser autrement. L'homme et la femme ont tous les deux un rôle bien précis et bien net à jouer et il n'est pas question de se passer de l'un ou de l'autre. Écoutons ceci :

«Suivant notre coutume de France, les femmes de village s'occupent des vaches, des veaux, des pourceaux, des cochons, des pigeons, des oies, des canards, des paons, des poules, des faisans, et autres sortes de bêtes, tant pour les nourrir que pour traire le lait, faire du beurre, des fromages et la réserve de lard pour les vivres des ouvriers. Elles ont aussi la charge du four et de la cave, et nous leur laissons la façon des chanvres, le soin d'amasser des toiles, de tondre les brebis, carder leurs toisons, filer et peigner la laine, de faire des draps pour vêtir la famille, de cultiver le jardin potager et s'occuper de la réserve des fruits, des herbages, des racines et des graines... La fermière gouverne si bien le pain que l'on n'en use que du rassis; et en temps de cherté, elle fait moudre parmi le blé quelques quantités de fèves ou de blé sarrazin car le mélange des farines fait gonfler la pâte et le pain est plus enlevé et de plus grand volume[5].»

Il est incontestable que les femmes des sociétés méditerranéennes, qu'elles soient juives, arabes ou chrétiennes, tout comme les paysannes françaises que Jeannet a décrites en 1781 ou les bourgeoises que Chardin a peintes — contemplez son Le Benedicite (1740) et laissez-vous pénétrer par la paix de cet intérieur bien tenu par une maîtresse de maison attentive et pieuse — oui, toutes ces femmes-là occupent une position sociale importante et cela dès leur mariage.

Or, fait relevé par tous les anthropologues, cette position sociale, avec les années qui passent, ne diminue pas mais au contraire, elle augmente et lorsque vient le retour d'âge, la majorité des femmes approchent du sommet de leur gloire. C'est l'époque où leurs fils deviennent des hommes et leurs filles des femmes. Leur famille va encore s'agrandir et leur puissance proportionnellement. En effet, si elles perdent leurs filles, elles acquièrent des belles-filles et elles se retrouvent ainsi à la tête d'une immense maison à commander, à diriger, à surveiller, à conseiller, à subjuguer et cela jusqu'à la fin de leur vie. Ces femmes, avec le temps qui passe, focalisent de plus en plus les affections, les allégeances et les honneurs de leur mari, de leurs fils, de leurs femmes et de leurs petits-enfants. Et la tradition de proclamer:

«Récompensez-la du fruit de son travail,
Et qu'aux portes ses œuvres la louent[6]. »

On ne peut absolument pas le nier: Ces femmes ont une grande estime de soi. Elles sont heureuses d'être femme parce qu'elles sont fières d'être mère. Ce sont les enfants et plus particulièrement les fils, qu'elles ont eu, qu'elles ont mis au monde, qu'elles ont allaités, qu'elles ont éduqués et qu'elles continuent à aimer et à chérir qui leur donnent leur identité de femme; alors que ce sont les filles qu'elles ont données à leurs maris qui leur procurent à eux, une très grande importance sociale, surtout lorsque ces filles sont sages et que tout le monde sait qu'elles seront richement dotées par un père conscient et jaloux de leur grand mérite...

Nous venons de plonger dans un monde de femmes très particulier et si l'on veut mettre de côté nos préjugés d'Occidentaux, il est facile de voir que ces femmes méditerranéennes soumises à leurs pères puis à leurs maris ont une vie très stable de leur naissance à leur mort, protégée de nombreux stress. La tradition dans ces sociétés millénaires affirme, par exemple: «La grâce est trompeuse, la beauté est vaine[7]». C'est la femme entreprenante, aux grandes ambitions, indépendante, active, féconde au sein de son foyer qui «sera louée[7]». Certes, ces femmes vivent à l'intérieur des murs de la maison de leur mari, mais elles y vivent intensément, librement, dignement...

Cependant, il y a plus! Et nous devons le comprendre si nous voulons saisir pourquoi ces femmes ne ressentent pas de symptômes de détresse à la ménopause. L'absence de compétition et très particulièrement de celle qu'entraîne l'obligation d'être et de rester belles pour être remarquées et appréciées; la grande estime de soi qu'elles se portent et qui s'accroît au fur et à mesure qu'elles vieillissent; l'autonomie complète dont elles jouissent dans le gouvernement de leurs enfants, de leurs servantes et de leurs affaires ne suffisent pas à expliquer un climatère aussi uni et finalement, il faut l'avouer, inaperçu. Cherchons plus en profondeur.

Rappelons-nous que ces femmes sont mariées à des hommes qui veulent des enfants. Ils se marient donc jeunes avec de jeunes femmes, peu de temps après leur puberté qui survient comme autrefois en Europe[8], pour la femme aux environs de 14 à 16 ans et pour le garçon aux environs de 16 à 18 ans. Le jeune homme épouse donc une jeune fille qui, dès le mariage consommé et les emblèmes de sa virginité exhibés, se retrouvera enceinte au cours de la première année de sa vie conjugale. Cette femme connaîtra dès lors un cycle régulier de grossesses, d'accouchements et d'allaitements qui laissera peu et souvent pas de place à des menstruations. En effet, après quelques périodes généralement sans ovulation à la puberté, elle n'aura plus de règles régulières mensuelles, si ce n'est en l'absence prolongée de son mari ou parfois au retour d'âge. Ce seront alors, fort probablement quelques cycles anovulatoires eux aussi, comme à la puberté.

C'est donc une réalité, ces femmes d'ailleurs ont rarement leurs règles, l'aménorrhée de la lactation se transformant au bout de deux à trois ans en grossesse. Ainsi d'une grossesse à l'autre, elles connaissent de très longues périodes de temps où elles n'ont pas la moindre perte sanguine. À la ménopause, la baisse du taux des œstrogènes sanguins nécessaires pour induire une ovulation puis une menstruation, survient en général au cours d'une lactation — donc sans qu'elles ne puissent s'en apercevoir — et une fois l'enfant sevré, comme par les années passées, ces femmes vont attendre une grossesse qui ne surviendra tout simplement pas.

Il est facile de comprendre que pour des femmes qui ont rarement leurs règles et fait à ne pas négliger, qui ne connaissent donc aucun trouble des règles qui affligent tant et tant d'Occidentales (règles douloureuses, syndrome prémenstruel, règles trop abondantes, etc.), leur cessation ne signifie pas grand chose. Celle-ci peut ainsi difficilement être accompagnée de stress particuliers.

Si nous comparons ici une femme occidentale à une femme méditerranéenne, nous sommes obligés d'admettre que la sexualité de l'une est totalement différente de la sexualité de l'autre. La sexualité de la première est une sexualité à une seule dimension, le plaisir, alors que la sexualité de la seconde est une sexualité à cinq dimensions qui l'amène à désirer des relations hétéro-sexuelles et à être heureuse de les voir fécondes alors qu'elle se retrouve enceinte, enfantant et allaitant[9]. Les premières menstruations pour l'Occidentale sont le signal qu'elle va pouvoir avoir une vie sexuelle active, puis des menstruations régulières au cours de la vingtaine et de la trentaine vont affirmer qu'elle est encore jeune et puis aussi et puis surtout, qu'elle n'est pas tombée enceinte malgré tout... Pour la Méditerranéenne, les premières menstruations parlent de mariage possible, de beaucoup d'enfants, d'un mari heureux et comblé, puis au cours de sa vie d'épouse, elles lui diront que l'enfant qu'elle allaite depuis deux ou trois ans est maintenant sevré et que bientôt, elle pourra à nouveau être enceinte...

La cessation des règles vers le milieu de la vie va ainsi automatiquement déchirer brusquement l'image que la femme occidentale a d'elle-même en tant que partenaire sexuelle active. Oh! ironie d'une telle mentalité! Ayant passé sa vie de femme fertile à redouter chaque fin de mois le moindre retard de ses règles, la femme occidentale dans la quarantaine est convaincue maintenant qu'avec leur disparition s'envolent aussi sa jeunesse, sa beauté, sa raison d'être et de se sentir un petit peu aimée... Il est notoire de remarquer que c'est à ce moment-là qu'un très grand nombre de femmes occidentales refusent ouvertement les relations sexuelles et deviennent frigides.

Par contre, pour la femme méditerranéenne cette cessation commencera par soulever de l'espoir — elle se croira enceinte — ou elle ne sera pas remarquée dans l'attente active d'une autre grossesse. En effet, la femme méditerranéenne multiplie en général les relations à cette époque de sa vie. Elle n'a aucune intention d'avouer son infertilité à son mari et sait qu'elle risque de réussir... (On affirme en Occident que la conception peut être une possibilité réaliste au cours des 18 à 24 mois après la dernière menstruation[10].) Pourtant, si une grossesse ne survient pas, après tout ce temps, cela ne causera pas de drame puisqu'elle a eu quand même beaucoup d'enfants. De plus, alors que son dernier petit s'est mis à trottiner partout, ses fils et ses filles ont commencé à avoir leurs premiers petits et c'est ainsi que, ne cessant jamais d'être mère, elle conserve jusqu'à la fin de sa vie, le sentiment très vif d'être pleinement femme.

Le style de vie occidental féminin a entraîné, selon l'affirmation d'un gynécologue américain, un phénomène qu'il a nommé «une ovulation constante[11]», soit la répétition d'un mois à l'autre, tout au long d'une vie de femme fertile, de cycles ovulatoires, alors qu'il y a seulement quelques générations la plus grande partie des années de reproduction de la vie d'une femme se passait sans ovulation parce qu'elle était soit enceinte, soit en train d'allaiter. On peut lire aujourd'hui dans de nombreux livres de médecine que le signe cardinal de la fonction reproductive chez la femme est le cycle menstruel. Si cela est devenu vrai pour la femme occidentale, cela demeure faux pour le reste de l'humanité féminine, le signe cardinal de leur fonction reproductive étant d'avoir des bébés.

Alors qu'on commence tout juste à s'étonner de ce phénomène et à en questionner la légitimité, il devait être signalé pour la première fois en Europe par Roussel, le médecin philosophe. Dans un livre intitulé *Système physique et moral de la femme* publié à Paris en 1775, celui-ci conjecture : «Le flux menstruel, bien loin d'être une institution naturelle est au contraire un besoin factice contracté dans l'état social.» Probablement fortement influencé par Rousseau et ses idées sur les raffinements de la civilisation, en cherchant à expliquer ce qu'il considère comme une anomalie, il la met au compte «du vice». «La femme ayant acquis des vices, a acquis les menstruations. Ainsi l'évacuation menstruelle, une fois introduite dans l'espèce humaine, se sera communiquée par une filiation non interrompue.»

Bien que l'on ne puisse pas partager l'explication de Roussel à notre époque, de nombreux médecins et hommes de science affirment aujourd'hui que les changements sociaux qui ont permis aux femmes occidentales d'avoir des menstruations pendant la totalité de leur vie féconde, soumettent leur corps et plus particulièrement leur utérus et leurs seins, des organes hormono-dépendants, à des taux élevés et répétés d'œstrogènes, taux non physiologiques susceptibles d'y provoquer de graves changements de leur équilibre hormonal et de leur croissance qui devient anarchique.

On trouve de moins en moins naturel qu'une femme puisse saigner chaque année pendant deux mois, ce qui donne, au cours de sa vie gynécologique de femme inféconde, environ sept années de saignement ininterrompu[12]...! Ici et là, on trouve dans la littérature scientifique l'affirmation que des règles à répétition, année après année, d'une puberté qui est pour l'Occidentale de plus en plus précoce (entre 8 et 10 ans) à une ménopause située entre 48 et 52 ans, sont loin d'être normales. On va jusqu'à parler d'une «bio-endocrinologie féminine unique[13]», résultat de choix socio-culturels, conséquence d'ingérences dans «la nature».

On dit que voyager élargit les horizons de l'esprit. Certes, il est parfois très stimulant de constater qu'ailleurs les choses ne se passent pas comme chez nous. Cela peut donner pour le moins une saine perspective à nos opinions. Si nous voulons résumer nos constatations jusqu'à présent, nous devons affirmer que la femme méditerranéenne est une femme féconde et heureuse de l'être. Elle doit à cette fonction de sa sexualité féminine son estime de soi, une position sociale honorable, une ménopause inaperçue et qui coïncide avec l'acquisition d'une plus grande dignité, d'une plus grande indépendance, d'une plus grande autonomie. Comme nous l'avons vu, derrière le gros plan de ce tableau, il y a des détails importants. Cette femme a, face à ses règles qui ne surviennent qu'occasionnellement, non seulement une symbolique diamétralement opposée à celle de la femme occidentale, mais aussi, et c'est ce que nous allons étudier maintenant, une hygiène très particulière. Or si l'absence habituelle de menstruations la met à l'abri de toute une panoplie de maux qui leur sont reliés, les ordonnances d'hygiène qu'elle suit scrupuleusement lorsque celles-ci surviennent, lui permettent d'échapper à une autre série de maux douloureux, malheureusement de plus en plus courants depuis que les femmes libérées de notre civilisation se sentent de plus en plus obligées d'être des partenaires sexuelles «à temps plein».

Pour la femme méditerranéenne, les menstruations constituent une période de sept jours au cours de laquelle elle s'abstient complètement de toute relation sexuelle. En vérité, cela n'est pas tout à fait exact et mérite toute notre attention: C'est l'homme méditerranéen qui s'abstient pendant cette période de toute relation sexuelle avec sa femme. Le code religieux auquel ces peuples conforment leur vie, stipule que c'est l'homme qui ne doit pas s'approcher d'une femme pendant son impureté menstruelle, pour découvrir sa nudité. C'est sur l'homme que repose la responsabilité de respecter l'intimité de sa femme pendant ce temps, un prophète biblique allant jusqu'à affirmer «qu'un homme qui est juste, qui pratique la droiture et la justice» est, entre autres, un homme qui «ne s'approche pas d'une femme pendant son impureté[14]».

Plusieurs autorités scientifiques de notre temps se sont penchées sur les principes d'hygiène codifiés par Moïse dans le Pentateuque et elles ont affirmé que c'est là de la médecine préventive «en harmonie avec les données les plus modernes de la médecine[15]».

L'interdiction d'avoir des relations sexuelles pendant les menstruations comptées comme une période de sept jours complets est une mesure très importante de prévention de la stérilité féminine, de la transmission des infections et donc du cancer du col, et de l'endométriose, entre autres.

Évidemment peu de femmes et d'hommes savent ce que sont véritablement les menstruations, quel est leur mécanisme et ce qui se passe dans l'utérus à ce moment-là. N'ayant malheureusement pas la connaissance, ils se disent qu'ils ne voient pas pourquoi ils se priveraient l'un de l'autre pendant plusieurs jours par mois... surtout que, selon un préjugé largement répandu, ce serait une période «non dangereuse». On entend par là, où la femme ne peut tomber enceinte et donc où l'on n'a pas besoin d'utiliser les moyens habituels de contraception, ce préjugé et cette liberté amenant certains couples à avoir des désirs sexuels impérieux à cette période précise. Or le désir étant devenu pour plusieurs la norme de leur moralité — j'en ai envie, donc c'est bien — ils voient dans l'augmentation de leur libido une preuve de la légitimité de leur besoin qui, de peur de les frustrer, doit être assouvi...

La menstruation est un flux hémorragique en provenance de l'utérus qui entraîne une perte d'environ 100 centimètres cubes de sang mélangé à des mucosités et des débris de cellules en provenance de la desquamation de l'utérus et du vagin.

C'est l'endomètre qui est éliminé au cours des règles et qui se retrouve réduit ainsi à une très faible épaisseur. Le vagin subit lui aussi une desquamation, une réduction de son épaisseur et une élévation marquée de son pH qui, sous l'effet du sang menstruel, devient très alcalin.

L'endomètre connaît un cycle que l'on divise en trois phases : *la phase proliférative* où l'endomètre connaît une croissance progressive, son épaisseur qui n'est plus que de un à deux millimètres à la fin des règles devant atteindre quatre à cinq et même six à sept millimètres, stimulée par les œstrogènes des ovaires ; *la phase sécrétrice* où de grandes quantités de progestérone et un peu d'œstrogènes sont sécrétées par le corps jaune et agissent sur les glandes de l'endomètre pour les allonger et les mûrir. La sous-muqueuse devient extrêmement vasculaire et œdémateuse dans le but de préparer la muqueuse utérine à recevoir et à nourrir l'ovule fécondé ; *la phase menstruelle* marque l'échec de la fécondation. Dès le 24e jour du cycle, il se produit une phase de régression qui dure environ quatre jours au cours de laquelle l'endomètre diminue rapidement, et presque de moitié, d'épaisseur. Il se produit alors un ralentissement de la circulation sanguine dans les vaisseaux dilatés et donc une congestion de la muqueuse. Puis 24 heures avant le début de la menstruation, les artères subissent une constriction, ce qui provoque un arrêt progressif de la circulation puis une nécrose qui aboutit à la rupture des vaisseaux sanguins dont les parois sont devenues fragiles.

La liquidation ou l'élimination du nid utérin est violente car la partie superficielle de la muqueuse utérine subit en quelque sorte un décapage et c'est la rupture des artères qui provoque l'hémorragie. L'une après l'autre, ces artérioles ou petites artères qui étaient contractées, se relâchent et comme la muqueuse est nécrosée (les cellules sont mortes), de petites hémorragies ont lieu dans le territoire de chaque artère. Il se produit de petits hématomes locaux de 0,5 à 2 mm de diamètre, qui se rompent et du sang rouge foncé s'écoule. Chaque hémorragie ne dure que 90 minutes environ, mais une hémorragie étant terminée dans une région de l'endomètre, il s'en produit une autre dans une région voisine. Tout l'utérus ne saigne donc pas en même temps, mais le saignement se produit par région. L'hémorragie menstruelle est ainsi un processus lent qui dure plusieurs jours, en général quatre.

Après l'hémorragie a lieu la réparation de la muqueuse. Elle doit à nouveau s'épaissir. Cela se fait sous l'action des œstrogènes qui très abaissés au moment de la menstruation, augmentent peu à peu pour atteindre un taux maximal à l'ovulation. Ce processus de desquamation et de réparation demande chez une femme en bonne santé, sept jours: quatre jours de saignement et trois jours de reconstruction. Le huitième jour, l'endomètre est totalement reconstruit et à nouveau en phase proliférative[16].

L'interdiction pour l'homme d'avoir des relations sexuelles avec une femme pendant ses menstruations ne constitue pas un tabou, un impératif catégorique négatif. Passer outre à cette prohibition va entraîner chez la femme divers désordres dont *la stérilité*. Au cours des règles, il existe, nous venons de le voir, une rupture des vaisseaux permettant au sang de la femme de se trouver en contact avec une substance étrangère: le sperme de son conjoint. Elle pourra ainsi fabriquer des anticorps antispermatozoïdes qui seront la cause d'une stérilité rebelle et souvent définitive. On parle de stérilité par immunisation antispermatozoïdes de la glaire cervicale: Le sperme passe dans le sang, amène une réaction de défense de l'organisme et la sécrétion d'anticorps que l'on va retrouver non seulement au niveau du col mais aussi dans tout l'organisme[17].

L'écoulement sanguin qui se produit au cours des règles modifie le pH du vagin. En dehors des règles, le pH vaginal est très acide, aux environs de quatre. Cette acidité est maintenue par la transformation en acide lactique du glycogène qui, sous l'action des œstrogènes, s'est déposé dans les cellules des couches superficielles. Cette acidité oppose une barrière physiologique aux germes pathogènes qui peuvent facilement envahir l'appareil génital féminin car il communique largement avec le milieu extérieur par l'orifice vaginal. Or si cette barrière est vaincue, et elle l'est chaque fois qu'ont lieu les menstruations car le sang menstruel alcalinise le vagin, les germes pathogènes responsables d'infections génitales peuvent se propager par l'utérus et les trompes jusque dans la cavité péritonéale. Il en résultera des complications aiguës mais aussi souvent une stérilité irréversible[18]. Avoir des relations sexuelles au cours des menstruations est donc un facteur à risque très élevé de *contamination par une maladie transmissible sexuellement*. On estime que lorsque le pH vaginal est perturbé et devient plus alcalin — ce qui est toujours le cas au cours des règles mais aussi chez toute utilisatrice de la pilule anticonceptionnelle —, les risques pour une femme de contracter la gonorrhée, par exemple, après un seul contact sexuel avec un homme infecté grimpent de 30 p. 100 à 90 p. 100[19]. Avoir des relations sexuelles en période de menstruations aujourd'hui que la gonorrhée, l'herpès et le SIDA sont des infections qui d'épidémiques sont en voie de devenir endémiques, est tout simplement suicidaire.

L'endométriose est une affection définie par la présence de muqueuse utérine en dehors de la cavité utérine. Cet endomètre «ectopique» peut se retrouver dans de multiples endroits, le plus souvent dans le tractus génital, les ovaires, les trompes. Par contre, on peut aussi en trouver dans la vessie, le rectum, les intestins, l'appendice, etc. Ces tissus éparpillés subissent au cours du cycle les mêmes influences hormonales que l'endomètre et ils vont saigner eux aussi au moment des règles. Ils seront la cause de douleurs mais aussi d'hémorragies utérines, de fièvre, de stérilité, de tuméfaction pelvienne. L'endométriose entraîne aussi des problèmes neurologiques qui se manifestent par des douleurs qui irradient dans le bas du dos, dans les jambes et les pieds. Celles-ci sont la conséquence d'implantation de tissu utérin sur les plexus lombaire et sacré[20].

On considère aujourd'hui que la cause la plus probable de cette affection qui touche 25 à 30 p. 100 des femmes est l'excitation sexuelle pendant les menstruations. Celle-ci, qu'elle soit causée par les relations sexuelles, la masturbation ou les pensées érotiques, entraîne un refoulement du sang menstruel et des débris utérins qui remontant les trompes, parviennent jusqu'aux ovaires pour se déverser dans la cavité pelvienne, car il se produit après l'orgasme une pression intrautérine négative qui provoque un mécanisme de suction[21].

Il est facile de comprendre que l'interdiction d'avoir des relations sexuelles pendant les menstruations soit aussi appliquée au post-partum au cours duquel les organes génitaux doivent retrouver leur état pré-gravide, la lactation s'installer et la mère récupérer ses forces physiques et émotionnelles. Au cours de cette période, la partie spongieuse de la muqueuse de l'utérus à laquelle le placenta et les membranes étaient attachées va être expulsée, l'utérus va revenir sur lui-même puis il va subir une involution tout en entreprenant la tâche importante de réparer son endomètre à partir de sa couche profonde. Ce travail énorme, selon les données actuelles de la science, va demander de six à huit semaines [22, 24].

Une partie du post-partum (entre une et deux semaines) est caractérisée par la perte abondante des lochies. Celles-ci sont extrêmement alcalines et elles favorisent grandement la multiplication des bactéries. Une aseptie très rigoureuse doit donc être maintenue, la femme étant excessivement vulnérable aux infections à ce moment : Son utérus, à cause de la grande taille de sa cavité encore distendue, fournit un milieu idéal pour la multiplication des microbes; les tissus lacérés ou contusionnés de la vulve et du vagin, étant dévitalisés, sont incapables de lutter contre l'infection; l'ouverture du col est encore large et elle fournit aux organismes microbiens une voie d'entrée directe. L'immunité de la femme qui vient d'enfanter est toujours abaissée par la perte de ses forces, le manque de sommeil et l'insuffisance de nourriture qui ont marqué les longues heures du travail de l'accouchement, sans passer sous silence les pertes de sang qui ont pu être importantes [22]. Il faut aussi signaler que de nombreuses femmes connaissent dans le post-partum une érosion du cervix qui est d'origine hormonale et qui va disparaître spontanément au bout de deux mois environ. Un tel état peut grandement encourager, à la faveur d'une infection si elle devait survenir, le cancer du col [23].

Or, phénomène qui a fortement retenu l'attention de plusieurs médecins gynécologues et obstétriciens, le cancer du col très répandu dans les pays occidentaux — il correspond à 80 p. 100 des cancers génitaux et 25 p. 100 des cancers de la femme — ne s'observe pas chez les femmes dont les maris sont circoncis (ceux-ci appartenant habituellement à la foi juive ou musulmane). C'est cette observation faite dans les années 50 qui a entraîné la mode de la circoncision chez les enfants mâles américains, mode abandonnée depuis les années 70, car on s'est aperçu que ce qui était prophylactique dans le cancer du col chez ces femmes n'était pas la circoncision de leurs maris mais leur abstention totale de toute relation sexuelle pendant les sept jours des menstruations et les 40 jours (pour un garçon) ou 80 jours (pour une fille) du post-partum. On sait que tout traumatisme répété sur un organe congestionné, saignant ou irrité peut favoriser la survenue d'un cancer.

Cette pratique de continence chaque fois qu'il y a du sang, protège aussi l'homme, particulièrement en présence d'un phimosis, soit d'une étroitesse anormale de l'orifice préputial conséquence fréquente du diabète[25], alors que l'hygiène scrupuleuse du membre viril est difficile. Or on ne peut quand même pas ignorer que le sang menstruel contient des principes irritants comme la choline, l'arsenic, la créatine en quantité plus abondante. Certains chercheurs y ont découvert une «ménotoxine» qui a un effet toxique sur les végétaux. Smith a fait des expériences sur ce qu'il a appelé la «menstrual toxin», celle-ci étant une euglobuline produite par la nécrose cellulaire, et il a démontré que lorsqu'elle était inoculée à des animaux, elle entraînait des hémorragies, des œdèmes et même, dans certains cas, la mort. Le sang menstruel a aussi la capacité d'augmenter la virulence des germes microbiens de la sphère génitale féminine dont le gonocoque et l'herpès. (On sait que les menstruations favorisent la récidive de cette infection appelée herpès cataménial.) Tout cela peut favoriser grandement l'irritation du prépuce de l'homme pour y provoquer un cancer de la verge, cancer pratiquement inconnu chez les hommes circoncis qui sont orthodoxes dans leur pratique religieuse et qui s'éloignent de leur femme pendant «son impureté[26,27]».

Ainsi, ce n'est un secret pour personne, pendant le post-partum, la femme connaît une très grande fragilité qui se manifeste par des risques élevés d'hémorragies, de prolapsus, d'embolie, d'infections évidemment, mais aussi de psychose. La nouvelle maman a besoin de beaucoup de calme, de douceur, de détente et de concentration pour retrouver son équilibre physique et mental. La reprise trop hâtive des relations sexuelles l'expose non seulement à des risques formidables d'*infections*, mais aussi à des douleurs inutiles et pénibles à supporter causées par *la sécheresse vaginale*, — signe d'un abaissement des taux sanguins d'œstrogènes, taux qui vont s'élever progressivement et qui redeviendront normaux plus ou moins rapidement selon qu'elle a donné naissance à un garçon ou à une fille —, et très particulièrement à *des sentiments d'angoisse ou de frustration* souvent très intenses. Lorsqu'une femme vient d'avoir un bébé, elle a besoin de bien rentrer dans son rôle de mère et cela lui demande souvent beaucoup d'effort qui ne lui laisse pas de force pour l'acte sexuel.

En réalité, la femme a besoin de se sentir totalement respectée et acceptée en tant que mère pour être vraiment épouse. Or lorsqu'un homme exige des relations sexuelles presqu'immédiatement après l'accouchement, c'est comme s'il niait ou refusait que sa femme soit devenue mère, et ce refus de considérer son état amène celle-ci à perdre l'estime de soi et la joie d'avoir eu un enfant. Sans fierté légitime, envahie du doute de ne pas être aimée vraiment incondition-nellement, et craignant que son bébé ne soit un obstacle à son couple, elle va sombrer dans le chagrin; et la fatigue et les carences nutritionnelles, conséquences de la perte de l'appétit aidant, elle ira jusqu'à se détacher d'une réalité trop pénible à supporter: C'est la psychose du post-partum très courante dans notre civilisation mais inconnue dans ces sociétés où l'on enseigne aux hommes depuis des millénaires qu'une mère doit avoir un repos pendant 40 à 80 jours[24] après l'accouchement, et à cela, il ne doit pas y avoir de dis-cussion ni de négotiation.

Un livre de médecine destiné à la formation des sages-femmes mentionne que bien des femmes civilisées sont très tourmentées par cette question de la reprise des relations sexuelles après l'accouchement, bien qu'elles n'osent en par-ler... Il conseille de suggérer alors «une période de quatre semaines d'abstinence». Par contre, l'auteur de ce manuel, une femme, s'empresse d'ajouter: «mais, à ce sujet, il y a diverses opinions[28]».

Sans contredit, la femme méditerranéenne, malgré de nombreuses grossesses, arrive à la ménopause dans un état de santé physique et mental enviable[29] grâce à une morale sexuelle qui se résume dans la triple devise, virginité — chasteté — fidélité. N'ayant pas connu d'infections, ayant toujours conservé l'estime de soi grâce au respect qu'elle s'est accordée et qu'elle a reçu, elle est prête à commencer une vie nouvelle ou, comme le disaient les écrivains du XVIIIe siècle, à entamer «une verte vieillesse». Ceux-ci con-sidéraient la post-ménopause des bourgeoises et des pay-sannes de leur époque comme un temps de vigueur, car ces femmes n'ayant plus «d'obligations envers l'espèce», pouvaient se mettre à vivre une vie individuelle, à cultiver leurs facultés intellectuelles et à exercer ainsi beaucoup de charme auprès de leurs maris étonnés et heureux de découvrir chez leurs compagnes, une nouvelle personnalité[30]...

En peu de mots, pour ces femmes fertiles d'ailleurs et d'autrefois, protégées par leurs maris et ayant suivi tout au long de la phase reproductive de leur vie un code strict d'hygiène sexuelle, la ménopause est perçue comme un événement positif totalement dépourvu des symptômes psychologiques et psychosomatiques traditionnels occidentaux.

Ce phénomène n'est pas isolé et propre seulement aux femmes des cultures juive, musulmane et chrétienne, mais il se répète encore aujourd'hui, dans de nombreuses cultures tout autour du monde, comme l'a démontré Theresa George dans un article publié en 1988 sur des femmes immigrantes indiennes vivant à Vancouver, en Colombie britannique.

Conservant même en dehors de l'Inde leur identité et leur solidarité socio-religieuse, elles ont une grande fierté d'appartenir à leur communauté. Leur installation au Canada s'est faite selon un shéma traditionnel: Les hommes sont venus d'abord puis ils ont fait venir leurs femmes, leurs sœurs, leurs mères. C'est ainsi qu'aucune des femmes de plus de 35 ans interrogées dans cette étude, n'était arrivée au Canada seule mais elle était dépendante d'un mari, d'un fils ou d'une fille. Chaque femme avait eu des enfants; aucune n'avait utilisé une méthode de contraception artificielle; la majorité d'entre elles avait eu une éducation de niveau primaire, quoique certaines d'entre elles avaient un niveau universitaire et d'autres, pas d'éducation du tout. Toutes portaient leurs vêtements traditionnels à la maison, aux services religieux quotidiens et aux événements sociaux de leur communauté, bien que celles qui travaillaient à l'extérieur, portaient alors des vêtements à l'occidentale. Elles continuaient à préparer leur nourriture ethnique, principalement végétarienne. Elles aimaient faire des courses car cela leur permettait de rencontrer d'autres femmes et de bavarder dans leur langue.

Toutes ces femmes que nous venons de décrire brièvement, évaluées comme étant pré-ménopausées, avaient hâte à leur ménopause car alors, disaient-elles, elles seraient délivrées des contraintes des menstruations marquées pour elles aussi, par une abstinence sexuelle complète, et elles pour-raient entrer dans une période de leur vie où elles seraient «propres et libres». Aucune d'entre elles n'exprimait la moindre appréhension au sujet de sa ménopause prochaine: Sa mère n'avait eu aucun problème et elle ne voyait pas pour-quoi elle en aurait plus qu'elle.

En effet la ménopause, affirment ces femmes, c'est important, et elles en discutent volontiers entre elles et avec leurs filles aînées. La ménopause doit arriver au bon temps, pas trop tôt, pas trop tard, mais le bon temps, c'est une période assez longue qui laisse à toutes le temps d'être à temps. En réalité, ces femmes indiennes ne font aucun stress à ce sujet, car la ménopause leur donne un sentiment d'immense satisfaction: Selon leurs propres paroles, elles ont «accompli leur devoir». Soit: Elles se sont mariées, elles ont eu de nombreux enfants — oh! elles auraient bien pu en avoir moins et si cela avait été possible, elles en auraient eu moins...— mais de tout leur cœur, elles ont désiré faire ce qu'il y a de mieux pour leurs maris et leurs enfants, et main-tenant que ces derniers sont grands, qu'ils ont réussi dans la vie et qu'elles peuvent être fières d'eux, c'est avec beau-coup d'anticipation qu'elles envisagent une nouvelle tranche de leur vie[31].

Il semble ainsi que la grande estime que se portent les femmes d'ailleurs, parce qu'elles ont le sentiment très net d'avoir fait ce qu'elles avaient à faire et de l'avoir bien fait, en réalité parce qu'elles n'ont aucun regret, leur vie ayant suivi son cours millénaire, les amène à jouir d'une méno-pause inaperçue, prélude à une vie nouvelle.

Ayant assumé avec fidélité leur rôle d'épouse et de mère, ces femmes qui n'ont jamais connu l'avilissement d'être prises pour des objets, relèvent leur tête blanchie avec une fierté grave. Elles savent, tout comme les paysannes françaises du XVIIIe siècle, que la position qu'elles ont acquise par leur travail assidu, le don d'elles-mêmes, ne leur sera pas retirée. Elles ont bâti une famille avec leur propre substance et là «elles régneront jusqu'à la mort dans leurs qualités d'épouses et de mères[32]». Qu'en est-il de nous, femmes occidentales de la fin du XXe siècle?

1. Starenkyj Danièle, *Les cinq dimensions de la sexualité féminine*, Orion, Québec, 1992.
2. Starenkyj Danièle, *Le bébé et sa nutrition*, p. 33, Orion, Québec, 1990.
3. *The Revell Bible Dictionary*, Fleming H. Revell Company, Old Tappan, New Jersey, 1990.
4. Proverbes 31: 10-31.
5. Estienne Charles, *L'Agriculture et la maison rustique*, cité dans Histoire/Géographie 4ᵉ, Fernand Nathan, p. 26, 1979.
6. Proverbes 31: 31.
7. Proverbes 31: 30.
8. Starenkyj Danièle, *L'enfant et sa nutrition*, La puberté précoce, p. 132, Orion, Québec, 1988.
9. Starenkyj Danièle, *Les cinq dimensions de la sexualité féminine*, Orion, Québec, 1992.
10. Shearer M.R., Shearer M.L., Sexuality and Sexual Counselling in the Elderly, *Clin Obstet Gynec*, 20: 197-208, 1977.
11. Mishell D.R., Non contraceptive health benefits of oral steroidal contraception, *Am J Obstet Gynecol*, 142: 809-816, 1982.
12. Denard-Toulet Anne, *La ménopause effacée*, Éditions Robert Laffont, p. 443, 1975.
13. Wilbush Joel, Menopause and Menorrhagia: a historical exploration, *Maturitas*, 10: 83-108, 1988.
14. Ezéchiel, 18: 5-6.
15. Castiglioni Arturo, *A History of Medecine*, second edition, New York: Alfred A. Knopf, p. 71, 1947.
16. Bresse Georges, *Morphologie et Physiologie animales*, Larousse, p. 959-966, 1968.
17. Pagana K.D., Pagana T.J., *L'infirmière et les examens paracliniques*, Maloine/Edisem, p. 223-225, 1985.
18. *Thérapeutique médicale*, Édité par Jean Fabre, Flammarion Médecine Sciences, p. 1091, 1092, 1978.
19. Seaman B., Seaman G., *Women and The Crisis in Sex Hormones*, Rawson Associates Publishers Inc., New York, p. 81, 1977.
20. *J Am Med Assoc*, 249 (6), 686, February 11, 1983.
21. *Journal of Sex and Marital Therapy*, 5: 13, 1978.
22. Myles Margaret F., *Textbook for Midwives*, Eight edition, Churchill Livingstone, Edinburgh, p. 396, 397, 1975.
23. Ibid. p. 413.
24. Lévitique 12: 1-8; 15: 19-28.
25. *Dictionnaire de médecine Flammarion*, p. 610, 1982.
26. Khayiguian G., *La physiologie, l'hygiène et la Bible*, p. 35, 37.
27. Klopfenstein C., *La Bible et la santé*, 4ᵉ édition, La pensée universelle, p. 156, 1977.
28. Myles Margaret F., *Textbook for Midwives*, Eight edition, Churchill Livingstone, Edinburgh, p. 411, 1975.
29. Maoz B., et al., The effect of outside work on the menopausal woman, *Maturitas*, 1: 43-53, 1978.
30. Wilbush J., Menopause and Menorrhagia: a historical exploration, *Maturitas*, 10: 83-108, 1988.

31. George Theresa, Menopause: some interpretations of the results of a study among a non-western group, *Maturitas*, 10: 109-116, 1988.
32. Wilbush J., Menorrhagia and menopause: a historical review, *Maturitas*, 10: 5-26, 1988.

3

La
médicalisation
de la
ménopause

«La ménopause: Une maladie de carence[1].»

Considérée dans les siècles passés comme «l'été indien» de la vie de la majorité des femmes, comme une période de vigueur accrue, d'optimisme et même de beauté physique[2], la ménopause va soudainement devenir, en Occident, au cours du XXe siècle, une maladie caractérisée par la décrépitude, la dépression et une perte totale d'identité féminine. On ose parler sans gêne de «tragédie», d'«attaque catastrophique» qui transforment les femmes en individus asexués qui se mettent à ressembler à des «vaches» et à être «sans éclat et sans attrait[3]». Un médecin qui vendra des centaines de milliers de copies de son livre destiné au grand public comparera la ménopause à une «décomposition vivante[4]»; d'autres auteurs déclareront qu'elle constitue un «accident biologique[5]».

Et jusqu'à ce jour, malgré quelques protestations isolées, la ménopause, dans la presque totalité de la littérature médicale, continue à être présentée comme «une condition anormale et pathologique caractérisée par une variété de symptômes physiques et psychologiques négatifs reliés, *croit-on*, (c'est nous qui soulignons) à une carence en œstrogènes[6]».

Œstrogènes... Progestérone... sont devenus progressivement, agressivement des mots d'usage courant, au point qu'il soit impossible, à partir de la Deuxième Guerre mondiale, de détacher l'histoire de la ménopause de l'histoire des hormones. Et quelle histoire! Histoire à sensation, histoire à rebondissement, histoire qui n'a cessé de tourner au vinaigre et qui, avec le temps qui passe et les statistiques qui s'accumulent, devient de plus en plus acide. Oh! le cœur me manque...

Nous sommes loin aujourd'hui de l'organothérapie ou de la thérapie glandulaire des Égyptiens, des Grecs et des Romains de l'Antiquité. Plus aucun homme ne pense à manger consciemment et ouvertement l'organe mâle d'un âne ou ses testicules pour guérir son impuissance ou retarder son retour d'âge. Nous sommes plus raffinés que ça maintenant; et depuis que Brown-Sequard, médecin et physiologiste français successeur de Claude Bernard au Collège de France, a publiquement déclaré le 1e juin 1888 devant la Société de Biologie de Paris, qu'il s'était complètement régénéré, à l'âge de 72 ans, grâce à des injections de «jus testiculaire» alors que sa femme Augusta avait pu combattre sa «débilité féminine» en absorbant des «extraits testiculaires», l'endocrinologie a fait d'immenses progrès. Passant de l'opothérapie à l'organothérapie, elle est maintenant ancrée dans l'hormonothérapie et plus personne — ou presque — ne pense, par exemple, à consommer des ovaires crus, ou du «suc ovarien» (ovaires broyés et transformés en jus), ou des ovaires séchés et mis en poudre ou en comprimés, comme le firent les femmes de la haute classe européenne de la toute fin du XIXe siècle pour combattre leur ménopause, leurs règles difficiles et douloureuses et leur embonpoint[7].

La découverte de Butenandt, prix Nobel de chimie en 1939, devait mettre fin à ces essais plutôt grossiers. Il avait réussi dix ans auparavant, en 1929, à isoler et à obtenir dans sa forme pure, une hormone à partir de l'urine de femmes enceintes qu'il devait appeler «œstrone». En 1934, il parvenait à isoler la progestérone cristallisée et à en réaliser partiellement la synthèse. Alors que Butenandt s'afférait en Allemagne, Doisy, un biochimiste, étudiait aux États-Unis, le conditionnement vaginal. Il devait établir que la kératinisation du vagin était un bon test d'activité œstrogène, puis que le liquide folliculaire était œstrogénique (1924).

Les années 20 furent la décennie au cours de laquelle les diverses hormones ovariennes furent identifiées, synthétisées et raffinées. Les années 30 furent la décennie où l'on tenta de faire les premières injections d'œstrogènes tant en Allemagne qu'aux États-Unis. Puis en 1939, le stilbœstrol fut synthétisé en Grande-Bretagne. Entre 1943 et 1959, il fut prescrit, aux États-Unis seulement, à près de six millions de femmes enceintes menaçant de faire une fausse couche. Pour la première fois dans l'histoire du monde, il devait naître des millions d'enfants qui avaient été exposés aux œstrogènes, dès le ventre de leurs mères. Entre 1960 et 1970, on estimait qu'entre deux à trois millions de ces bébés filles avaient des structures glandulaires anormales dans leur vagin ou sur leur col et que quatre sur mille d'entre elles risquaient d'avoir un cancer du vagin ou du col avant l'âge de 30 ans...

Les années 40 et 50 connurent un accroissement marqué de l'hormonothérapie expérimentale et thérapeutique. En 1960, paraissait sur le marché «la pilule», contraceptif hormonal présenté comme n'ayant aucun effet secondaire pernicieux ou désagréable... Cependant vers la fin des années 70, on reconnaissait, en sourdine, au moins quatre complications sérieuses à l'usage de «la pilule»: 5 p. 100 des utilisatrices font de la haute pression; 13 p. 100 vont développer un diabète chimique; 30 p. 100 souffrent de dépression moyennement profonde ou très profonde; 5 p. 100 resteront infertiles probablement pour toujours[9].

En 1965, on ancrait dans l'esprit des femmes l'idée révolutionnaire que la ménopause était, au même titre que l'insuffisance pancréatique des diabétiques ou surrénalienne des addissoniens ou thyroïdienne des myxœdémateux, une maladie de carence brutale en œstrogènes et nécessitant tout comme ces autres maladies endocriniennes, une hormonothérapie substitutive ou de remplacement. «La pilule», ainsi, n'allait pas seulement libérer les femmes jeunes en âge de procréer mais aussi les femmes âgées en âge de cesser de procréer... Il faut bien comprendre que les hormones de la ménopause sont tout simplement les hormones de la contraception: seuls les rythmes et les dosages changent[10].

La publicité avait déclaré que la pilule anticonception-nelle comportait moins de risques que la mise au monde d'un bébé. Elle présentera, en 1966, au grand public par le biais d'un livre écrit par son inventeur, le Dr Robert Wilson, la pilule de la jeunesse, et promettra aux femmes qui la prennent aussitôt que possible[11], de rester féminines pour toujours...

Ce livre devait vendre 100 000 copies en sept mois aux États-Unis et envoyer des millions de femmes anxieuses chez le médecin pour le supplier de leur prescrire cette pilule fabuleuse capable d'effacer tous les signes de vieillis-sement mis au compte de cette infirmité féminine cruelle: la ménopause. En fait, à partir de la parution de ce livre, la ménopause devait devenir en Occident, une maladie épouvantable comportant au minimum 26 symptômes éminemment désagréables, débilitants, ravageurs: nervo-sité, irritabilité, anxiété, appréhension, chaleurs, sueurs, douleurs articulaires, mélancolie, palpitations, crises de larmes, faiblesse, étourdissement, graves maux de tête, mauvaise concentration, perte de la mémoire, indigestion chronique, insomnie, urination fréquente, démangeaisons de la peau, sécheresse des yeux, du nez, de la bouche et du vagin, maux de dos, névroses, une tendance à prendre de l'alcool et des barbituriques et même à contempler le sui-cide... symptômes qui, c'était promis, disparaîtraient tous avec la prise de la pilule de la jeunesse éternelle!

Cette hystérie de masse se calma brusquement à la suite de la publication d'un éditorial et de deux articles ori-ginaux dans le *New England Journal of Medecine* du 4 décembre 1975 proclamant une association entre la prise d'œstrogènes exogènes et le cancer de l'endomètre (muqueuse de l'utérus). Le *Lancet*[13], la même année, titrait son éditorial «Dangers in Eternal Youth» et conseillait froi-dement que les femmes qui croyaient réellement aux miracles de l'hormonothérapie substitutive et qui ne vou-laient pas l'abandonner, devaient subir une hystérectomie pour se protéger du cancer. Évidemment, il est difficile pour une femme qui n'a plus d'utérus d'avoir encore le cancer de l'utérus!

Cette nouvelle eut l'effet d'une douche froide sur le public et le corps médical du monde entier. On venait une fois de plus de se rendre compte, mais trop tard pour toutes ces femmes qui constituaient déjà une statistique du cancer de l'utérus, que le contrat avec les hormones avait une clause cachée : La jeunesse qu'elles promettaient avait un prix à payer.

Le coup fut cependant assez rapidement, quoique jamais complètement, amorti par la publication de «recherches» affirmant que, d'une part, le dosage de la pilule anticonceptionnelle avait été beaucoup trop élevé — on prescrit aujourd'hui 0,5 mg d'œstrogènes par jour alors qu'à ses débuts «la pilule» comportait 10 mg d'œstrogènes par jour — et que d'autre part la pilule de la jeunesse à base d'œstrogènes conjugés naturels devait être complétée — on l'avait oublié! — par la prise de progestérone, l'hormone protectrice de l'utérus.

Si les femmes n'ont pas émis d'objection à prendre une pilule anticonceptionnelle moins forte, elles eurent cependant à accepter, et ce ne fut pas facile pour la majorité d'entre elles, de connaître à nouveau un «cycle», la progestérone prise pendant quelques jours après une période soumise aux œstrogènes provoquant chez les femmes ménopausées, des «règles». Mais enfin! Que ne ferait-on pas pour échapper à une mort vivante? La mystique des hormones est tellement forte que l'on met au compte de la nouveauté du traitement, ces erreurs de dosage et d'utilisation. Évidemment, après dix ans d'expérimentation, on s'y connaît maintenant et, c'est sûr, il n'y aura plus de problèmes... Des cliniques de ménopause surgissent un peu partout, offrant aux femmes à partir de la pré-ménopause, c'est-à-dire selon les experts dès 32 à 35 ans, des conseils et des soins appropriés à leur état. Comprenons que ces soins sont en général des hormones prescrites avec générosité. La pilule de la jeunesse est, en 1975, l'un des médicaments les plus populaires aux États-Unis : Six millions de femmes la prennent parfois dès la trentaine, juste pour éviter le vieillissement, et, fait incroyable à imaginer, certaines d'entre elles prennent simultanément et la pilule anticonceptionnelle et la pilule de la jeunesse[14], avec la perspective de continuer la première jusqu'à 50 ans et la deuxième jusqu'à 72 ans!!!

Le premier congrès international sur la ménopause a lieu en 1976 à la Grande Motte en France. Il entraîne la fondation d'une Société internationale de la ménopause et la création d'un journal *Maturitas*, destiné à publier des recherches sur la ménopause. Tout cela, cependant, n'arrivera pas à dissiper l'impact négatif de l'évidence suggérant que l'usage excessif d'œstrogènes en fortes doses augmente le risque du cancer de l'endomètre. Le temps passe. L'angoisse plane sur des millions de femmes occidentales. La ménopause devient de plus en plus tragique pour elles et le remède semble de plus en plus vénéneux...

Les femmes et leurs médecins cherchent à se raisonner: Le cancer de l'utérus, après tout, ce n'est pas si grave que ça pour ces femmes qui ont passé leur vie fertile à ne pas vouloir d'enfants. Selon l'image d'un médecin, l'utérus, c'est un berceau et quand on ne veut plus avoir à l'utiliser, eh! bien, on peut le jeter, n'est-ce pas? Alors... pourquoi craindre la pilule de la jeunesse?

Mais... s'il est assez facile aujourd'hui de se débarrasser de son utérus et même de ses ovaires*, il est beaucoup plus difficile de perdre sa poitrine... Or, la nouvelle que l'on voulait ignorer depuis plus de 20 ans devait finalement éclater en 1989 quand Bergkvist et ses associés ont publié une étude irréfutable sur plus de 22 000 femmes de Uppsala en Suède qui démontre un risque accru du cancer du sein de 4,4 chez les femmes qui ont pris *des œstrogènes et de la progestérone combinés sur une période de cinq ans.* En 1976, Hoover avait écrit un article intitulé «Menopausal estrogens and breast cancer» qui devait être publié en août dans le *New England Journal of Medecine*[16] et qui avait été signalé à des auditions du Sénat américain par le National Cancer Institute en janvier de la même année. Tout comme cette recherche faite aux États-Unis en 1976, la recherche suédoise[17] faite en 1989 devait affirmer la même chose: Pendant les cinq premières années d'utilisation des hormones, le cancer du sein n'augmente pas. Il peut même se produire moins fréquemment — toujours pendant les cinq premières années — que chez les femmes qui ne prennent pas des hormones. Mais après cinq ans, le risque augmente considérablement. De plus, c'est officiel, si la progestérone

---

* Sous le prétexte de prévenir le cancer des ovaires, il a été routinier, au cours des années 70 et même 80, de doubler l'hystérectomie d'une ovariectomie, si bien qu'aux États-Unis, un bulletin de la FDA annonçait que près d'un tiers des femmes américaines ménopausées avait subi une ménopause chirurgicale et non pas naturelle, et cela, souvent dès l'âge de 30 ans[15].

exerce un effet protecteur sur l'utérus, elle n'en exerce pas sur les seins[18].

Aujourd'hui, il est impossible d'échapper à la réalité amère: malgré les hystérectomies, malgré la progestérone, malgré les dosages ajustés, malgré les examens poussés et routiniers prendre des hormones c'est, pour une femme sur neuf selon les statistiques officielles de l'American Cancer Society publiées en 1991, risquer de signer un pacte avec le cancer du sein...

Pourtant, là encore, on connaissait depuis longtemps le visage terrible de la réalité. On le connaissait depuis 1896, car déjà à cette époque les chirurgiens avaient commencé à ôter les ovaires des femmes aristocratiques atteintes du cancer du sein. Ils avaient observé que les œstrogènes, même ceux produits par les ovaires, pouvaient accélérer la croissance d'une tumeur existante. En 1932, on avait expérimenté avec des souris *mâles* et on avait pu établir que l'injection d'œstrogènes provoquaient chez elles, le cancer du sein. Depuis, des expériences faites sur des *hommes* souffrant de troubles cardio-vasculaires et traités pour cela au diéthylstilbœstrol (DES), ont révélé chez ces sujets la survenue du cancer du sein. Puis, il y a eu le scandale du diéthylstilbœstrol (DES). Utilisé à partir de 1949 comme un préventif de l'avortement spontané, il a produit le cancer du vagin chez des femmes qui y avaient été exposées dans le ventre de leurs mères. Il fut la première hormone à être déclarée carcinogène. Malgré cela, on a continué à l'utiliser pour tarir le lait des mères qui ne veulent pas allaiter; comme un contraceptif abortif dans «la pilule du lendemain» (50 mg de DES pendant 5 jours) et comme un additif dans la nourriture du bœuf et des poulets, destiné à les engraisser plus rapidement en provoquant la rétention de l'eau et du sel dans les tissus. Or, le DES provoque non seulement le cancer mais aussi la stérilité et l'efféminisation des hommes[19].

Ainsi, il est impossible de ne pas tenir compte des faits suivants: Un grand nombre de femmes ménopausées de cette fin du XXe siècle qui se soumettent à une hormonothérapie substitutive ont été exposées au cours de leur vie fertile à des contraceptifs hormonaux à forte dose ou, si elles sont plus jeunes, à une pilule moins forte mais prise beaucoup plus tôt; un certain nombre d'entre elles ont reçu du DES au cours de leurs grossesses (entre 5 mg et 50 mg par jour de la 6ᵉ à la 35ᵉ semaine de grossesse); un très grand nombre d'entre elles ont pris du DES pour ne pas subir de montée laiteuse (DES en injections à fort dosage); parmi les femmes plus jeunes, nombreuses sont celles qui ont pris à répétition et sur plusieurs années, «la pilule du lendemain», qui est du DES à très fort dosage; et, pour couronner le tout, la presque totalité d'entre elles ont consommé plus de 110 kg de viande en grande partie «hormonée» par an, tout au long de leur vie[20]...

Les femmes occidentales d'aujourd'hui, à moins d'être totalement végétariennes depuis leur naissance, à moins de n'avoir jamais pris de médicaments pendant leur grossesse, à moins d'avoir allaité tous leurs bébés, à moins de n'avoir jamais utilisé de contraceptifs hormonaux, sont donc soumises consciemment et inconsciemment, volontairement et bien souvent involontairement, à une hormonothérapie qu'on pourrait qualifier de chronique[21] — qu'elle soit sous forme de pilules, d'injections, d'implantations sous-cutanées, de crèmes, de suppositoires ou d'aliments d'origine animale (lait, œufs, fromages, viandes). Un tel phénomène ne peut pas être ignoré ou minimisé. Combien de symptômes de la ménopause, parmi la trentaine qu'on lui attribue, sont-ils la conséquence directe ou indirecte de cet excès médicamenteux qui a déferlé par vagues successives sur la société féminine au cours des années 40, 50, 60, 70 et 80?

Comment a-t-on pu en arriver là? Comment la ménopause encore considérée dans les manuels de gynécologie des années 40 et 50 comme un événement ne provoquant «aucune altération vraiment profonde dans la vie courante d'une femme[22]», a-t-elle pu devenir, dans les éditions ultérieures de ces mêmes ouvrages, à partir de 1965, «un état pathologique» nécessitant «une prévention thérapeutique[23]»?

Pourquoi, alors qu'à l'aube du XXᵉ siècle (1892) un dictionnaire médical parlait d'un déclin physique chez les hommes survenant vers le milieu de la vie et consistant en une «réelle maladie[24]», à l'aube du XXIᵉ siècle, on affirme que ce sont les femmes qui, à cette époque de leur vie, tombent malades? Cette affirmation ne semble pas être gratuite car au cours d'un symposium sur la ménopause qui avait lieu à la New York Academy of Sciences en 1990, un triste tableau de la santé des femmes a été brossé. On a pu y entendre que si les femmes vivaient aujourd'hui sept années de plus que les hommes, c'était sept années, à toute fin pratique, de misère. L'avantage que les femmes possèdent en espérance de vie, elles ne l'ont pas au niveau de la morbidité, car toutes ces années additionnelles et celles qui les précèdent sont marquées par une haute prévalence de problèmes médicaux et d'infirmités physiques qui les amènent à consulter beaucoup plus souvent le médecin, à être hospitalisées et opérées beaucoup plus souvent et à être placées à l'hospice beaucoup plus souvent, beaucoup plus longtemps et beaucoup plus tôt que les hommes. Comparées aux hommes, les femmes post-ménopausées souffrent beaucoup plus de varices, de problèmes du système urinaire, de maux de tête, de constipation et autres désordres intestinaux, de troubles de la thyroïde, d'anémie et d'ostéoporose. En plus, après la ménopause les femmes perdent l'avantage qu'elles semblaient avoir plus jeunes au niveau des maladies cardio-vasculaires et meurent de crise cardiaque de la même manière et tout autant que les hommes[25]...

Que s'est-il passé? Les femmes d'aujourd'hui doivent comprendre qu'au XXe siècle, ces expériences humaines spécifiquement féminines comme l'accouchement[26] et la ménopause ont reçu un caractère médical: elles ont été médicalisées. Et... c'était inévitable! Dès qu'un problème quelconque est défini médicalement, une approche médicale semble être l'unique solution logique. Or ce phénomène se préparait de loin. En fait, il a commencé à se dessiner dès le moment où les femmes de l'aristocratie française se sont détournées des sages-femmes et des femmes-guérisseuses pour se tourner vers les barbiers-chirurgiens qui devaient devenir peu à peu des «hommes sages-femmes» puis des accoucheurs et finalement des médecins, et qu'elles leur ont demandé qu'ils s'occupent d'elles au cours de l'accouchement et lors du retour d'âge.

Tant et aussi longtemps que les femmes se sont occupées des femmes, l'accouchement et la ménopause sont restés des événements strictement physiologiques capables, certes, de devenir des *crises* physiologiques entraînant dans certaines circonstances et sous certaines conditions, la maladie. Mais en aucun cas, ces femmes dévouées au service des femmes n'ont envisagé ces activités féminines sous un autre angle que celui de la normalité la plus évidente. On peut ainsi affirmer que dans une perspective historique, ce sont les femmes qui ont choisi jusqu'à un certain point, de traiter la ménopause comme un événement médical[27].

L'échec des médecins à effacer la ménopause les avait amené au XIXe siècle à se transformer en habiles chirurgiens. L'hystérectomie était alors devenue le traitement miraculeux et presque obligatoire de la ménopause. Vers la fin des années 30 et le début des années 40, à la faveur de connaissances anatomiques et physiologiques plus poussées ainsi qu'à celle de l'obtention sous leur forme cristalline des hormones, les médecins, toujours bafoués par les symptômes de plus en plus pénibles de la ménopause, commencent à entrevoir cet événement féminin universel comme une maladie de carence dont les symptômes sont la conséquence directe d'une déficience en œstrogènes... Or, dès que cette connexion a été établie, puis vers les années 60 lorsque les œstrogènes ont été disponibles à bon marché, le traitement aux œstrogènes, donc un traitement exclusivement médical, est devenu «non seulement légitime mais encore obligatoire[28]».

Bientôt, ce déclin en œstrogènes au cours de la ménopause dépeint comme une anomalie, devait devenir le thème central de toute approche du problème, un leitmotiv obsédant avec pour résultat qu'en 1975, les œstrogènes étaient le 5e médicament le plus fréquemment prescrit aux États-Unis. Dans l'état de Washington par exemple, 51 p. 100 de toutes les femmes ménopausées l'avaient utilisé sur une période d'au moins trois mois, la moyenne du temps d'usage étant de plus de dix ans[29].

La ménopause est ainsi devenue officiellement, à partir des années 60, un problème biomédical basé sur le concept nouveau que la ménopause consiste en un ensemble de symptômes tous reliés à une carence en hormones de *la reproduction*. Ce concept a envahi les manuels de médecine, les guides de médecine populaires et mêmes les articles scientifiques les plus sérieux. Il est devenu si puissant qu'il demeure courant malgré le fait que l'on a découvert que les œstrogènes exogènes augmentaient la survenue du cancer de l'endomètre. Sans se laisser démonter, on a lancé l'idée que l'ajout de la progestérone aux œstrogènes réduisait l'incidence de ce cancer...

En 1990, alors que l'on sait que l'ajout de la progestérone aux œstrogènes ne protège pas contre le cancer du sein
qui est aussi fortement relié à l'usage des hormones; alors
que l'on sait que la progestérone annule les soi-disant effets
bénéfiques des œstrogènes sur le système cardio-
vasculaire[30]; alors qu'on le veuille ou non, il faut avouer que
l'hormonothérapie de substitution pose de graves problèmes
de santé: nausées, anorexie, vomissements, spasmes abdominaux, ballonnement, œdème et sensibilité mammaire, saignement vaginal, besoin accru d'interventions chirurgicales,
cancer du sein et de l'utérus, thrombophlébite, embolie pulmonaire, thrombose cérébrale, migraines et élévation de la
tension artérielle, pierres sur le foie, chute des cheveux, prurit, rougeurs sur la peau, etc.[31]; alors que maintenant
chaque fois qu'une femme touche aux hormones que ce soit
sous forme de pilules, de crèmes ou d'implantations sous-
cutanées, elle doit obligatoirement envisager le risque cancérogène, — oui — malgré tout cela, on continue à propager
le concept biomédical de la ménopause.

Sous cet angle, la ménopause de la fin du XXe siècle est
conceptualisée comme un ensemble de symptômes dont les
plus criants et les plus insupportables pour les femmes sont
les chaleurs, les sueurs et l'atrophie vaginale. À ces symptômes physiques s'ajoutent de nombreux symptômes diffus,
d'ordre psychologique. En réalité, le déficit ovarien, avec sa
carence en hormones reproductrices, est considéré comme
la cause biologique de n'importe quel problème physique ou
psychologique qui peut survenir dans la vie d'une femme de
35 à 55 ans!

La ménopause, un événement normal, physiologique et
universel spécifiquement féminin, a été médicalisée. Elle
est ainsi devenue pathologique et impossible à vivre sans
intervention médicamenteuse au risque tragique d'entraîner
des dégradations inouïes capables d'effacer totalement toute
identité féminine chez la femme. Il faut pousser l'analyse de
ce phénomène plus loin et comprendre que la médicalisation
de la ménopause a permis la réduction de la femme aux
sécrétions internes de ses organes reproducteurs. Les
femmes sont tout simplement devenues des produits de leur
système reproducteur et de leurs hormones, pouvant ainsi
être manipulées à volonté par le biais de la prescription
médicale hormonale, celle-ci lui offrant de la puberté à la

ménopause «la grande libératrice», soit la pilule anticonceptionnelle, puis à la ménopause «la fontaine de jouvence», soit l'hormonothérapie substitutive. Et fait renversant, malgré le puissant risque cancérogène, on continue, plus que jamais, à insister sur l'obligation pour les femmes de se soumettre à la prise d'hormones en brandissant devant leurs yeux un avenir marqué par l'ostéoporose et la crise cardiaque, ces maladies étant elles aussi présentées comme une conséquence de la carence en œstrogènes. Ainsi, la vente des hormones se maintient et l'on ne cesse de proclamer haut et fort que la ménopause est catastrophique, alors que les hormones sont salutaires car elles permettent la prévention de pathologies débilitantes.

Plusieurs femmes en Occident se sont élevées, à partir des années 70, contre ce concept biomédical de la ménopause et lui ont opposé d'autres concepts comme le concept socio-culturel qui affirme que la ménopause n'a pas d'effet réel sur la femme mais que ce sont plutôt les changements de rôles ou les attitudes culturelles face au vieillissement et aux femmes ménopausées qui sont la cause des misères de cette période de la vie féminine. Selon ce concept, les symptômes de la ménopause sont un phénomène occidental causé par un comportement culturel. D'autre part, la perspective féministe du XXe siècle a déclaré que la ménopause est devenue un sujet tabou qui a été gardé sous silence et dans le secret afin que les droits des femmes soient supprimés au nom de la biologie. Selon le mouvement féministe contemporain, le concept biomédical est un moyen de contrôle social des femmes et celles-ci doivent refuser toute aide médicale que ce soit sous forme médicamenteuse ou chirurgicale.

Ces deux derniers concepts, jusqu'à ce jour, sont restés marginaux et celui qui domine la pensée scientifique occidentale est bien le concept biomédical dont les hypothèses de base sont:

1.) La science est objective et elle possède la véritable connaissance.

2.) Les femmes sont avant tout autre chose les produits de leurs organes de reproduction et de leurs hormones.

3.) Il y a quelque chose d'intrinsèquement pathologique dans le système de reproduction féminin.

Aussi révoltante que soit une telle conception, il est impossible d'ignorer que sa deuxième hypothèse est née, en partie, au XIXe siècle lorsque les femmes de l'aristocratie européenne se sont mises à réclamer à grands cris l'hystérectomie pour mettre fin à leurs hémorragies utérines. L'ablation des ovaires se révélant une opération aux conséquences pénibles pour la santé mentale des femmes, elles se soumirent à l'ablation de l'utérus avec la certitude que le siège de leur féminité était les ovaires et non pas l'utérus qui n'était qu'un réceptacle, pensaient-elles, pour des bébés qu'elles ne voulaient pas avoir. Cette deuxième hypothèse a cependant des racines encore plus lointaines qui plongent dans cette époque à partir des XVIIe et XVIIIe siècles où les femmes, pour permettre aux hommes d'envahir leur intimité au cours de l'accouchement sans avoir à en rougir, ont accepté de n'être à leurs yeux que des vagins et des utérus en besoin urgent et indispensable d'aide spécialisée.

Pour la première fois dans l'histoire du monde, alors que les femmes se détournaient de leurs sœurs pour s'attacher à des hommes «spécialisés[32]», elles ont aussi peu à peu accepté d'*avoir* un corps et non plus d'*être* un corps. Oui, elles avaient un corps à diriger, à manipuler, à utiliser comme bon leur semblait et c'est au nom de la liberté qu'elles revendiquaient qu'elles ont accepté de le confier aveuglément à des hommes qui leur promettaient une collaboration totale et qu'elles ont auréolé, pour préserver modestie, moralité et paix conjugale, de vertus héroïques. En effet, «leurs» médecins étaient des hommes asexués, aveugles et totalement discrets, de parfaits confidents, pleins de compréhension pour leurs faiblesses, leurs misères, leurs tourments.

C'est dans cette relation femme/médecin, les femmes étant baignées d'impuissance et de faiblesse, l'homme imbu de force et d'indépendance, que devait naître la troisième hypothèse du concept biomédical qui, décodé, peut se lire ainsi: L'homme doit être supérieur à la femme car il n'a pas, lui, de problèmes liés à son système reproducteur. L'homme est supérieur à la femme car il n'a pas besoin de la femme pour en régler les ratés. L'homme sans aucun doute est supérieur à la femme car il peut, tout en manipulant son corps à elle, lorsqu'il porte une blouse blanche, résister à ses charmes et demeurer un intouchable... L'homme, c'est la norme. La femme, c'est l'autre... Elle est une déviation de la norme masculine.

C'est dans un livre qui déchaîna l'enthousiasme des femmes dans les années 60 que l'on peut lire cette déclaration stupéfiante: «C'est chez un homme en bonne santé que l'on peut trouver l'exemple d'un vieillissement à un rythme normal, naturel et harmonieux par rapport à l'espérance de vie. Un homme reste mâle aussi longtemps qu'il vit... En aucun temps, il n'a à faire face à une crise brusque. La vie d'un homme se déroule dans une continuité sans heurt. Il ne perd jamais le sentiment d'être lui-même[33].» On pourrait probablement dire, sans trahir la pensée de l'auteur, le Dr R.A. Wilson, que l'homme ne perd jamais le sentiment d'être quelqu'un... Contrairement à ce que tout le monde croyait jusqu'au XIXe siècle, c'est maintenant l'homme qui dans le jeu de la vie, a le beau jeu, alors que la femme vieillissante devient l'exemple même de la déchéance.

Un autre auteur, psychiatre celui-là, devait oser décrire la femme ménopausée, dans un best-seller des années 70, comme un être qui n'est «pas vraiment un homme mais qui n'est plus une femme «en fonction», comme un être vivant «dans le monde de l'intersexualité», et suit une description à vous faire pleurer de panique: poils sur le visage, voix grave, obésité, affaissement des seins, atrophie du vagin, traits qui deviennent grossiers, développement du clitoris, calvitie progressive... Puis vient l'argument massue: Puisque la femme, au fur et à mesure que sa production d'œstrogènes diminue, se met à ressembler de plus en plus à un homme, puisque sa féminité est une fleur fragile et unique, si elle ne se soumet pas à une hormonothérapie de substitution, elle ressemblera très rapidement à «une pomme cuite[34,35]».

Voilà où la médicalisation de la ménopause nous a menées. Amorcée au XVIIIe siècle lorsque les femmes âgées de l'aristocratie européenne ont commencé à rechercher de l'aide médicale au moment où elles pensaient qu'elles entraient dans leur ménopause, elle a été consacrée au XXe siècle lorsqu'on s'est mis à attribuer toutes les misères de toutes les femmes de 35 à 45 ans de toutes les classes de la société à une carence en œstrogènes et à en prescrire pour les soulager. En déclarant que la ménopause était une maladie, la science a élaboré un concept biomédical de ce phénomène qui ne pouvait faire autrement que d'engendrer le mépris de la femme mûre en la faisant passer pour une personne sans charme, sans sexualité, et à toute fin pratique névrosée[36].

Derrière la médicalisation de la ménopause, derrière le concept biomédical de cette étape normale de la vie féminine, il y a en réalité un horizon historique auquel une société libertine a accroché l'image d'une femme totalement saturée d'une sexualité du plaisir pour le plaisir qui, fait choquant et révoltant, d'une manière inattendue lui fait soudain défaut... En scrutant cet horizon, nous remarquons qu'il s'étend vers la fin de la Renaissance à cette époque où narguant la piété, les femmes de l'aristocratie européenne ont voulu se définir elles-mêmes comme des objets d'amour et ont réclamé le droit de conquérir avec leur corps dont elles refusaient la fécondité, «leur liberté». Nous le savons, c'est à partir de ce moment-là que très subtilement, très progressivement, le corps féminin est devenu en Occident, une marchandise convoitée tant qu'elle demeure fraîche mais rejetée sans remords dès qu'elle se fane.

Au XIXe siècle, la littérature glorifie encore la femme de 40 ans et la représente comme étant au sommet de sa beauté parce que sur ses traits toujours gais se dessine maintenant une maturité et une plénitude mystérieuse au grand charme. La société de cette époque enseigne encore le respect de la femme âgée et condamne son abandon par son mari et ses enfants comme étant grossier, ingrat et inconvenant. Aujourd'hui, on glorifie la gamine de 15 ans pour en faire l'incarnation de la femme totale et l'on se moque et l'on ridiculise la femme de 40 ans en la faisant passer pour une harpie que personne ne doit avoir de regret à reléguer au second plan. Vieillir, dans ces conditions, est devenu une tare et il n'est pas surprenant que la ménopause soit perçue comme une période de deuil qui souvent afflige la femme dès les approches de la trentaine pour lui faire vivre pendant près de vingt ans des stress intenses liés au sentiment très vif de quotidiennement et inéluctablement perdre du terrain...

À l'approche de la ménopause, la femme occidentale courbe la tête et utilisant les symptômes physiques de cette étape normale de sa vie, en les magnifiant parfois et en les exagérant, elle crie à sa société sa colère et son impuissance, tout en acceptant de passer pour une invalide, pleine d'abattement et de dépression[37]. Il est important de constater que la femme méditerranéenne, bien au contraire, lorsqu'elle constate sa stérilité définitive, craignant que son mari n'épouse une seconde femme plus jeune — ce qui constitue pour elle un stress majeur — n'a pas le temps de tomber malade et de passer pour débile. Non, s'appuyant sur ses droits en tant qu'épouse légitime, mère des enfants de son mari et partenaire d'affaires dans l'entreprise familiale ainsi que sur sa force financière, elle va faire face à cette crise, si elle survient, avec sérieux et d'une manière pratique. On peut observer que d'une communauté à l'autre les femmes méditerranéennes mais aussi les femmes africaines, ont développé toutes sortes de stratagèmes destinés à conserver ou, dans le cas de la femme stérile ou veuve, à établir leur position. Ces femmes d'ailleurs ont toutes le sentiment d'avoir de la valeur, et même si leurs conditions de vie peuvent être très pénibles, il n'en reste pas moins qu'elles connaissent leur importance, qu'elles ont de la puissance et qu'elles savent fort bien l'exercer pour se faire respecter et se rendre indispensables jusqu'à la mort[38].

En réalité, dans ces sociétés, parce que l'on croit à la complémentarité absolue de l'homme et de la femme et non pas à leur existence indépendante, l'un étant supérieur à l'autre et pouvant s'en passer, on a établi des rôles sexuels bien définis, des rôles que nous appelons traditionnels. Ce sont ces rôles acceptés et vécus avec dignité qui ont permis d'investir et l'homme et la femme de responsabilités précises, de reconnaître leur expérience, de louer leur compétence sociale et de respecter leur autorité alors qu'ils exercent l'un et l'autre, quotidiennement, chacun dans son domaine, un bon jugement. Les femmes ne peuvent ainsi faire autrement que d'avoir des sentiments très nets de pouvoir, de maîtrise de leur situation et de domination des événements. Leur succès, l'amour qu'on leur porte et la reconnaissance qu'elles sont indispensables car personne d'autre — et surtout pas les hommes — ne peut faire ce qu'elles font, n'ayant jamais été subordonnés à leur beauté et à leur jeunesse, tout cela permet à ces femmes qui s'appuient sur leur sagesse et sur leur expérience, de relever la tête à la ménopause et malgré la perte de leur fertilité, de se battre pour garder leur position. Et elles réussissent[39].

La médicalisation de la ménopause avec ses innombrables conséquences malheureuses et désastreuses pour la santé de la femme est le résultat obligatoire de l'érotisation morbide dans notre société du corps féminin, cette érotisation étant elle-même la suite logique de la volonté féminine d'imiter et de glorifier le comportement pathologique d'un homme qui refuse d'assumer les responsabilités d'un époux et d'un père pour jouer les don Juan. En effet, la voie étroite du devoir ayant été présentée comme un esclavage, les femmes ont voulu s'engager sur la voie large du plaisir définie comme étant celle de la liberté. Elles se sont mises à envier l'homme libertin et irresponsable, et le prenant pour modèle, elles ont calqué leur comportement sur le sien. Ainsi jugeant de leur réussite par leur capacité à multiplier les conquêtes, ayant réussi à avoir de moins en moins d'enfants, les femmes n'ont pas vu qu'en méprisant leurs rôles d'épouse et de mère, elles délaissaient une position noble qui leur assurait le respect et la dignité pour un rôle d'objet jetable, d'objet, selon la définition du dictionnaire, destiné à être remplacé et non entretenu...

Il n'est donc pas surprenant que l'hormonothérapie substitutive, malgré ses théorèmes de base qui dénigrent superbement la femme et qui établissent la supériorité absolue de l'homme, ait auprès des femmes de la seconde moitié du XXe siècle qui clament haut et fort leur volonté d'être égales aux hommes, un tel succès, une telle emprise. Le secret de ce succès qui confine à de la fascination, est la promesse, «scientifique» cette fois-ci, d'une jeunesse éternelle... Et la femme occidentale qui depuis la fin de la Renaissance s'est progressivement soumise à l'idée qu'elle avait un corps et que c'était sa seule arme pour parvenir à une liberté qu'elle n'a pas encore réussi à extirper des bas-fonds de la luxure, s'accroche aux affirmations nébuleuses d'une thérapie qui lui assure que jusqu'à 72 ans, elle pourra être une partenaire sexuelle active, agressive, compétente : sa peau restera lisse, sa poitrine ferme et son vagin lubrifié.

C'est irréfutable : C'est le meilleur des mythes de l'éternelle jeunesse. Quête autrefois presqu'exclusivement masculine qui s'inscrit dans la quête immémoriale de l'immortalité, elle est maintenant devenue l'obsession de millions de femmes qui sont prêtes à signer n'importe quel pacte pour ne pas vieillir.

On peut se moquer aujourd'hui de l'espérance chrétienne de la vie éternelle qu'avaient les femmes paysannes ou bourgeoises des siècles derniers, espérance qui les soutenait dans leur vie d'obéissance aux lois de la vie. On peut railler leur abnégation, leur patience, leur résignation, leurs soupirs, leurs mains jointes, leurs yeux levés vers le ciel, les doux cantiques qu'elles chantonnaient quand tout était trop dur, mais on ne peut nier qu'elles avaient là des armes efficaces contre l'angoisse de la mort et une assurance indéniable contre la déchéance d'une vieillesse sans issue qui pousse les femmes modernes dans la pharmacodépendance, le tabagisme, l'alcoolisme et le suicide...

Ainsi donc la médicalisation de la ménopause tient à affirmer que la ménopause est un événement qui comporte des effets mortels (le langage scientifique dit «léthaux») — c'est une endocrinopathie «tout comme le diabète[40]» — et bien qu'elle avoue maintenant que la thérapie offerte comporte «des problèmes majeurs, la question du cancer étant la plus importante[41]», on continue, à tous les niveaux, à la déclarer indispensable, inévitable.

Un auteur a rapporté dans un article médical une confidence désespérée d'une femme de 40 ans: «Le docteur m'a donné deux choix pour le traitement de ma ménopause. Il m'a dit que je pouvais prendre des œstrogènes et attraper le cancer ou que je pouvais ne pas en prendre et m'attendre à la dissolution de mon squelette[42].»

Quel raisonnement! Femmes d'aujourd'hui, ne pensez-vous pas qu'il soit maintenant obligatoire d'envisager une autre approche de la ménopause?

1. Rhoades F.P., The Menopause, A Deficiency Disease, *Michigan Medecine*, 410-412, June 1965.
2. Martin E., Medical Metaphors of Women's Bodies: Menstruation And Menopause, *International Journal of Health Services*, Vol. 18, No. 2, 237-254, 1988.
3. Utian W.H., The Menopause in Perspective, From Potions to Patches, *Annals of the New York Academy of Sciences*, Vol. 592, Multidisciplinary perspectives on menopause, 1990.
4. Wilson R.A., *Feminine Forever*, Philadelphia, Pa: Lippincott, 1966.
5. Gannon L.R., *Menstrual Disorders And Menopause*, Biological, Psychological and Cultural Research, p. 151, Praeger Special Studies, New York, 1985.
6. Ibid.
7. Utian W.H., *Menopause in Modern Perspective*, Appleton —Century — Crofts, New York, 1980.
8. Hearing before the Intergovernmental Relations Subcommittee on Government Operations, U.S. House of Representatives, Part IV, November, 1971.
9. Seaman B., Seaman G., *Women and the Crisis in Sex Hormones*, Rawson Associates Publishers, Inc., New York, p. 107, 1977.
10. Denard-Toulet A., *La ménopause effacée*, Éditions Robert Laffont, p. 351, 1975.
11. Interviewé en 1976, le Dr R. Wilson a déclaré qu'il faudrait débuter la thérapie aux œstrogènes à neuf ans et la poursuivre de 9 ans à 90 ans!
12. Wilson R.A., *Feminine Forever*, Philadelphia, Pa: Lippincott, 1966.
13. *Lancet*, 2: 1135, 1975.
14. *FDA Drug Bulletin*, 1976.
15. *FDA Drug Bulletin*, Feb.-March, 1976.
16. Hoover R. et al., Menopausal estrogens and breast cancer, *New England Journal of Medecine*, 295: 401-405, 1976.
17. Bergkvist L. and H., Adami et al., The risk of breast cancer after estrogen and estrogen — progestin replacement, *New England Journal of Medecine*, 321: 293-297, 1989.
18. Utian W.H., The Menopause in Perspective, From Potions to Patches, *Annals of the New York Academy of Sciences*, Vol. 592, Multidisciplinary perspectives on menopause, 1990.
19. Seaman B., Seaman G., *Women and the Crisis in Sex Hormones*, Rawson Associates Publishers Inc., New York, 1977.
20. Starenkyj D., *L'adolescent et sa nutrition*, Orion, Québec, p. 51, 1989.
21. Moore F.D. et al., Carcinoma of the breast, *New England Journal of Medecine*, 277: 293, 1967.
22. Novak E., *Textbook of Gynecology*, Ed. 2, Williams and Wilkins, Baltimore, 1944.
23. Novak E. et al., *Novak's Textbook of Gynecology*, Ed. 7, Williams and Wilkins, Baltimore, 1965.
24. Wilbush J., What's In A Name?, *Maturitas*, 3: 1-9, 1981.
25. Bachman G.A., The Ideals of Optimal Care for Women at Mid-life, *Annals of the New York Academy of Sciences*, Vol. 592, Multidisciplinary perspectives on menopause, 1990.

26. Starenkyj D., *Les cinq dimensions de la sexualité féminine*, Orion, Québec, 1992.
27. Bell S.E., Sociological Perspectives on the Medicalization of Menopause, *Annals of the New York Academy of Sciences*, Vol. 592, Multidisciplinary perspectives on menopause, 1990.
28. Ibid.
29. McGrea F.B., The politics of menopause: The 'discovery' of a deficiency disease, *Social Problems*, 31: 111-123, 1983.
30. Utian W.H., The Menopause in Perspective, From Potions to Patches, *Annals of the New York Academy of Sciences*, Vol. 592, Multidisciplinary perspectives on menopause, 1990.
31. *Compendium des Produits et Spécialités Pharmaceutiques*, 16ᵉ édition, 1981.
32. Wilbush J., What's In A Name?, *Maturitas*, 3: 1-9, 1981.
33. Wilson R.A., *Feminine Forever*, Philadelphia, Pa: Lippincott, p. 51, 1966.
34. Reuben D., *Everything you always wanted to know about sex...*, N.Y.: Mc Kay, 1969.
35. Reuben D., *How to get more out of sex...*, N.Y.: McKay, 1974.
36. Birnbaum D., Self — Help for Menopause, *Annals of the New York Academy of Sciences*, Vol. 592, Multidisciplinary perspectives on menopause, 1990.
37. Wilbush J., Climacteric Symptom Formation: Donovan's Contribution, *Maturitas*, 3: 99-105, 1981.
38. Wilbush J., Historical perspective, Climacteric expression and social context, *Maturitas*, 4: 192-205, 1982.
39. Ibid.
40. Brody J., Physicians' view unchanged on use of estrogen therapy, *New York Times*, Dec. 5, 1975.
41. Utian W.H., The Menopause in Perspective, From Potions to Patches, *Annals of the New York Academy of Sciences*, Vol. 592, Multidisciplinary perspectives on menopause, 1990.
42. Martin E., Medical Metaphors of Women's Bodies: Menstruation And Menopause, *International Journal of Health Services*, Vol. 18, No. 2, 237-254, 1988.

4

Être
«toute femme»
à tout âge

Le concept biomédical de la ménopause exige que cet événement normal dans la vie d'une femme soit perçu comme catastrophique, et même si plusieurs critiques de cette tendance à considérer la ménopause comme un état pathologique ont été formulées, le langage pour décrire cette étape féminine continue à perpétuer une notion tragique de crise.

La science a découvert une nouvelle maladie de carence et il existe maintenant une politique de la ménopause[1] qui exprime en termes pathétiques l'ampleur du problème à l'échelle même de la planète. On affirme que les femmes ménopausées constituent une population mondiale énorme dont le besoin d'être aidée — entendons traitée — est urgent. On peut lire de nombreux articles qui tous commencent de la même manière et sur le même ton: Le traitement de la ménopause est un dilemme médical du XXe siècle. Comment cela se fait-il? Eh! bien, pensez un peu qu'au début des années 1900, l'espérance de vie d'une femme vivant aux États-Unis par exemple, n'était que de 40 ans environ. (Ça, c'est forcé les chiffres!) Depuis, cette espérance de vie a presque doublé et elle atteint tout près de 80 ans. Or l'âge moyen de la ménopause est de 51 ans. Ainsi, imaginez l'ampleur du défi que les 35 à 40 millions de femmes américaines ménopausées — sans parler des autres — pendant près d'un tiers de leur vie, représentent pour la santé publique et cela d'autant plus que seulement 10 p. 100 d'entre elles bénéficient d'une hormonothérapie substitutive... Le ton est plus ou moins délirant selon les auteurs[2,3], mais chaque fois le même message fracassant est lancé: «La ménopause n'est pas une période temporaire et passagère mais le commencement d'une détérioration progressive du corps et de l'esprit de la femme[4]».

Est-ce possible? En tant que femmes, nous devons savoir, nous devons comprendre de quoi nous sommes tout d'un coup accusées. Le leitmotiv obsédant de toutes ces déclarations est l'affirmation que la femme, vers le milieu de sa vie, devient la victime d'un déficit ovarien soudain, d'une carence ovarienne brutale. Écoutez bien: «La période pendant laquelle les cycles cessent et la production des hormones sexuelles féminines diminue rapidement et s'abaisse dangereusement, s'appelle la ménopause... La cause de la ménopause est l'épuisement des ovaires. Pendant un court temps après la ménopause, les œstrogènes sont encore produits mais en quantité plus que critique et au cours des ans, alors que les derniers follicules s'atrophient, la production des œstrogènes par les ovaires tombe quasiment à zéro[5].» Un autre auteur déclare: «En pleine maturité, presque subitement, la fonction ovarienne s'arrête comme une lampe qui s'éteint[6].» On parle d'atrophie, d'involution, d'extinction, de rupture, de discontinuité... termes bien choisis pour véhiculer et imposer une affirmation de déchéance inéluctable. Un jour, la femme ne fabrique plus d'œstrogènes et voilà, c'est absolu, elle n'est plus femme, à moins que... elle accepte, malgré tous les risques qui leur sont connus et inconnus, les hormones exogènes. Pour le concept biomédical de la ménopause, ceci est un théorème absolu: La femme a un corps qui lui fait défaut, qui la trahit, qui la laisse tomber sans qu'elle ne puisse rien y faire, si ce n'est de se précipiter à la clinique pour y être traitée.

Puisque l'enjeu de toute cette déchéance semble être l'arrêt de la production par l'ovaire des œstrogènes, penchons-nous sur cette substance seule capable, affirme-t-on, de rendre la femme désirable, car elle est l'essence même de la féminité et de la jeunesse.

Que sont, que font les œstrogènes?

Le mot œstrogène a pour racines les mots oistros (fureur) et gennân (engendrer) et signifie «qui produit l'ovulation». On classifie les œstrogènes en deux grands groupes : les œstrogènes naturels et les œstrogènes artificiels, soit ceux qui sont produits par les tissus vivants et ceux qui ne le sont pas. Les œstrogènes, à la puberté, sont responsables du développement des organes génitaux ainsi que du développement des caractères sexuels secondaires alors qu'au cours de la vie sexuelle, ils interviennent surtout au niveau de la muqueuse utérine.

Les œstrogènes sont ainsi responsables et du cycle ovarien et du cycle utérin, deux cycles qui, chez la femme adulte, sont parallèles. Par contre, celui qui est le plus manifeste, ce n'est pas tellement le cycle ovarien, ce cycle au cours duquel il se produit *dans l'ovaire* un ensemble de phénomènes cycliques qui aboutit à l'ovulation, mais le cycle utérin qui est l'ensemble des variations de *la muqueuse utérine* entre deux menstrues, variations destinées à permettre la nidation de l'ovule fécondé ou, le cas échéant, à éliminer le nid resté vide. C'est ce que nous appelons les menstruations ou règles. Les deux cycles durent en principe 28 jours.

Cycle ovarien et cycle utérin

Au cours du *cycle ovarien,* il se produit dans l'ovaire des phénomènes cycliques contrôlés par les gonadostimulines de l'antéhypophyse, la FSH et la LH.

Pendant la première phase de ce cycle, l'action de la FSH prédomine et elle permet le développement du follicule (une structure dans l'ovaire) et sa maturation. L'ovaire sécrète à ce moment, de plus en plus d'œstrogènes.

Pendant la deuxième phase de ce cycle, c'est l'hormone LH qui est prédominante. Il y a alors ovulation et formation du corps jaune (le follicule a changé d'aspect et il s'est transformé en corps jaune) et celui-ci sécrète en abondance de la progestérone.

La production intense d'œstrogènes et de progestérone inhibe les sécrétions antéhypophysaires (FSH et LH). S'il y a fécondation, le corps jaune persiste, sinon il régresse. Dans ce cas, la sécrétion de progestérone cesse et la diminution brutale de la sécrétion des œstrogènes par l'ovaire provoque une déformation de la muqueuse utérine qui se manifeste par un écoulement sanguin.

Alors que le but du cycle ovarien est la production d'un ovule qui doit être fécondé, le but du *cycle utérin* est de préparer à cet ovule fécondé un milieu favorable à sa croissance. Ainsi, sous l'influence des œstrogènes et de la progestérone produits au cours du cycle ovarien, la muqueuse utérine, tout d'abord mince et peu vascularisée, va proliférer et s'épaissir. Les vaisseaux qui la traversent sont gorgés de sang, les artères sont spiralées, les glandes utérines sécrètent. S'il y a fécondation et donc persistance du corps jaune, les modifications de l'endomètre se poursuivent et le rendent apte à fixer l'œuf qui pourra y accomplir sa nidation. Par contre, s'il n'y a pas de fécondation, le corps jaune régresse et la production d'œstrogènes diminue rapidement. La muqueuse congestionnée se disloque brutalement et cela se traduit par un écoulement de sang qui n'est pas coagulable.

De la puberté à la ménopause, la femme adulte est donc soumise à des phénomènes cycliques bien rythmés destinés à lui permettre d'accomplir la plus grande et la plus lourde part de la fonction de reproduction de l'espèce humaine. Cependant, il est extrêmement important de comprendre que chaque fois que la femme est enceinte ou qu'elle allaite, le cycle ovarien et le cycle utérin sont suspendus et cet arrêt peut se prolonger pendant deux à quatre ans. Les ovaires et tout le tractus génital sont alors au repos et subissent une atrophie temporaire[7]. En fait, chaque fois que le cycle ovarien et le cycle utérin ont accompli leur destinée qui est de permettre à la femme d'être féconde, celle-ci subit alors une «ménopause» temporaire... et qu'y-a-t-il de plus beau, de plus féminin, de plus courageux, de plus déterminé, de plus épanoui qu'une femme qui est enceinte ou qui allaite?

Les œstrogènes sont des stéroïdes synthétisés à partir du cholestérol. Le corps féminin en sécrète trois types: l'œstrone, l'œstradiol et l'œstriol. La régulation de la sécrétion d'œstrogènes est principalement sous la dépendance des hormones gonadotropes hypophysaires, et tout particulièrement de l'hormone folliculo-stimulante (FSH); celle de la progestérone est dépendante de l'hormone lutéinisante (LH). La synthèse hypophysaire et la sécrétion des hormones gonadotropes sont sous la dépendance du système nerveux central et surtout des hormones sécrétées par l'hypothalamus, hormones appelées LH-RH[8].

C'est à la puberté (du latin qui signifie «se couvrir de poils») que les ovaires qui étaient restés jusque-là au repos, entrent en activité. La puberté, c'est la période de maturation sexuelle au cours de laquelle la petite fille sexuellement immature devient une adolescente chez qui toutes les fonctions de reproduction sont progressivement mises en place. C'est ainsi que l'utérus grossit, le vagin devient souple, le clitoris et les lèvres se développent. Les seins se dessinent et l'on constate l'apparition d'une pilosité sexuelle caractéristique, une modification de la voix et l'ascension de la graisse au niveau du bassin, des hanches et des fesses.

En réalité, la puberté est la reprise d'une symphonie qui avait commencé à se jouer chez l'embryon femelle alors qu'à la 7e semaine de son développement les ovaires étaient apparus et que déjà, à ce moment-là, il y avait eu multiplication des cellules sexuelles qu'on appelle ovocytes de premier ordre. Les ovocytes jusque vers la fin du 3e mois vont subir une phase d'accroissement mais qui ne se poursuivra pas jusqu'à la maturation. Bientôt, ils entrent en repos biologique pour rester inactifs jusqu'à la puberté. Ainsi, à la naissance, le bébé fille possède tout son stock d'ovocytes du premier ordre dans ses ovaires soit entre 40 000 et 300 000.

Ceux-ci formés dès la naissance, ne se mettent à évoluer, les uns après les autres, qu'après la puberté. Ils connaîtront donc tous une phase de repos ou d'attente qui durera pour certains jusqu'à la ménopause, c'est-à-dire une trentaine d'années après la puberté et pour d'autres, très nombreux qui ne seront jamais fécondés, jusqu'à la mort[9].

À la puberté, seuls quelques-uns de ces ovocytes vont reprendre leur division bloquée au stade embryonnaire et, parmi ceux qui vont évoluer ainsi, un seul d'entre eux, chaque mois tant qu'il n'y aura pas grossesse ou lactation, jusqu'à la ménopause, parviendra à maturité et sera pondu dans la trompe utérine. Au total, une femme féconde qui n'aura pas été fécondée, pourra pondre dans sa vie adulte entre 400 et 600 ovules[9].

Les jeux hormonaux qui permettent ces phénomènes commencent dès la vie utérine. Les gonadotrophines LH et FSH sont sécrétées chez le fœtus, chez le nourrisson, chez le petit enfant et on peut les retrouver dans le plasma et dans l'urine à tous les âges. Chez la fille, par exemple, avant l'âge de deux ans, la FSH et la LH sont plus élevées que chez l'enfant de 6 à 10 ans. La FSH est plus élevée chez le nourrisson de sexe féminin que de sexe masculin. Puis, dès l'âge de 10-12 ans, les gonadotrophines plasmatiques s'élèvent progressivement. C'est alors que la sécrétion d'œstradiol, l'œstrogène de l'ovulation, s'élève très régulièrement et qu'apparaissent les caractères sexuels. L'apparition des premières règles ou ménarche demeure pour la fille le signe le plus frappant du développement pubertaire. Il est important de souligner que ces premières menstruations qui apparaissent en moyenne à 12 ans et 6 mois, de 10 à 15 ans, ne sont pas synonymes de cycles ovulatoires normaux. Pourquoi? Tout simplement parce que, retenez-le bien, pendant les deux premières années qui suivent la ménarche, la sécrétion de progestérone est insuffisante et même souvent, elle est nulle au cours de cette période[10].

Puis, à l'aube de l'âge adulte s'installe enfin le cycle menstruel qui sera composé du cycle ovarien *et* du cycle utérin. Désormais, la femme sera soumise tour à tour à des taux élevés et abaissés des diverses hormones responsables de l'ovulation. Le cycle menstruel va durer 28 jours et il sera formé de trois phases. La première qui débute le premier jour des règles est considérée comme la phase dite folliculaire. Pendant cette période (du 1er au 14ème jour) la FSH est prédominante par rapport à la LH. L'œstradiol est sécrété en quantité croissante. C'est la phase de maturation du follicule de Graaf. Au 13-14ème jour (nous sommes dans la phase ovulatoire) surviennent deux pics, l'un d'œstradiol, l'autre de progestérone qui précèdent de 12 à 24 heures le pic dit ovulatoire de FSH et de LH. Ces pics induisent dans les 24 heures l'ovulation. C'est alors que le corps jaune devient actif et que la sécrétion de progestérone augmente. Nous sommes dans la troisième phase appelée lutéale du cycle du 15 au 28ème jour. Par contre, s'il n'y a pas eu fécondation de l'ovule, à partir du 23-24ème jour, le corps jaune s'atrophie progressivement et l'œstradiol et la progestérone sont sécrétés en moins grande quantité. Ce phénomène de sécrétion diminuée provoque une phase de privation hormonale qui se manifeste par les règles au 28ème jour du cycle.

La contraception hormonale

La femme pendant une trentaine d'années est donc féconde et soumise de façon répétée aux cycles ovarien et utérin chaque fois que la fécondation de l'ovule élaboré sous l'influence de tous ces hauts et ces bas hormonaux n'a pas eu lieu et ne débouche pas sur une grossesse de neuf mois et un allaitement qui devrait durer au minimum neuf mois[10,11] lui aussi mais qui peut se prolonger pendant un à quatre ans[12]. Ces activités, conséquences normales des cycles ovarien et utérin, entraînent alors, il faut bien le comprendre, leur suspension et la mise au repos et de l'ovaire et du tractus génital. Il faut insister sur ce phénomène : Au cours de la lactation, la femme est soumise à des taux élevés de prolactine et à des taux abaissés de progestérone — après avoir été exposée à des taux très élevés de progestérone en provenance du placenta pendant la grossesse — qui inhibent l'ovulation en mettant l'ovaire au repos. Ce repos sera maintenu grâce aux tétées suffisamment rapprochées du bébé qui provoquent des pics de prolactine déclenchés par la succion. Le blocage ovarien est ainsi complet. La reprise des ovulations et des menstruations ne pourra se faire que lorsque le bébé commencera à espacer ses tétées et à en réduire le nombre. Les premiers cycles après une lactation prolongée seront cependant *anovulatoires*, les taux de progestérone étant encore trop faibles. Ce n'est qu'au bout de deux ou trois cycles anovulatoires que se produira une ovulation et que la femme connaîtra à nouveau un cycle de femme fertile[13].

La femme de la deuxième partie de notre XXe siècle, victime du refus de l'enfant, refus culturel de plus en plus absolu de notre civilisation, a été soumise à «des climats endocrinologiques différents» de ceux inscrits dans son corps et de ceux que vivent encore la presque totalité des femmes dans les pays méditerranéens. Un auteur Robyn de Paris, a attiré l'attention du monde médical en 1977 sur ce phénomène : Il avait rencontré une femme dans un pays en voie de développement qui avait été maintenue pendant 16 ans en état d'hyperprolactinémie (taux élevés de prolactine) à la suite de grossesses et d'allaitements prolongés avec absence de règles. (Ceci pouvant constituer une exception, il estime néanmoins que 20 p. 100 de ces femmes retrouvent des cycles normaux avec taux d'œstrogènes et de progestérone suffisants pour induire les cycles ovarien et utérin à la fin de la première année d'allaitement, alors que 80 p. 100 les retrouvent à la fin de la seconde année.) Pour permettre une comparaison indispensable, dans les pays industrialisés, donc en Occident, à 40 ans une femme qui n'aura eu qu'un ou deux enfants au maximum et qui ne l'aura allaité que 3 à 18 semaines, n'aura été en hyperprolactinémie consécutive au post-partum que pendant un an et demi[14].

Pour maintenir ce très faible taux de natalité, depuis 1960, la femme occidentale a eu recours à la contraception hormonale qui a, à nouveau, provoqué chez elle des climats endocrinologiques tout à fait nouveaux.

Y avez-vous pensé? L'administration *combinée* d'œstrogènes et de progestérone permet de bloquer le fonctionnement cyclique de l'ovaire — il n'y a plus production d'œstrogènes, de progestérone, de FSH et de LH — mais elle simule, et c'est ce qui vous a certainement trompé, le cycle utérin.

Voilà ce qui se passe: Les hormones prises par voie orale sont beaucoup plus élevées que celles produites normalement par l'ovaire. Leur présence élevée dans le sang est ainsi ressentie par l'hypothalamus et il en résulte par rétro-action négative une inhibition de la sécrétion du LH-RH et, par conséquent, de la production des gonadotrophines FSH et LH nécessaires à la croissance folliculaire. Comme il n'y a pas croissance folliculaire, il n'y a pas non plus ovulation et donc il y a suppression de la sécrétion d'œstrogènes ou de progestérone en provenance de l'ovaire. Par contre, au niveau de l'utérus, cette suppression reste sans répercussion puisque l'absence des œstrogènes endogènes (en provenance de l'ovaire) est compensée par les œstrogènes exogènes (en provenance des pilules). Durant la période de l'administration de ces derniers, l'endomètre se développe comme il le fait au cours d'un cycle normal et l'arrêt du traitement provoque la desquamation de la muqueuse suivie d'une hémorragie. Cette menstruation est «simulée». Elle est artificielle.

La contraception hormonale peut être aussi poursuivie grâce à une administration *séquentielle* d'œstrogènes. Dans ce cas, l'œstrogène est administré d'abord seul à partir du 5ème jour du cycle jusqu'au 15-20e jour afin de bloquer la croissance folliculaire. Le progestatif (une substance ayant la même action que la progestérone) est administré ensuite à partir du 10e ou du 15e jour jusqu'au 25e jour afin de permettre le développement de la muqueuse utérine. Ici encore, l'arrêt du traitement hormonal est suivi, trois jours plus tard, d'une menstruation «provoquée».

Selon les données statistiques que l'on possède actuellement l'administration combinée serait efficace *presque* à 100 p. 100 alors que le traitement de type séquentiel présente plus de risques. (5 grossesses pour 1 000 femmes par année d'emploi régulier.)

Nous avons déjà signalé que depuis l'introduction des contraceptifs hormonaux, l'amélioration la plus marquée a été la diminution des doses journalières à employer. Alors que le premier produit commercialisé contenait 10 mg de progestatif associé à des centaines de microgrammes d'œstrogène, les produits en usage actuellement contiennent au maximum 1 mg de progestatif et 20-25 mcg (microgrammes) d'œstrogène.

L'efficacité de ces nouveaux produits reste la même, bien que leur mode d'action semble varier avec la dose de chaque type d'hormone. Par exemple, lorsque l'œstrogène est administré en dose journalière de 100 mcg ou plus, la croissance folliculaire est bloquée et l'ovulation supprimée par manque d'une stimulation de l'ovaire par l'hypophyse. Cependant, lorsque l'œstrogène est administré en doses inférieures à 100 mcg, la sécrétion de gonadotrophines (FSH et LH) ne serait plus bloquée et l'ovulation aurait lieu assez fréquemment.

Comment l'efficacité contraceptive d'un produit contenant seulement 20-25 mcg d'œstrogènes est-elle assurée? On le combine à de la progestérone qui, à des doses inférieures à 1 mg quoique inefficaces pour inhiber l'ovulation, assure cependant la stérilité par des mécanismes secondaires. En termes plus simples, alors que de fortes doses d'œstrogènes entravent le cycle ovarien, ces doses plus faibles associées à un progestatif attaquent le cycle utérin: le mucus cervical ne se laisse pas pénétrer par les spermatozoïdes, le tractus génital ne permet plus la survie des spermatozoïdes et la muqueuse utérine empêche la nidation d'un œuf...

Disons-le autrement : Des doses faibles de progestatif données périodiquement du 5ᵉ au 25ᵉ jour d'un cycle régulier ou d'une façon continue (c'est le cas lorsqu'il y a implantation sous-cutanée d'une capsule en silastic contenant le progestatif et le libérant d'une façon continue à des doses qui n'altèrent pas la fonction gonadotrope hypophysaire), sont efficaces non parce qu'elles empêchent l'ovulation mais parce qu'elles forcent l'expulsion d'un ovule fécondé en rendant le milieu utérin hostile à son implantation.

Actuellement, ces nouveaux contraceptifs oraux minidosés (on parle de micropilule), sont de plus en plus répandus. Moins aptes à induire la gamme des symptômes dits de «pseudogrossesse» (nausées, maux de tête, gain de poids, états de lassitude ou de dépression), ils ont cependant entraîné d'autres symptômes comme l'hémorragie intermenstruelle.

Il est donc utile de comprendre que sous l'influence d'une forme de progestatif hautement active, à la dose journalière de 20 mcg, une microdose, l'hypophyse continue à sécréter des taux plus ou moins normaux de gonadotrophines, y compris une décharge ovulante régulière de LH. L'ovulation se produit ainsi régulièrement et le progestatif affecte peu la synthèse et la sécrétion de progestérone par le corps jaune. Dans cette forme de contraception, c'est l'arrêt de cette sécrétion endogène (de l'intérieur) qui induit la menstruation. De plus, l'administration d'une telle microdose permet encore une pénétration intracervicale normale des spermatozoïdes. Décidément, on pourrait se croire dans le meilleur des mondes... Cependant, ce type de traitement semble lui aussi «déphaser» le développement de l'endomètre. Il a un effet non pas contraceptif (il n'empêche ni l'ovulation ni la fécondation) mais un effet antinidatoire tout comme le stérilet ou D.I.U.

Cette autre forme de contraception extrêmement populaire (on estime que plus de 15 millions de femmes dans le monde l'emploient), est basée sur la notion empirique selon laquelle la présence d'un corps étranger dans la cavité utérine empêche l'installation d'une gestation. Il existe ainsi de nombreux types de stérilets, les plus récents étant des stérilets bioactifs dont les exemples les plus répandus en Occident sont, d'une part les stérilets en cuivre et d'autre part, les stérilets qui libèrent de la progestérone.

Le stérilet n'agit pas sur l'ovulation. Il n'agit pas non plus sur la fécondation ni sur le transit tubaire de l'œuf fécondé ni sur l'embryon implanté. Il agit sur l'évolution de l'endomètre qui devient anormale et «déphasée». Tout se passe comme si en présence du stérilet, l'environnement utérin, au moment où l'œuf fécondé arrive dans la cavité utérine, se trouvait déjà en période de non-réceptivité pour la nidation, ce qui semble aussi se produire, comme nous venons de le voir, dans le cas de l'administration continue ou discontinue, mais précoce, de progestérone[15].

Les deux formes les plus populaires, les plus vantées, les plus recommandées de contraception, soit la contraception hormonale et le stérilet, agissent donc toutes les deux en entravant, en bloquant ou en attaquant ou le cycle ovarien ou le cycle utérin tout au long de la vie fertile de la femme. Et c'est cette femme qui après environ 30 ans ou 40 ans de fécondité contrecarrée par le biais d'intrigues hormonales ou autres, arrive aujourd'hui, un jour, à la ménopause. Les menstruations qui ont taché toute sa vie de femme active malgré tout ce qu'elle a fait pour les dissimuler et faire comme si de rien n'était, sont sur le point de disparaître à toujours... «La malédiction», «la rouge différence» vont être effacées... Oui, pensez-y, ce sont les menstruations que la ménopause efface et si celles-ci sont une malédiction, pourquoi, dites-moi, la ménopause n'est-elle pas considérée comme une bénédiction? Mais nous n'en sommes plus, à notre époque, à une contradiction près. En effet, alors que la femme moderne pendant la presque totalité de sa vie de fécondité a été soumise à des taux non physiologiques d'œstrogènes et de progestérone, ceux-ci étant plus élevés que ceux que l'on retrouve dans un cycle normal ou naturel, on va à l'approche de la ménopause, la déclarer «carencée» en œstrogènes ou en progestérone, et mettre au compte de ces carences qualifiées de soudaines et d'abruptes tous les bobos, toutes les misères, toutes les souffrances, toutes les maladies qu'elle va éprouver jusqu'à la fin de ses jours...!

Et c'est alors qu'après avoir combattu pendant 30 ou 40 années de sa vie, les cycles même de la vie que la femme occidentale dite ménopausée par le biais d'une «thérapeutique substitutive», va accepter maintenant d'avoir des cycles «normaux» grâce à des taux qualifiés de physiolo-giques d'œstrogènes et de progestérone «naturels» qui vont simuler chez elle, un cycle menstruel de femme féconde!

L'endocrinologie de la ménopause

Le concept biomédical de la ménopause affirme que la ménopause est la conséquence du vieillissement des ovaires. On parle «d'une atrésie ovarienne progressive[16]» au cours de laquelle les follicules ovariens deviennent de plus en plus rares et le corps jaune présente une diminution fonc-tionnelle progressive. En peu de mots, tout le problème se situe au niveau de l'ovaire, un organe fragile qui, sans qu'on sache pourquoi ni comment, fait rapidement défaut et n'ar-rive plus à répondre aux besoins hormonaux de la femme.

Ce à quoi certains chercheurs opposent des études déjà anciennes et d'autres très récentes qui ont démontré sans aucun doute possible que «l'activité fonctionnelle de l'ovaire ne dépend pas de son propre âge mais de l'âge de son hôtesse[17]». Oui, des expériences faciles à répéter à volonté ont révélé par exemple, que de jeunes souris dont les jeunes ovaires avaient été remplacés par de vieux ovaires de vieilles souris qui n'étaient plus capables de se reproduire, arri-vaient à nouveau à s'accoupler et à se reproduire, alors que de vieux animaux à qui l'on greffait de jeunes ovaires demeu-raient infertiles... «Le vieil ovaire placé dans un environne-ment adéquat est encore capable de réaction et de réponse[18]», déclarait récemment le Dr Terry Parkening de la University of Texas Medical Branch at Galveston, É.-U.

Qu'est-ce qu'un environnement adéquat pour l'ovaire? Au cours d'un symposium intitulé «Neuroendocrine Modulation of Central Nervous System Function», le monde scientifique a pu apprendre que la ménopause, tout comme la puberté, débute non avec des changements qui s'opèrent dans l'ovaire mais par des modifications qui surviennent dans l'hypophyse et dans l'hypothalamus. Tout comme la puberté qui se déclenche même en l'absence de gonades (testicules ou ovaires), la ménopause est un événement dont l'initiative revient au cerveau.

Selon Wise de la University of Maryland School of Medecine à Baltimore, ce sont des altérations dans les fonctions de l'hypothalamus survenant vers le milieu de la vie qui entraînent la perte de la cyclicité et de la fertilité féminines. Or, toujours selon Wise, et à sa surprise, la consommation d'œstrogènes exogènes est capable de provoquer prématurément les changements hypophysaires et hypothalamiques qui débouchent sur l'arrêt de la vie féconde chez la femme. Des animaux d'âge moyen privés d'œstrogènes, rapporte ce chercheur, ressemblent beaucoup plus à de jeunes animaux que d'autres animaux d'âge moyen soumis à une hormonothérapie[19]. Trente ans après les affirmations grandiloquentes de l'inventeur de la pilule de la jeunesse éternelle, le Dr Wilson, le laboratoire donne raison aux sceptiques qui ont tenu à conserver leur gros bon sens...

Ainsi, lorsque les préjugés biomédicaux sont mis de côté et que l'on se penche sur des femmes saines qui ne prennent pas d'hormones, on peut observer que la ménopause est un processus qui entraîne une diminution des cycles ovulatoires, diminution qui s'accompagne d'une augmentation des taux de FSH et de LH ainsi que d'une baisse des taux d'œstrogènes jusqu'à la cessation complète des menstruations. Cet arrêt survient en général entre 45 et 55 ans. L'étude d'un groupe de femmes en pré-ménopause, soit âgées de 37 à 42 ans a révélé que ces femmes, en l'absence de tous symptômes ménopausiques et en présence d'ovulations régulières avaient cependant des taux de LH sept fois plus élevés et des taux de FSH trois fois plus élevés que des femmes plus jeunes, ainsi que des taux abaissés d'œstrogènes et de progestérone. Cette étude et plusieurs autres du même genre lancent un défi à la théorie qui veut que chez la femme ménopausée les taux élevés de gonadotrophines en provenance de l'hypophyse soient le résultat d'un déficit ovarien, et elles tendent à démontrer qu'ils sont plutôt la conséquence d'un signal venant d'une centrale supérieure, l'hypothalamus[20].

Si l'on garde à l'esprit qu'une femme de la puberté à la ménopause est constamment soumise à des hauts et des bas hormonaux, ces hauts et ces bas ayant pour but unique de permettre l'ovulation et donc la fécondation, on n'aura pas de difficulté à comprendre qu'à la ménopause, tout ce qui se passe normalement pour la femme, c'est le passage d'un rythme hormonal cyclique à un rythme basal. Ce nouveau rythme basal aura pour caractéristique une production constante, régulière mais faible d'hormones, l'enjeu de ce cycle n'étant tout simplement plus l'ovulation mais la conservation de la féminité qui pourra maintenant s'épanouir en continu.

Des études très récentes ont clairement démontré que la principale différence qui survient chez une femme ménopausée quand on la compare à une jeune femme féconde, c'est un abaissement du taux d'œstradiol, l'œstrogène de l'ovulation, ainsi que de la progestérone, l'hormone de la maternité, alors que les taux d'œstrone et d'œstriol demeurent plus ou moins constants. On sait aussi que l'ovaire post-ménopausé continue à sécréter des androgènes* qui sont responsables de la vigueur physique accrue et de la joie de vivre que peuvent ressentir les femmes ménopausées[21].

De plus, alors que les femmes en période de reproduction, qu'elles soient maigres ou grosses, n'arrivent pas à convertir les androgènes en œstrogènes dans leurs graisses, ce phénomène devient normal après la ménopause[23]. On a remarqué qu'il existe alors chez la femme une interconversion très importante d'hormones androgènes en œstrogènes et aussi d'androgènes entre eux[24].

La femme ménopausée peut produire 40 mg d'œstrone par jour à partir des androgènes et cet œstrone ainsi produit peut se transformer en œstradiol dans ses graisses. La testostérone peut, elle aussi, être convertie en œstradiol au niveau des sites périphériques (les graisses) et fournir ainsi 6 mg d'œstradiol par jour à la femme ménopausée[25]. De plus, bénédiction physiologique, l'œstradiol, chez la femme ménopausée, est plus fortement lié à la protéine vectrice des stéroïdes sexuels (sex-steroid-binding globulin, SSBG), ce qui réduit considérablement sa clearance ou son élimination et lui permet donc d'avoir des taux d'œstradiol dans le plasma beaucoup plus élevés que ne le permettrait son taux de production[26].

---

* Toutes les hormones femelles sont biosynthétisées à partir du cholestérol et l'opération se fait en deux temps en ce qui concerne les œstrogènes: Il y a d'abord biosynthèse d'androgènes (des hormones mâles) dans l'ovaire aboutissant à la production de DHA (déhydroépiandrostérone), d'androsténedione et de testostérone. Ces androgènes-là sont ensuite transformés en œstrogènes. La synthèse de la progestérone est aussi une étape de la formation des androgènes[22].

Ainsi, bien que la femme ménopausée fabrique moins d'œstrogènes que le taux nécessaire pour la reproduction, ce taux n'est pas à négliger et il est loin d'être nul. Au contraire, il est juste ce qu'il lui faut pour ses besoins physiques et mentaux à elle personnellement... et si la ménopause marque la fin de sa vie de fécondité, elle inaugure le commencement de sa vie de maturité et fournit la preuve de son autonomie.

La ménopause, c'est une porte ouverte sur une nouvelle existence. Après avoir été l'artisane de la vie et lui avoir consacré tout son cœur, la femme, par le dessein même de la nature, a maintenant la possibilité de jouir de ses investissements. Non, non et non! La ménopause n'est pas synonyme de décrépitude sexuelle. Elle est le signal libérateur d'un nouvel âge de la femme plein de vigueur, destiné à préserver ou à exploiter la plénitude de ses forces physiques et mentales.

Si vous voulez des œstrogènes, en voici!

Le concept biomédical affirme facilement et souvent cavalièrement que l'ovaire est la seule source des œstrogènes. Pourtant depuis les années 40, on sait très bien que si l'ovaire est la principale source de l'œstradiol, l'œstrogène de l'ovulation — nous nous répétons — il n'est pas l'unique source des œstrogènes car, commme l'ont prouvé de nombreux chercheurs, on peut en détecter dans l'urine des femmes castrées et dans celle des femmes ménopausées.

Des expériences au cours desquelles on faisait l'ablation des ovaires lors d'une grossesse, ont démontré que le placenta est une source abondante d'œstrogènes. On sait très bien que la fabrication d'œstrogènes n'est pas non plus, une activité strictement féminine mais que le testicule en produit et que lorsque cet organe a des tumeurs, il peut en fabriquer au point d'efféminer le mâle. Par contre, l'organe de notre corps considéré au même titre que les ovaires ou les testicules comme un organe sexuel, sont les capsules surrénales capables de sécréter androgènes, œstrogènes et progestérone.

Les surrénales ont une parenté embryologique avec les glandes génitales et il existe une parenté chimique entre les hormones cortico-surrénales et les hormones sexuelles, et plus particulièrement la progestérone. En réalité, les surrénales ont la capacité d'assumer en partie ce qui constitue normalement la fonction des ovaires. Après l'ablation des ovaires, les surrénales sont aptes à sécréter des quantités efficaces d'œstrogènes[27]. Une femme peut donc avoir confiance: quand ses ovaires cessent de produire la quantité d'œstrogènes nécessaire à l'ovulation, ses surrénales, pour peu qu'elle en ait pris soin et qu'elle ne les aura pas soumises à des stress trop importants, sont prêtes à prendre la relève et à continuer la production des hormones féminines. C'est indubitable: Parce que son corps a été merveilleusement créé afin de préserver son identité, la femme peut être féminine à tout âge.

Il y a plus! Si notre corps de femme est fort capable d'assumer ses besoins en œstrogènes par le biais des divers mécanismes que nous avons brièvement décrits, il existe aussi dans la nature diverses substances animales, végétales et même minérales qui constituent d'abondantes sources d'œstrogènes capables d'induire des réactions biologiques chez leurs consommateurs.

Le lait de toutes les espèces est une source d'œstrogènes, la glande mammaire étant un organe d'élimination de ces hormones. Les œufs fécondés de poule, mais non ceux qui sont infertiles, ainsi que leurs plumes (ça, ça ne se mange pas!), comportent des œstrogènes en quantité appréciable. On peut extraire des œstrogènes des fruits de mer.

Les végétaux peuvent aussi fournir des œstrogènes. On en trouve dans les graines de betteraves et dans les betteraves — les vieux de par chez nous avaient l'habitude de dire que la betterave était le légume féminin par excellence, utile et indispensable tout au long de la vie —, dans les pommes de terre, — en robe des champs, elles ne font pas grossir —, dans les racines, les graines et la verdure du persil et dans la levure alimentaire. Un kilogramme de miel fournit entre 40 et 600 unités internationales d'œstrogènes alors qu'un kilogramme de feuilles de sauge séchées livre 6 000 unités internationales d'œstrogènes[28]. Nos grand-mères campagnardes utilisaient autrefois avec art et sagesse les herbes en assaisonnement et en tisanes, plutôt que le poivre et le café. C'était à bon escient... Cette liste, à la suite de travaux plus récents, s'est allongée et l'on sait que la réglisse en poudre, le lierre, les cônes de houblon, le cerfeuil, le trèfle, l'essence de cyprès comportent des hormones dites végétales (on parle de phyto-hormones) qui ont une activité œstrogène semblable à celle de la folliculine ou œstradiol, l'œstrogène de l'ovulation, dont les résultats ont été vérifiés par l'examen de frottis vaginaux[29].

Et si tout cela n'est pas assez, on a aussi découvert des œstrogènes dans l'huile minérale (1 000 à 2 000 U.I. par kg), dans le naphte (8 000 U.I. par kg), dans l'asphalte naturelle (10 000 U.I. par kg) et dans la houille[30]!

Les œstrogènes, ça se respire aussi et ça s'absorbe par la peau et lorsqu'il y en a dans l'air ou qu'on manipule leur véhicule, il peut s'en suivre des phénomènes particuliers. C'est le cas des travailleurs engagés dans les laboratoires qui fabriquent ces substances et qui peuvent alors souffrir, entre autres, de gynécomastie (augmentation anormale des seins chez l'homme) ainsi que des travailleurs agricoles qui manipulent du guano, un engrais constitué par les amas de déjections d'oiseaux marins ou de volailles. Les excréments d'une poule au printemps contiennent entre 700 et 1 000 U.I. d'œstrogènes par kg et l'on peut observer que chez les fermiers qui doivent les manipuler, il sévit les manifestations d'un empoisonnement œstrogénique chronique (hernies, stérilité).

En Australie, on a pu constater de sérieuses anomalies chez des moutons qui paissaient dans des champs de trèfles engraissés avec du guano : les béliers non castrés restaient normaux mais les mâles castrés avaient des métaplasies des organes génitaux, une augmentation des mamelles et la sécrétion de lait. Les femelles souffraient de stérilité, de prolapsus et d'inversion de l'utérus, d'inertie utérine et donc d'incapacité de mettre bas normalement. Même les brebis vierges présentaient des troubles : elles étaient en lactation et avaient un prolapsus et une inversion de leur utérus[31].

Des œstrogènes, bien sûr, il en faut. Mieux, il y en a... Mais comme dans tout, il n'en faut ni trop ni pas assez et pour atteindre cet équilibre indispensable à la féminité, il va falloir lutter non seulement contre la pollution hormonale qu'elle soit médicamenteuse, alimentaire ou cosmétique (crèmes de beauté à base d'hormones), mais aussi, comme nous allons le voir dans les chapitres suivants, contre les infections, les irradiations, certaines opérations chirurgicales, la malnutrition et les diverses intoxications qui sont monnaie courante à notre époque. Nous avons besoin de comprendre que la plus grande menace pour la femme moderne occidentale n'est pas tant un manque d'œstrogènes qu'un excès, mais que l'un et l'autre peuvent être la conséquence de ses habitudes de vie.

1. Mc Crea F.B., The politics of menopause: The «discovery» of a deficiency disease, *Social Problems*, 31 (1): 111-123, 1983.
2. Brenner P.F., The Menopausal Syndrome, *Obstetrics and Gynecology*, Vol. 72, No. 5 (supplement), November 1988.
3. Wheeler J.M., A Multivariate Look At The Menopause, *J Clin Epidemiol*, Vol. 42, No. 11, 1029-1030, 1989.
4. Gannon L.R., *Menstrual Disorders And Menopause*, New York, Praeger, 1985.
5. Martin E., Medical Metaphors Of Women's Bodies: Menstruation and Menopause, *International Journal of Health Services*, Vol. 18, No. 2, 1988.
6. Denard-Toulet A., *La ménopause effacée*, Laffont, 1975.
7. Bresse G., *Morphologie et Physiologie animales*, p. 1030-1031, Larousse, 1968.
8. Meyer P., *Physiologie humaine* I, Flammarion Médecine-Sciences, p. 355, 1977.
9. Bresse G., *Morphologie et Physiologie animales*, p. 955, Larousse, 1968.
10. Meyer P., *Physiologie humaine* I, Flammarion Médecine-Sciences, p. 356, 1977.
10. Starenkyj D., *Le bébé et sa nutrition*, Orion, Québec, 1990.
11. Starenkyj D., *Mon «petit» docteur*, Orion, Québec, p. 149-150, 1991.
12. Starenkyj D., *Les cinq dimensions de la sexualité féminine*, Orion, Québec, 1992.
13. Guy F. et M., *L'allaitement maternel*, IREC Information, No. 35, Juin 1978.
14. Robyn, *Journées de Gynéco-Endocrinologie*, Paris, 1977.
15. Meyer P., *Physiologie humaine* I, Flammarion Médecine-Sciences, p. 435-438, 1977.
16. Ibid. p. 356.
17. Burrows H., *Biological Actions of Sex Hormones*; Second Ed., Cambridge at the University Press, p. 299, 1949.
18. Marx J.L., Sexual Responses Are — Almost — All in the Brain, *Research News*, 1990.
19. Ibid.
20. Gannon L.R., *Menstrual Disorders And Menopause*, New York, Praeger, 1985.
21. Longcope C., Hormone Dynamics at the Menopause, *Annals of the New York Academy of Sciences*, Vol. 592, Multidisciplinary perspectives on menopause, 1990.
22. Caratini R., *L'Universelle Bordas*, Médecine, I-103, 1974.
23. Longcope C., Hormone Dynamics at the Menopause, *Annals of the New York Academy of Sciences*, Vol. 592, Multidisciplinary perspectives on menopause, 1990.
24. Meyer P., *Physiologie humaine* I, Flammarion Médecine-Sciences, p. 368, 1977.
25. Cumming D., Menarche, menses and menopause: a brief review, *Cleveland Clinic Journal of Medecine*, 169-175, March-April 1990.
26. Meyer P., *Physiologie humaine* I, Flammarion Médecine-Sciences, p. 352, 1977.

27. Burrows H., *Biological Actions of Sex Hormones*; Second Ed., Cambridge at the University Press, 1949.
28. Ibid.
29. Weihrauch J.L., Gardner J.M., Sterol content of foods of plant origin, *J am Diet Assoc*, Vol. 73, July 1978.
30. Burrows H., *Biological Actions of Sex Hormones*; Second Ed., Cambridge at the University Press, 1949.
31. Ibid.

5

Hormones et nutrition

Tout comme l'éclatement de l'Ancien Régime au XVIIIe siècle a profondément bouleversé les femmes de l'aristocratie française et aggravé tragiquement leurs misères sociales, psychologiques et physiques, la Deuxième Guerre mondiale a marqué au fer rouge les femmes préménopausées et ménopausées des années 90. En effet, il est impossible de se pencher sur cette population féminine occidentale née tout de suite avant ou peu de temps après ce cataclysme qui a irrémédiablement ébranlé le monde entier, sans prendre en considération les événements historiques et technologiques tout à fait uniques qui ont influencé et marqué sa vie au cours des 40 ou 50 dernières années[1].

La guerre a tout d'abord puissamment affecté la structure de la famille européenne et américaine alors que les pères partaient au front et que les mères gagnaient l'usine. C'est ainsi que petite fille, la femme ménopausée d'aujourd'hui, a été influencée par son observation tendue et triste d'une famille dirigée par une mère au travail et souffrant de l'absence d'un père lointain devenant rapidement un étranger.

Puis quelques années après ses premières menstruations, cette jeune fille a été confrontée à une découverte scientifique qui, du jour au lendemain, lui a imposé une nouvelle image de la femme qui, qu'elle le veuille ou non, a modifié son comportement sexuel et altéré son style de vie. Il s'agit évidemment de «la pilule», hélas! à très fort dosage d'œstrogènes, qui l'a finalement forcée à prendre totalement entre ses mains la contraception et à accepter, sans mot dire, que l'amour, d'une façon absolue, soit déchiré de la procréation alors que la vie d'une femme est une, et ne se scinde pas... Si dans sa petite enfance, la guerre — pourquoi celle-ci plus que les autres ? — avait désorganisé la structure millénaire de la famille, dans sa jeunesse «la pilule», en imposant à toute une culture l'image d'une femme dont on pouvait maintenant, enfin! se servir impunément, a attaqué le sens même du mariage, sa raison d'être et menacé dangereusement sa survie.

On devait bientôt découvrir que chez ces utilisatrices des premiers contraceptifs oraux la fréquence de thrombose des veines profondes a été multipliée par 5,7, celle des troubles cérébrovasculaires par 4,1 et celle d'une hypertension artérielle par 6. On a alors diminué leur contenu en œstrogène, le responsable de ces troubles. Cela a forcé l'ajout d'un progestatif à «la pilule» qui lui, est depuis responsable d'une augmentation de la fréquence de cholécystite (inflammation de la vésicule biliaire) et d'infections des voies respiratoires en fonction de sa dose et la durée de son emploi[2].

Ayant ainsi renoncé dès son adolescence à se concevoir comme une mère, cette femme, selon toute probabilité, n'a pas allaité ses enfants mais elle leur a donné le biberon. Bientôt elle devait avoir accès à des progrès techniques qui lui ont donné le choix de ne plus faire autant à manger — comme les repas congelés — ni de passer autant de temps dans la cuisine — comme la machine à laver la vaisselle et le four micro-onde —. Elle s'est donc retrouvée avec de plus en plus d'heures de loisir qui l'ont amenée, une fois de plus, à modifier son style de vie. Elle pouvait finalement, sans grand problème, jouer sur deux fronts : le foyer et le marché du travail. Par contre, cela semble lui avoir procuré plus de stress qu'elle ne veut encore l'avouer car elle s'est mise à fumer et à boire plus que toutes les générations de femmes avant elle.

Maintenant, alors que cette femme approche de la ménopause et que ses enfants sont grands et vivent loin d'elle leur vie à eux — elle avait accepté d'en avoir quand même un ou deux, mais elle les avait faits très tôt ou très rapprochés, afin d'être libre plus tard, alors qu'elle serait encore jeune —, elle se retrouve seule avec le sentiment très net que personne sur cette terre n'a besoin d'elle. Sa vie devient plus sédentaire et comme elle n'a presque plus que ça à faire, ses mauvaises habitudes de fumer, boire et grignoter sans cesse deviennent plus ancrées et donc plus difficiles à modifier et à déraciner...

Et voilà que c'est à cette femme que l'on dit aujourd'hui que le climatère est une période dangereuse de sa vie et que la ménopause sera le signal officiel de sa déchéance totale. On brandit devant ses yeux souvent noyés de larmes les spectres terrifiants de maladies débilitantes comme les troubles cardio-vasculaires, le cancer, le diabète et l'ostéoporose, mais aussi toute une liste de désordres qui donnent à son existence un air fatal : dépression, irritabilité, vision embrouillée, prise de poids, suicide, troubles du sommeil, crises de larmes, poils au menton... Tout ça, oui tout ça, étant la conséquence sournoise d'un événement biologique universel, la fin de sa fertilité qui, en termes plus modernes, est la conséquence de la disparition du «pic œstrogénique» nécessaire pour produire l'ovulation chaque fois que la femme n'est pas enceinte ou en lactation... Oui, c'est bien de cela qu'il s'agit puisqu'il a été démontré que de nombreuses femmes, pendant de nombreuses années après l'arrêt de leurs menstruations continuent à avoir des taux d'œstrogènes semblables à ceux qui leur étaient habituels dans la première phase du cycle ovarien, soit 5 à 15 microgrammes par 24 heures. Un médecin sérieux et honnête sait très bien que le milieu œstrogénique d'une femme ménopausée n'est pas négligeable ni absent : Ses ovaires doublés par ses surrénales ne deviennent pas inertes et continuent à produire des quantités appréciables d'androgènes qui seront transformés en œstrogènes dans ses graisses[3].

En fait, avant d'entamer toute discussion sur le syndrome ménopausique, il est nécessaire de réaliser que seulement 25 p. 100 des femmes ménopausées ont quelque symptôme suffisamment grave pour les obliger à aller consulter le médecin[4]. De plus, il faut aussi comprendre que les seuls véritables symptômes que l'on peut directement et officiellement lier à la ménopause sont les chaleurs, les sueurs et la sécheresse vaginale. Tous les autres symptômes, comme l'ont déclaré le psychologue norvégien Arne Holte et le sociologue médical Aslang Mikkelsen à la suite d'une étude conduite auprès de 2 400 femmes de Oslo, Norvège, entre 45 et 55 ans, étant d'origine sociale... Or ces véritables symptômes de la ménopause, nous le répétons, non seulement n'affectent gravement que 25 p. 100 des femmes, mais encore ils ne les incommodent en général que pendant deux périodes distinctes, soit 3 à 12 mois et 2 à 5 ans *après* l'arrêt de leurs menstruations. Au cours de ces deux périodes, la femme ménopausée est comme une femme en post-partum qui pendant 40 à 80 jours souffre de sécheresse vaginale, de sueurs et de chaleurs car son taux d'œstrogènes abaissé à la suite de l'accouchement n'est pas encore remonté suffisamment.

Pour ce qui est des gros bobos que l'on veut encore absolument enchaîner à la ménopause, le cancer, le diabète, les troubles cardio-vasculaires et l'ostéoporose, ils ne sont pour la femme pas plus la conséquence d'une carence en œstrogènes qu'ils ne le sont pour l'homme. Pour la femme comme pour l'homme, ces désordres sont des maladies liées au style de vie et aux habitudes alimentaires de leurs victimes qu'elles soient féminines ou masculines.

Par contre, nous devons comprendre que la femme pré-, péri- ou post-ménopausée d'aujourd'hui peut, à cause de sa prise de contraceptifs hormonaux et de ses habitudes de vie occidentales souffrir de déséquilibres nutritionnels qui ont entraîné des déséquilibres endocriniens qui n'ont fait que s'accentuer avec le temps et qui pourront facilement, le moment venu, être mis au compte de la ménopause.

Ainsi, «la pilule» qu'elle ait été à fort dosage ou qu'elle soit à dosage plus faible ou même minime d'œstrogènes, entraîne des effets secondaires profonds et graves, et il semble de plus en plus que ces effets ne sont pas nécessairement fonction de la dose ni même toujours de la durée de l'emploi du médicament mais tout simplement de son usage. C'est le cas, par exemple, de la thrombose des veines profondes[5]. C'est aussi le cas du diabète. Pour certains médecins les plus dangereux effets secondaires de «la pilule» sont les modifications du métabolisme des glucides (hydrates de carbone) et des lipides (graisses) qu'elle entraîne. Les femmes (80 p. 100 d'entre elles) qui prennent «la pilule» pendant un an présentent une baisse significative de leur tolérance au glucose et 13 p. 100 développent un diabète dit chimique[6]. Ce diabète, décelable au cours d'une épreuve de glycémie, peut être le précurseur du diabète de la maturité. Le premier signe de ce diabète sera probablement une vulvovaginite à *Candida* à répétition et difficile à guérir, un signe indéniable d'une modification du métabolisme des glucides qui tend vers l'hyperglycémie[7].

La prise d'hormones est aussi, sans aucun doute possible, responsable de carences multiples en vitamines et en minéraux. Des chercheurs australiens affirmaient, déjà en 1975, que les femmes prenant des contraceptifs oraux pouvaient présenter des carences en vitamine C, en riboflavine, en thiamine, en vitamine B_6, en vitamine B_{12} et en vitamine E entraînant un malaise général, de la dépression, des infections et des problèmes de peau[8]. D'autres chercheurs ont pointé des carences en acide folique, en zinc et en magnésium alors que d'autres ont parlé d'excès de vitamine A et de cuivre, responsables de malformations congénitales, d'instabilité émotionnelle et de la chute des cheveux... D'autres encore ont affirmé que les besoins en niacine (vitamine B_3) et en fer, chez les utilisatrices de ces substances, étaient abaissés[9,10]. Il y a plus! L'usage des œstrogènes modifie l'appétit et les préférences alimentaires. Certaines études ont démontré que ces substances produisaient un goût excessif pour les protéines[11] au détriment des hydrates de carbone complexes (pain, pâtes, pommes de terre) et cela, en soi, est déjà une cause majeure de déséquilibres multiples. L'excès de protéines dans le régime quotidien entraîne, entre autres, comme il a été exposé en détail dans le livre *L'adolescent et sa nutrition**, des perturbations de l'hypothalamus et donc des comportements qu'il dirige. L'hypothalamus assure par le biais de l'hypophyse, un contrôle hormonal, un contrôle comportemental, un contrôle moteur, un contrôle sexuel.

L'anorexie et la boulimie peuvent ainsi être les conséquences de ce goût effréné pour les protéines (viande, fromage, œufs, noix) au détriment des hydrates de carbone complexes, seule et unique véritable source de glucose pour

---

* Starenkyj D., *L'adolescent et sa nutrition*, Anorexie et boulimie, p. 81-104, Orion, Québec, 1989.

le cerveau. La perte de l'appétit conduit à une sous-alimentation chronique. Or la sous-alimentation (on mange moins de 1 700 calories par jour) est une cause fondamentale de désordres endocriniens qui se manifestent par l'arrêt de l'ovulation à la suite d'une réduction importante de la capacité de l'hypophyse à stimuler les ovaires. En fait, une sous-alimentation constante (même si on a la qualité, on n'a pas la quantité!) provoque le rétrécissement de l'hypophyse et des modifications dans les ovaires qui ressemblent à celles qui surviennent à la suite de l'ablation de l'hypophyse.

Fort heureusement, ces modifications sont réversibles car dès que la quantité de calories sous forme d'hydrates de carbone complexes, nécessaires à la fabrication d'énergie ou de glucose est consommée, permettant ainsi la conservation des protéines et leur bonne utilisation, l'hypophyse se remet à produire suffisamment de gonadostimulines (FSH et LH) pour permettre la reprise d'un cycle ovarien normal[12].

Les carences en vitamines B, obligatoires chaque fois que la femme prend des hormones ou que son régime est riche en sucre et comporte de l'alcool, du tabac et du café, sont dévastatrices. Elles provoquent tant chez l'homme que chez la femme une atrophie des glandes sexuelles[13]. Les testicules d'un mâle privé de vitamines B ressemblent à des testicules non descendus, vasectomiés ou exposés à des doses stérilisantes de rayons X. Chez la femelle, l'ovulation est supprimée; dans les ovaires les follicules n'arrivent pas à maturité; il y a absence de corps jaune, l'utérus prend l'aspect d'un utérus de femelle castrée. En réalité, la sous-alimentation et la carence en vitamines B ont toutes les deux les mêmes effets sur les glandes sexuelles, effets causés par une réduction de l'activité de l'hypophyse incapable de fabriquer suffisamment de gonadostimulines[14].

La carence en vitamine E et la carence en vitamine C (le lobe antérieur de l'hypophyse semble être l'organe du corps qui concentre le plus haut taux de vitamine C) affectent toutes deux, elles aussi, l'activité gonadotrope de l'hypophyse[15].

En 1946, Biskind, une homme de science, écrivait: «Bien qu'un traitement nutritionnel direct des déséquilibres endocriniens soit d'origine très récente, de nombreuses observations cliniques au cours du dernier demi-siècle, étudiées rétrospectivement, révèlent des relations surprenantes entre les désordres nutritionnels et les désordres endocriniens[16].»

Pour appuyer sa déclaration, Biskind cite plusieurs études: Gilbert et Carnot en 1896 avaient utilisé avec succès du foie et des extraits de foie dans le traitement du diabète sucré; Stockton en 1908 avait décrit l'apparence caractéristique de la langue du diabétique, une langue «grosse, rouge, comme celle d'un bœuf et bordée de crevasses...», or cette description devait devenir la description classique de la langue d'une personne souffrant de la pellagre, une avitaminose B_3; en 1907, Futcher avait rapporté avec beaucoup de précision les changements fonctionnels qui s'opèrent dans le système nerveux d'un diabétique, changements qui aujourd'hui peuvent être rapprochés de ceux qu'opèrent les carences en vitamines B_1 et B_3; puis en 1914, Casimir Funk (il a été le promoteur des recherches sur les vitamines) et von Schoenborn avaient publié un rapport démontrant qu'ils pouvaient provoquer le diabète à volonté chez des pigeons nourris d'une alimentation dépourvue de vitamines... et Biskind de remarquer laconiquement que bien que ce premier rapport avait été suivi par plusieurs autres, ses implications cliniques avaient longtemps été négligées.

Cet auteur aborde ensuite un sujet qui nous touche de plus près. Il affirme que l'on sait depuis nombre d'années que la chlorose, c'est l'anémie provoquée par une carence en fer des femmes aristocratiques des XVIIIe et XIXe siècles, la cirrhose du foie et la pellagre sont des désordres qui sont toujours accompagnés de règles trop abondantes, trop prolongées et autres anomalies.

Malgré toutes ces études et de nombreuses autres, conclut Biskind, on continue à croire que l'apparition conjointe de désordres nutritionnels et endocriniens n'est qu'accidentelle alors que l'on peut voir, grâce à des investigations récentes que, dans d'innombrables cas, le défaut nutritionnel est *la cause* du trouble glandulaire.

Nous allons suivre Biskind dans sa démonstration et voir combien il est triste qu'elle ait été si complètement ignorée.

Les vitamines B et les hormones

La découverte des œstrogènes a été immédiatement suivie d'une autre découverte tout aussi importante: *seule une fraction infime des hormones produites par le corps sont utilisées à bon escient.* Les œstrogènes superflus doivent être neutralisés et à cette fin, ils subissent une série de dégradations successives destinées à les éliminer par les reins dans l'urine. Attention! L'organe principal permettant cette dégradation est le foie. Or le foie ne peut poursuivre cette activité que dans la mesure où il peut compter sur un apport nutritionnel important en vitamines du complexe B. Dès qu'il y a carence en vitamines B, le foie ne neutralise plus les œstrogènes endogènes (produits à l'intérieur du corps) et ceux-ci s'accumulent dans le système pour y causer les mêmes effets pernicieux et catastrophiques que les œstrogènes exogènes (en provenance de l'extérieur). Par contre, la carence en vitamines B n'affecte pas ou très peu la capacité du foie à neutraliser les androgènes (les hormones mâles), ce qui cause automatiquement une altération sérieuse du rapport œstrogènes/androgènes particulièrement dangereuse chez l'homme.

Les effets de cet excès d'œstrogènes endogènes qui se produit chaque fois qu'il y a une carence en vitamines B sont, entre autres, les hémorragies utérines, la mastite sclérokystique (inflammation des seins accompagnée de kystes) et la tension prémenstruelle.

On a établi cette relation de cause à effet dans plus de 450 cas où chaque fois on a pu décrire les signes et les symptômes d'une carence nutritionnelle liée à ces syndromes d'un excès en œstrogènes. Selon Biskind, chaque patiente, sans aucune exception, qui souffrait d'hémorragies utérines, de mastite kystique et de tension prémenstruelle, présentait aussi des signes précis et généralement graves d'une carence nutritionnelle. Les langues de ces patientes témoignaient de leurs problèmes nutritionnels: elles étaient inflammées, sillonnées de fentes profondes et/ou lisses et dépourvues de papilles gustatives. L'endomètre des femmes souffrant d'hémorragies utérines démontrait qu'il avait subi les effets d'un excès d'œstrogènes en l'absence de l'effet freinateur de la progestérone. Un traitement intensif avec des vitamines B par voie orale ou par injections cutanées a entraîné une amélioration rapide et étonnante des troubles endocriniens et la guérison des lésions de la langue.

Continuons à suivre Biskind dans son exposé sur la relation entre les troubles endocriniens et les carences nutritionnelles. Les premiers signes d'un début de cirrhose du foie sont des règles excessives et prolongées (la durée habituelle du saignement des règles varie entre 3 et 5 jours) ou apparaissant dans l'intervalle des règles indépendamment de toute menstruation ou après la ménopause. Ces symptômes surviennent aussi au cours d'intoxications avec un certain nombre de poisons comme le plomb, le benzène et le sulfure de carbone par exemple, reconnus pour causer la cirrhose du foie. Or, au cours d'une cirrhose du foie, la neutralisation des œstrogènes endogènes et exogènes n'a plus lieu et ces symptômes sont en réalité un signe d'excès en œstrogènes. La cirrhose du foie peut être causée par une carence chronique en vitamines B ou une exposition prolongée ou brutale à des poisons ou des substances toxiques, dont l'alcool.

La cirrhose du foie provoque chez les hommes une efféminisation car les œstrogènes qu'ils fabriquent ne sont plus neutralisés et on les retrouve en abondance dans leurs urines sous leur forme active. Ces malades souffrent ainsi, en plus, d'hypertrophie des seins et/ou d'atrophie des testicules. Leur prostate subit des transformations dans leurs tissus qui indiquent qu'ils ont été stimulés par les œstrogènes.

Évidemment quand le foie n'arrive plus à neutraliser les œstrogènes que les ovaires et les surrénales fabriquent, il n'arrive plus non plus à neutraliser les œstrogènes qui proviennent des médicaments ou des aliments. Or de nombreuses herbes et racines ainsi que les produits animaux sont des sources appréciables d'œstrogènes. L'effet néfaste de ces hormones n'en devient que plus grave.

Poursuivant son exposé Biskind rapporte les travaux de Bean qui a découvert que les étoiles vasculaires ou nævi stellaires acquis (de petites veines éclatées en forme de toile d'araignée juste sous la peau) et l'érythème palmaire (une rougeur des doigts et des paumes des mains), autrefois considérés comme un effet de la cirrhose du foie, pouvaient aussi survenir en présence de carences nutritionnelles et au cours de la grossesse quand le taux d'œstrogènes s'élève d'une manière significative. Lorsque l'on administre des œstrogènes à ces patientes, on provoque l'apparition de nouvelles lésions et l'aggravation de celles qui sont déjà présentes. L'arrêt du traitement aux œstrogènes permet une régression de ces troubles vasculaires.

Une portion considérable des patientes qui souffrent de carences nutritionnelles et donc d'hémorragies utérines, de mastite kystique et de tension prémenstruelle, présentent aussi des étoiles vasculaires et de l'érythème palmaire. De plus, ces patientes ont une tendance accrue à avoir facilement des bleus, à faire de petites hémorragies sous la peau au moindre coup et à saigner. Ce phénomène disparaît rapidement dès qu'on les soumet à un apport accru en vitamines B indiquant ainsi qu'il est causé par l'effet dilatateur que les œstrogènes ont sur les vaisseaux sanguins.

Une carence en vitamines B produit un cercle vicieux car non seulement cette carence empêche la neutralisation des œstrogènes par le foie mais encore les œstrogènes non neutralisés et donc en excès, provoquent une carence en vitamines B. Le pouvoir qu'ont les œstrogènes de provoquer une carence en vitamines B a été observé au cours du cycle ovarien, l'exacerbation de la carence se produisant chaque fois que le taux d'œstrogènes s'élève. Ainsi chez les femmes qui ont un foie «faible», les problèmes liés à la carence en vitamines B s'accentuent au 13e et au 14e jour du cycle ainsi qu'au cours du dernier trimestre de la grossesse. C'est pourquoi on a pu observer que les problèmes d'hémorragies dans l'intervalle des règles, de mastite kystique et de tension prémenstruelle surviennent fréquemment à la suite d'une grossesse.

Lorsque l'on soumet des femmes à une thérapie vitaminique B, on peut constater que la durée de leurs règles va diminuer. Alors qu'elles saignaient 5 à 6 jours, elles ne saignent plus que 3 à 4 jours. Les patientes habituées aux signes d'une carence moyenne en vitamines B et qui considèrent comme normal de souffrir de tension nerveuse accrue, d'insomnie, de sensibilité des seins, du sentiment d'être gonflée ou pleine, de maux de dos, de maux de tête, de fatigue et de douleurs abdominales à la veille de leurs menstruations, constatent comme dans un rêve qu'après un ou deux mois de supplémentation en vitamines B, parfois après une aggravation passagère de leurs symptômes, leurs règles arrivent sans aucun signe d'avertissement.

Certains traitements prescrivent pour ces troubles féminins des androgènes. On sait que la carence en vitamines B altère l'équilibre œstrogènes/androgènes. L'effet thérapeutique que l'on observe lorsque l'on administre des androgènes est sans aucun doute, selon Biskind, dû au rétablissement de l'équilibre œstrogènes/androgènes à un niveau absolu plus élevé. Par contre, l'administration de vitamines B réduit le fardeau du corps en œstrogènes et rétablit l'équilibre à un niveau physiologique. Par ailleurs, l'administration d'œstrogènes bloque tout simplement le cycle ovarien et les symptômes sont ainsi supprimés mais non corrigés.

La subinvolution de l'utérus après l'accouchement (il reste gros, mou et les lochies sont abondantes et d'un brun rouge) est aussi la conséquence de l'excès d'œstrogènes non neutralisés par le foie et cela à la suite d'un régime déficient en vitamines B au cours de la grossesse. La langue de ces patientes est très souvent inflammée et atrophiée, phénomène qui disparaît dès que le régime est fortifié en vitamines B. À ce point Biskind fait une réflexion que nous devons garder à l'esprit : «Dans les régions et dans les époques où les gens consommaient principalement des céréales complètes, l'involution de l'utérus se faisait très rapidement et prenait moins de dix jours.»

En 1907, T.B. Futcher écrivait que chez un homme le premier signe d'un diabète latent considéré comme une conséquence d'une carence en vitamines B, pouvait être la perte du désir sexuel et l'impuissance. Or, on avait déjà observé que ces phénomènes survenaient aussi au cours d'une intoxication au sulfure de carbone, un poison pour le foie. De plus, on savait déjà qu'une cirrhose finissait toujours par produire l'atrophie des testicules.

Dans ces cas-là, le dénominateur commun semble être une altération de l'équilibre œstrogènes/androgènes causée par l'incapacité du foie à neutraliser les hormones féminines et ce, à la suite d'une carence en vitamines B. Biskind a observé qu'il y avait toujours une relation frappante entre les signes d'une carence nutritionnelle chez un homme et la présence de testicules ramollis et atrophiés. Ces signes d'une carence vitaminique B sont : l'inflammation de la langue, l'inflammation des lèvres, l'inflammation des gencives, la peau et le cuir chevelu gras, l'épaississement de la paupière inférieure, les yeux injectés de sang, des étoiles vasculaires sur les jambes, les bras, le torse, l'instabilité émotionnelle, l'insomnie, la fatigabilité, l'inflammation des nerfs (névrite), etc. À l'examen médical, on observe que le foie est gros et sensible. Or, dès que l'on soumet un homme souffrant ainsi à une thérapie vitaminique B, les lésions causées par la carence disparaissent rapidement, le foie retrouve une taille correcte et l'indifférence fait place à un désir normal. Ce phénomène est particulièrement frappant dans les cas de diabète masculin, la diminution de la fonction sexuelle étant considérée depuis longtemps comme une conséquence obligatoire de cette maladie. D'après Biskind, chaque fois que l'on est devant un cas d'impuissance masculine causée par une carence nutritionnelle en vitamines B, on peut compter sur un rétablissement rapide de la puissance masculine ainsi que de la texture des testicules mais pas toujours de leur grosseur originale.

Il a été démontré que les lésions que certains produits toxiques produisent dans le foie sont semblables aux lésions qui surviennent à la suite de carences nutritionnelles et que ces lésions d'origine toxique pouvaient être prévenues par l'usage d'aliments riches en vitamines B. Ainsi l'usage d'extraits de foie empêchait les lésions causées par le tétrachlorure de carbone et le chloroforme; l'usage de levure de bière, une très riche source de vitamines B, pouvait prévenir les lésions causées par le plomb; la cirrhose et le cancer du foie causés par le toluène (un solvant) pouvaient être endigués en partie ou totalement, par un régime fortifié avec des extraits de foie, de la levure de bière, des extraits de levure et des extraits de son de riz. Le toluène a la malheureuse capacité de produire une carence importante en vitamines B.

On peut donc affirmer que l'exposition des hommes et des femmes à des substances toxiques industrielles responsables de lésions du foie et sources de carences en vitamines B, est une cause importante des syndromes liés à l'excès d'œstrogènes. C'est ainsi que l'on sait depuis maintenant plus de 40 ans que l'exposition au plomb, au sulfure de carbone, au benzène, au tétryl entre autres, produit chez les femmes des hémorragies utérines et chez les hommes la

perte de leur virilité et de leur puissance sexuelle. Le fur-
fural est une autre substance toxique largement employée
dans l'industrie. Il fut vendu, de la fin du XIXe siècle jusque
vers le milieu du XXe siècle, comme un remède pour le traitement «des règles retenues» en particulier lors de la ménopause. Or, il produit chez des rats nourris de riz blanc la
cirrhose hépatique. Et Biskind de faire une autre déclaration: «Le phénomène de cette incapacité du foie à neutraliser les œstrogènes, qu'il soit causé par une carence alimentaire primaire, par l'exposition à des agents toxiques ou par
d'autres facteurs, semble comporter d'importantes implications pour la toxicologie industrielle et pour l'application de
la connaissance moderne de la nutrition parmi les ouvriers
de l'industrie.»

Quand il parle de la prévention des cancers du sein et
de l'utérus, Biskind fait le travail d'un prophète prêchant
dans le désert... Il commence par déclarer que des investigations faites par de nombreux chercheurs ont démontré que
les œstrogènes peuvent être la cause d'une variété de cancers dans les tissus hormono-dépendants, en particulier les
seins et l'utérus. Ensuite, il rappelle que des observations
cliniques déjà décrites (nous sommes en 1946!) indiquent
une *claire* relation entre la survenue des lésions dues à des
carences nutritionnelles à cause d'un arrêt de la fonction de
neutralisation des œstrogènes par le foie, et l'incidence des
lésions des seins et des myomes de l'utérus. Puis il affirme
que la thérapie nutritionnelle a eu pour résultat non seulement d'améliorer les conditions reliées à un excès d'œstrogènes et de soulager d'une manière étonnante la mastite kystique considérée par certains chercheurs comme une lésion
pré-cancéreuse mais aussi dans certains cas, d'entraîner
la régression d'adénofibromes du sein et de myomes de
l'utérus.

Biskind continue sa démonstration. On sait très bien,
dit-il, que l'incidence du cancer du sein est plus élevée chez
les femmes obèses que chez celles qui ont un poids normal.
Les femmes obèses souffrent aussi beaucoup plus de règles
trop abondantes et prolongées et d'autres troubles reliés à
l'excès d'œstrogènes. Des études faites en 1942 avaient bien
démontré qu'il y avait une relation directe entre le poids et
la survenue spontanée de cancers du sein alors que la restriction calorique entraînait une diminution de l'incidence

de ce cancer. Pourquoi? On sait que plus un individu consomme de sucre et de farine blanche, plus il a besoin de vitamines B pour métaboliser ces hydrates de carbone raffinés. Or, comme cela a déjà été exposé dans le livre *Le mal du sucre**, non seulement ces aliments sont totalement dépourvus de vitamines B mais encore, il faut bien le comprendre, ils exigent d'importantes quantités de vitamines B pour permettre leur digestion et leur assimilation. Ils créent donc obligatoirement et automatiquement un déficit en vitamines B qui sera à l'origine d'un excès d'œstrogènes qui sont cancérogènes... Ouvrant une parenthèse, Biskind rapporte des travaux qui ont démontré que les diabétiques avaient six fois plus de cancers que la population générale. Ceci démontre une fois encore la relation qui existe entre le diabète et les carences nutritionnelles. Puis il cite le cas classique d'un homme qui se met à souffrir de polynévrite (un signe d'avitaminose B) après avoir gagné énormément de poids à la suite d'un régime très riche en sucre et qui guérit de sa maladie strictement en perdant du poids; et le cas classique d'une femme qui faisait des crises de boulimie, prenait à chaque fois 22 kg et se mettait alors à souffrir de règles surabondantes et trop prolongées. Ce problème disparaissait chaque fois qu'elle maîtrisait son ingestion de pâtisseries pour revenir dès qu'elle se laissait aller à son appétit démesuré.

Ainsi les régressions de tumeurs mammaires observées chez des animaux soumis à des doses importantes de levure de bière, d'extraits de levure et de riboflavine peuvent s'expliquer par la capacité qu'ont les vitamines B à permettre la neutralisation des œstrogènes par le foie. Par contre, comme le développement d'une tumeur est la conséquence de changements qualitatifs et donc en grande partie irréversibles dans les organes affectés, le maintien d'une fonction hépatique optimale, grâce à un régime riche en vitamines B, est *impérieux*. Ayre et Bauld ont publié en 1946 un rapport qui indiquait qu'il existait une carence en thiamine (B_1) confirmée par des tests sanguins chez les patientes souffrant de règles trop abondantes et prolongées et de cancer de l'utérus. Par contre, il est impossible de souffrir d'une carence en une seule vitamine B. Lorsque la thiamine fait défaut,

---

* Starenkyj D., *Le mal du sucre*, Orion, Québec, p. 81, 1990.

c'est parce que *toutes* les vitamines B font défaut, à des degrés divers.

Certains cas d'infertilité sont la conséquence de l'excès d'œstrogènes non neutralisés par le foie, excès qui entraîne une carence relative en progestérone. L'endomètre surstimulé par les œstrogènes et privé de l'effet protecteur de la progestérone n'arrive pas alors à permettre la nidation d'un ovule fécondé.

Chez l'homme, les carences en vitamine A et en vitamine E affectent directement la spermatogenèse (fabrication du sperme). L'élévation du taux d'œstrogènes à la suite d'une déficience du foie à les neutraliser l'affecte également. On observe alors une diminution de la motilité des spermatozoïdes et de leur nombre ainsi qu'une augmentation des formes anormales dans le sperme. Pour la fertilité masculine, la carence la plus grave semble cependant être la carence en vitamine E, la vitamine du germe des céréales complètes, dont les effets ne sont pas toujours réversibles.

Les désordres de la thyroïde

Chez les patientes qui exhibent des syndromes reliés à un excès d'œstrogènes, on observe aussi une hypothyroïdie. Le métabolisme de base est au ralenti et les patientes souffrent de fatigue, de la perte de l'appétit, d'une peau sèche, de cheveux ternes, de constipation, d'un manque de vigueur physique et mentale et d'insomnie. L'administration d'extraits thyroïdiens chez ces malades, sans l'administration conjointe de vitamines B, entraîne une aggravation des symptômes de la carence vitaminique B, sans changement appréciable dans le métabolisme. Il semble que le ralentissement du métabolisme de base soit un mécanisme de sécurité. L'augmentation des taux d'œstrogènes non neutralisés par le foie, inhibe l'hypophyse qui se met à produire moins d'hormones influençant la thyroïde.

Chez les patientes souffrant d'une thyroïde hypertrophiée mais traitées pour des syndromes reliés à l'excès d'œstrogènes avec une vitaminothérapie B, on a pu observer une diminution importante de la glande après plusieurs mois. Il est d'observation courante que les personnes souffrant d'un goître connaissent une augmentation de leur thyroïde au cours de la deuxième phase du cycle ovarien alors que le taux d'œstrogènes s'élève. D'ailleurs, l'administration d'œstrogènes à des patientes souffrant d'hyperthyroïdie entraîne toujours une hypothyroïdie ou le ralentissement du métabolisme de base. Ce n'est qu'en présence d'une abondance de vitamines B et de thiamine plus particulièrement, que l'administration d'hormones thyroïdiennes réussit à accélérer le métabolisme de base et permet de limiter ou d'éliminer les effets secondaires de ces médicaments : accélération du rythme des battements du cœur, nervosité, hémorragies utérines et mastite kystique, ces deux derniers symptômes survenant fréquemment à la suite du traitement de l'obésité par des extraits thyroïdiens.

La thyroïde est affectée par l'excès d'œstrogènes de deux façons : d'une part, alors que le foie ne neutralise pas l'excès d'œstrogènes, ces substances se retrouvent en quantité trop élevée dans le sang et elles ralentissent ou suppriment la fonction thyroïdienne de l'antéhypophyse ; d'autre part, la carence en vitamines B, cause première de l'excès d'œstrogènes, empêche l'action normale de la thyroxine dont l'activité physiologique principale est d'augmenter le métabolisme de base et d'accélérer la croissance. Biskind met donc en garde contre l'administration d'extraits thyroïdiens en présence d'une carence nutritionnelle en vitamines B car l'effet de cette thérapie sera d'aggraver la carence et ses symptômes. Selon ce médecin endocrinologue-nutritionniste, l'hypothyroïdie se corrige par une thérapie nutritionnelle à base de vitamines du complexe B.

Le diabète sucré ou diabète de la maturité

Un des effets les plus pernicieux des hormones féminines est les modifications du métabolisme des glucides et des lipides qu'elles entraînent. Aujourd'hui, on indique clairement ces risques sur chaque feuillet descriptif qui accompagne les médicaments à base d'œstrogènes. On avertit chaque femme que l'usage de contraceptifs oraux pourra probablement la faire passer pour une diabétique ou une pré-diabétique lors d'un test. Par ailleurs, les modifications du métabolisme des graisses que «la pilule» entraîne seront une cause d'hypertension et de caillots sanguins avec les risques de crise cardiaque et d'apoplexie cérébrale que ces phénomènes comportent. Sous l'effet de la prise d'hormones, on observe une augmentation marquée des triglycérides dans le sang, cause de durcissement des artères et donc de maladies cardio-vasculaires.

En 1946, Biskind démontrait le rôle fondamental que le foie jouait dans le maintien d'un bilan glucidique normal. On savait depuis au moins 1935 que l'insuline est sécrétée dans la veine porte, la veine qui draine vers le foie le sang des organes abdominaux. C'est ainsi qu'à cette époque on comprenait déjà que l'insuline exerce son influence la plus grande au niveau du foie. Pourtant, il est devenu habituel de penser au diabète comme d'une maladie de carence en insuline, alors qu'il semblerait que dans de très nombreux cas, c'est le foie qui est malade et qui ne répond plus correctement à l'insuline que le pancréas continue à sécréter. Évidemment, on peut corriger ce problème de deux manières: soit en administrant de l'insuline additionnelle et exogène (de l'extérieur) ce qui va — si le défaut n'est pas trop grave — forcer le foie à se comporter correctement, soit en restaurant la fonction hépatique par l'élimination des agents toxiques qui la perturbe et par la correction des causes nutritionnelles qui l'empêche de s'effectuer normalement. Pour Biskind, le plus grand nombre des cas de diabète sont causés par la résistance du foie à l'insuline que le pancréas sécrète normalement.

Biskind et Schreier ont étudié un groupe de 94 diabétiques. Chacun d'entre eux exhibait les signes d'une avitaminose B: glossite (inflammation de la langue), chéilite (inflammation des lèvres), séborrhée nasolabiale (peau grasse autour du nez et des lèvres), kératose (épaississement) des paupières inférieures, dédoublement des ongles en couches, obscurcissement de la conscience, nervosité, insomnie, perte de la mémoire pour les faits récents, douleurs au cœur, troubles gastro-intestinaux et polynévrite. Ces patients avaient aussi des symptômes reliés à l'excès d'œstrogènes. Chez les femmes, on observait des troubles variés des cycles ovarien et utérin et chez les hommes, de l'impuissance associée à une atrophie des testicules.

Sous l'influence d'une vitaminothérapie, on a obtenu une guérison plus ou moins rapide des lésions causées par la carence en vitamines B, suivie d'une amélioration marquée de la tolérance aux hydrates de carbone. Dans certains cas, l'insuline a pu être diminuée; dans d'autres, elle a été totalement éliminée. Pour tous les patients souffrant de diabète sucré, il y a eu une amélioration marquée de l'état général.

Ainsi, on comprend le succès de Gilbert et Carnot en 1896 avec des extraits de foie dans le traitement du diabète sucré, car le foie est une source très concentrée de vitamines B. On comprend aussi l'expérience de Casimir Funk et von Schoenborn en 1914 qui ont provoqué un diabète sucré chez des pigeons nourris exclusivement de riz blanc; leur foie, sous l'influence de la carence en vitamines B, n'arrivait plus à stocker le glucose et celui-ci s'accumulait dans le sang. On comprend finalement pourquoi les œstrogènes qui induisent des carences prononcées en thiamine, en riboflavine, en pyridoxyne (B_6), en acide folique, en vitamine B_{12}, sont aussi, à part de nombreux autres problèmes liés à ces carences multiples, une cause de diabète chimique chez 80 p. 100 de leurs utilisatrices et ce, après seulement un an d'usage...

La thérapie nutritionnelle

Biskind avait un protocole précis pour sa thérapie nutritionnelle: Il fallait administrer *toutes* les vitamines B; il fallait des dosages intensifs par voie orale ou par injections; il fallait que la thérapie soit à long terme et parfois, elle devait être poursuivie indéfiniment.

Il était contre l'administration d'une seule vitamine mais aussi contre l'administration d'un mélange de toutes les vitamines B connues sous leur forme synthétique. Pour lui, l'amélioration des lésions et des syndromes causés par la carence vitaminique B ne peut s'obtenir qu'avec des *aliments* concentrés en vitamines B comme le foie, la levure de bière, le son de riz ou leurs extraits concentrés. La guérison qui souvent survient alors rapidement ne pourra être maintenue que dans la mesure où le régime restera riche en vitamines B (et donc en pain complet et en céréales non raffinées), les tissus ayant été parfois endommagés d'une façon permanente par la carence antérieure.

Les chercheurs des années 20 à 50 s'étaient orientés vers la thérapie nutritionnelle des troubles endocriniens car ils avaient accumulé suffisamment de preuves pour affirmer qu'il y avait entre ceux-ci et les désordres alimentaires une relation de cause à effet. Les hormones leur faisaient peur. Ils en connaissaient — et ils ne cherchaient pas à les cacher — les effets secondaires dangereux, alors que la thérapie nutritionnelle leur avait permis des conquêtes et des résultats souvent extraordinaires devant de graves maladies. Dans les années 60, la fabrication industrielle des hormones synthétiques devait reléguer dans un raz-de-marée de ferveur outrée à leur égard, tous ces travaux minutieux et convaincants. Mais... alors que ces médicaments miraculeux ont tous maintenant suffisamment démontré la puissance de leurs effets secondaires souvent tragiques, notre génération est mûre pour un retour en arrière...

Le syndrome ménopausique

Au XVIIIe siècle, on croyait et enseignait que le syndrome ménopausique était causé par «les effets toxiques du sang retenu». Au XXe siècle, on affirme que le même syndrome est causé par «les effets délétères de la carence en œstrogènes».

Pourtant ce syndrome, bien qu'il ait pris des proportions infiniment plus grandes qu'au XVIIIe siècle, n'a pas évolué et ses symptômes sont encore les mêmes. Les voix qui autrefois s'étaient élevées pour incriminer «le mauvais emploi de la vie des femmes» semblent s'élever à nouveau aujourd'hui. Le vocabulaire, certes, a changé. On ne parle plus de «bonne chair» mais d'excès de gras et de protéines; on ne parle plus «des plaisirs de l'amour» mais de MTS; on ne parle plus de «jouissances stériles» mais de nulliparité... Pour ne pas écouter, les femmes du temps passé ont supplié leurs médecins de les mutiler; celles de notre époque continuent à prendre des pilules auxquelles est attaché un risque cancérogène irréfutable... Mais les hormones pas plus que l'hystérectomie n'arrivent à donner aux femmes de 40, 50 ou 60 ans, la joie de vivre et la paix du cœur. Victimes d'un style de vie qui, une fois de plus, les attaque en plein cœur d'elles-mêmes, les femmes doivent maintenant avoir le courage et la noblesse de regarder leur véritable visage dans le miroir de leur corps...

En tout premier lieu, il faut bien comprendre que les hormones diluées dans le sang circulent en quantité *extrêmement faible* allant de quelques microgrammes à des picogrammes ou même des fractions de ceux-ci par millilitre de plasma. Partiellement liées à des protéines dites porteuses ou vectrices, elles sont assez rapidement inactivées et éliminées et elles quittent l'organisme par les reins dans les urines.

L'inactivation (ou catabolisme) des œstrogènes s'effectue essentiellement au niveau de l'*utérus* et du *foie*. Au niveau de l'utérus, la transformation de l'œstrone et de l'œstradiol en œstriol se fait en présence de progestérone. Au niveau du foie, les œstrogènes sont transformés en œstriol grâce à un processus d'oxydation. Environ un tiers à la moitié des œstrogènes sont alors éliminés dans la bile. Ils parviennent ainsi dans le tube intestinal où ils sont hydrolysés puis réabsorbés à 80 p. 100. Ils connaissent donc, tout comme les acides gras et plusieurs autres substances, une circulation entéro-hépatique*[17].

L'inactivation de la progestérone se fait également au niveau du *foie* mais aussi, accessoirement, dans les reins et dans l'*utérus*. La progestérone est réduite en prégnandiol qui sera ensuite excrété par le rein mais aussi, pour une plus faible partie, par le foie dans la bile d'où il peut repasser dans le sang par un cycle entéro-hépatique[18].

Ces données irréfutables de la physiologie doivent nous pousser à certaines conclusions importantes. Ainsi les œstrogènes aussitôt produits sont inactivés ou neutralisés, l'œstradiol étant transformé en œstrone et en œstriol. L'apport accru d'œstrogènes entraîne obligatoirement une élimination accrue d'hormones moins actives comme l'œstrone et l'œstriol dans les urines. L'organe principal responsable de cette neutralisation automatique est le foie. Or, le moindre défaut de cet organe va produire une inactivation imparfaite ou à retardement. On sait depuis fort longtemps que les lésions de cet organe sont toujours accompagnées

---

* Pour une description détaillée de ce phénomène physiologique voir, de Starenkyj D., *Mon «petit» docteur*, p. 67-69, Orion, Québec, 1991.

d'un excès dans le sang puis dans les urines d'œstradiol, l'œstrogène actif et cancérogène, et de symptômes indiquant les effets délétères des œstrogènes sur l'être humain. On a particulièrement observé que les hommes chez qui une consommation quotidienne d'alcool avait provoqué une cirrhose du foie, souffraient également d'atrophie des testicules et de gynécomastie (hypertrophie des seins), signes indiscutables d'un *excès* d'œstrogènes chez l'homme. On a aussi observé que divers toxiques dont les cyanures empêchaient l'inactivation des œstrogènes. Les cyanures sont utilisés en agriculture comme gaz insecticide, dans la fabrication de plastiques, dans la galvanoplastie. Ils sont abondants dans les noyaux de pêche, d'abricots et dans les amandes amères dont la consommation ne doit pas être encouragée.

Par contre, on a découvert que certaines enzymes présentes dans les pommes de terre, les choux-fleur et la racine de jacinthe étaient capables de neutraliser les œstrogènes, en particulier l'œstrone[19]. Cependant, comme nous venons de le voir dans ce chapitre, dès que la ration alimentaire est déficiente en vitamines B, ce mécanisme indispensable pour la santé, la beauté et une personnalité épanouie de l'homme et de la femme, se détraque et les œstrogènes s'accumulent dans le sang et dans les organes auxquels ils sont destinés.

C'est pourquoi toute habitude alimentaire ou autre qui entraîne une carence en vitamines B, va, par le fait même, entraîner un excès d'œstrogènes et les symptômes qui lui sont reliés. Fumer, boire de l'alcool, du café et du thé, manger des aliments raffinés et du sucre causent sans contredit d'importantes carences en vitamines B et c'est ainsi que ces habitudes normales dans le style de vie occidental sont indubitablement liées aux maladies de la femme avant, pendant et après la ménopause. Il y a plus. Si l'on n'oublie pas que le foie a non seulement pour rôle de neutraliser les œstrogènes en les transformant en substances moins actives pour être éliminées par les urines, mais qu'il a aussi pour rôle d'excréter les œstrogènes dans la bile pour qu'ils soient éliminés dans les matières fécales, on peut immédiatement comprendre un autre volet des causes des troubles de la femme tout au long de sa vie adulte. En effet, toute substance éliminée par le tube digestif et le côlon va être attaquée par les bactéries intestinales pour être, une fois de plus, dégradée en substance inoffensive ou, selon les bactéries présentes, en substance toxique. C'est ainsi que l'on parle aussi, quand on parle des troubles de la ménopause, de *fibres* — elles ont la capacité de séquestrer les œstrogènes et de les entraîner hors du corps dans les selles — mais aussi de *graisses* — elles modifient la flore bactérienne qui peut alors avoir la capacité de fabriquer de l'œstradiol, l'œstrogène actif, puissant et cancérogène, à partir des acides gras qui se trouvent dans l'intestin[20] en quantité proportionnée à l'ingestion des matières grasses présentes dans le régime...

Le syndrome ménopausique tourne aussi énormément autour du poids de la femme, l'obésité tout comme la maigreur étant des facteurs de risque important, l'une parce qu'elle entraîne un excès d'œstrogènes, l'autre, une carence. Et puis, il faut parler du stress... Le stress chronique qui s'exprime par la dépression et le stress aigu qui se manifeste par de l'anxiété se combinent tous les deux pour altérer profondément le profil hormonal de la femme à toutes les époques de sa vie, mais plus encore à la ménopause, et le faire plonger du côté de la carence en œstrogènes.

Le syndrome ménopausique, comme nous allons maintenant l'étudier en détail, est fait de symptômes physiques, conséquence fréquente de l'excès d'œstrogènes causé par un régime alimentaire défectueux, et de symptômes nerveux, conséquence courante de la carence en œstrogènes causée par un style de vie marqué par le stress. La modification du régime et la correction des mœurs et des habitudes permettront à toute femme qui le veut, d'avoir, malgré les vicissitudes de son siècle, une ménopause apparentée à celle de ses sœurs d'ailleurs ou d'antan et de découvrir cette autre approche, celle qu'elle détient entre ses mains dès le moment où elle décide de vivre dignement en harmonie avec les lois de la vie.

1. Greeley S.H., American Women in Midlife, Eating Patterns and Menopause, *Annals of New York Academy of Sciences*, Spring 1989.
2. Meyer Philippe, *Physiologie Humaine*, Flammarion Médecine-Sciences, I, p. 436, 1977.
3. *Novak's Textbook of Gynecology*, p. 709, 710, 1981.
4. *Novak's Textbook of Gynecology*, p. 709, 1981.
5. Dinliar F., Platts M.E., Intracranial venous thromboses complicating oral contraception, *Canadian Medical Association Journal*, 111: 545, 1974.
6. *Editorial*, Lancet 2: 783-784, 1969.
7. Spellacy W.N., Carbohydrate metabolism in male infertility and female fertility — control patients, *Fertility and Sterility*, 27: 1132-1139, 1976.
8. Briggs M., Briggs M., Oral contraceptives and vitamin requirements, *Medical Journal of Australia*, 1: 407, 1975.
9. Prasad A.S. et al., Effect of oral contraceptives agents on nutrients: II. Vitamins, *American Journal of Clinical Nutrition*, 28: 385-391, 1975.
10. Margen S., King J.C., Effect of oral contraceptives agents on the metabolism of some trace minerals, *American Journal of Clinical Nutrition*, 28: 392-402, 1975.
11. Greeley S.H., American Women in Midlife, Eating Patterns and Menopause, *Annals of New York Academy of Sciences*, Spring 1989.
12. Burrows H., *Biological Actions of Sex Hormones*, Second Ed., Cambridge at the University Press, p. 76, 1949.
13. Ibid. p. 77.
14. Ibid.
15. Ibid. p. 79-81.
16. Biskind M.S., Nutritional Therapy of Endocrine Disturbances, in *Vitamins and Hormones*, Vol. 4, New York: Academic Press, p. 147-180, 1946.
17. Meyer Philippe, *Physiologie Humaine*, Flammarion Médecine-Sciences, I. p. 353, 1977.
18. Ibid.
19. Burrows H., *Biological Actions of Sex Hormones*, Second Ed., Cambridge at the University Press, p. 311, 1949.
20. Adlercreutz H., Martin F., Järvenpää P., Fotsis T., Steroid Absorption and Enterohepatic Recycling, *Contraception*, Vol. 20, No. 3, September 1979.

6

Est-il possible d'avoir si chaud?

Toutes les femmes, tout autour du monde, ressentent, à un moment de leur vie, des sensations de chaleur... mais la très grande majorité d'entre elles n'y prête pas attention. Elles interprètent cette augmentation de chaleur intérieure comme la preuve qu'elles sont au seuil d'une époque nouvelle marquée par une vigueur et une énergie croissantes. Elles s'en réjouissent et y trouvent une raison concrète d'envisager leur vie de femme ménopausée avec fierté et une certaine agressivité, on pourrait presque dire, avec virilité[1].

Il y a quelques années, un anthropologue de retour dans sa ville natale aux confins de la Russie, alla visiter sa vieille tante. Soudain, au cours de leur conversation, celle-ci interrompit sa nièce et lui dit: «Regarde! Regarde! Ça y est, c'est une bouffée de chaleur. C'est le docteur de Moscou qui m'a tout expliqué!» Et l'anthropologue de remarquer que dans cette population qui avait toujours ignoré les sensations de la ménopause, cette nouvelle attention était le résultat de l'augmentation des soins médicaux et de leur plus grande disponibilité d'un bout à l'autre de cet immense pays[2].

En Chine, de temps immémorial, les problèmes de santé de la femme ont été classés en quatre catégories: on connaissait et reconnaissait les problèmes de la menstruation, ceux de la grossesse, ceux de la puerpéralité et ceux de la lactation, un point, c'est tout. Sous la poussée de l'intérêt pour la médecine occidentale et par le biais de l'insistance dans la littérature médicale mondiale sur le syndrome ménopausique, on ajoutait en 1978, à cette liste vieille comme le monde, une cinquième catégorie : la ménopause et ses problèmes, ce terme étant utilisé là, et depuis, dans sa forme originale non traduite[3].

Le concept d'un syndrome ménopausique a été importé aux Indes par les médecins indiens de retour d'Angleterre où ils avaient fait leurs études, vers la fin du XIXe siècle et au début du XXe siècle. Malgré plusieurs articles parus dans les journaux médicaux indiens, le diagnostic d'un tel désordre est, jusqu'à ce jour, resté confiné aux femmes de la haute société indienne, ouvertes aux idées occidentales[4].

Dans toutes ces cultures, la ménopause n'est pas associée à une dégradation sociale et les chaleurs et les sueurs, si elles surviennent, sont ignorées. Elles ne signifient rien. Par contre en Occident, les femmes escomptent, un jour ou l'autre, des chaleurs. En fait, elles les attendent et pour elles, elles sont le signe cardinal de la ménopause, la preuve qu'elles sont maintenant au retour d'âge, l'annonce qu'elles entament l'âge critique et que c'est pour toujours…

Dans un article publié en 1990 sur l'épidémiologie et la physiologie de la bouffée de chaleur, je suis tombée sur une autre statistique à sensation qui commence par annoncer que le nombre des femmes qui sont dans leur ménopause augmente. Puis suivent les informations suivantes : En l'an 2000, on estime qu'il y aura sur la terre 719 millions de femmes de plus de 45 ans. Déjà aux États-Unis, aujourd'hui, un tiers des femmes a plus de 50 ans. Or, si nous estimons que 75 p. 100 de ces femmes ont ou auront des chaleurs et que 15 p. 100 d'entre elles en souffriront gravement, nous devons réfléchir au fait, qu'aux États-Unis seulement, 4 à 5 millions de femmes sont sérieusement affectées par leurs chaleurs et leurs sueurs… Il y a là de quoi vous donner chaud, n'est-ce pas ? d'autant plus que pour ces femmes ainsi affligées, ce dérèglement, nous informe-t-on, durera probablement 10, 20 ou 30 ans et les soumettra à des heures et des heures de vagues de chaleur suffocante, de sueurs abondantes, de battements de cœur accélérés et de sommeil interrompu[5].

L'approche de la ménopause

Il faut se poser la question suivante: Les bouffées de chaleur et les sueurs seraient-elles devenues «le» symptôme majeur de la ménopause, si les femmes savaient qu'elles n'en sont nullement le véritable et irréfutable signe annonciateur? En effet, le véritable et unique signe qu'une femme approche de la ménopause est une altération dans la régularité de ses cycles menstruels, altération qui peut précéder leur arrêt définitif de plusieurs années. Or, comme les femmes occidentales, en général, n'y portent aucune attention, cette altération n'est accompagnée d'aucun symptôme. On peut tirer un parallèle avec la puberté. Chez la fille, celle-ci se manifeste par la survenue de sa première menstruation qui cependant se préparait depuis 6 à 8 ans grâce à des fluctuations hormonales caractérisées en particulier par une élévation importante des androgènes d'origine surrénalienne. C'est ce que l'on nomme en médecine l'adrénarche. Ainsi la ménopause dont la manifestation évidente est la dernière menstruation, se prépare elle aussi, de nombreuses années auparavant grâce à des fluctuations hormonales très particulières. C'est pourquoi l'on a pris l'habitude de parler non seulement de ménopause mais aussi de préménopause, de péri-ménopause et de post-ménopause.

La pré-ménopause (40 à 51 ans) est caractérisée par des cycles menstruels réguliers aux shémas hormonaux identiques à ceux des cycles ovulatoires des jeunes femmes fertiles. Les femmes en péri-ménopause (40 à 55 ans) ont des cycles irréguliers: Ceux-ci se rapprochent ou s'allongent et le flux menstruel devient plus maigre ou plus abondant. En réalité, on a pu établir qu'entre la pré-ménopause et la ménopause, au cours de ce que certains auteurs appellent la transition ménopausique, la femme est soumise tour à tour à des cycles normaux ovulatoires; à des épisodes qui ressemblent à ceux de la post-ménopause caractérisés par l'absence de règles (aménorrhée), des taux de gonadotrophines élevés et des taux d'œstrogènes urinaires faibles; et à des périodes où l'excrétion des gonadotrophines et des œstrogènes monte en flèche. La post-ménopause n'est pas exempte d'activité ovarienne car la majeure partie des femmes ménopausées (44 à 55 ans) dans les six mois qui suivent leur dernière menstruation peuvent aussi avoir des shémas hormonaux tout à fait semblables à ceux que l'on observe au cours des longs cycles anovulatoires de la transition ménopausique. Ce n'est que plus tard dans la post-ménopause (57 à 67 ans) que s'installe un shéma hormonal stable caractérisé par des taux élevés de gonadotrophines et des taux bas d'œstrogènes.

Ainsi les cycles de la pré-ménopause ressemblent très étroitement aux cycles de la fertilité quoiqu'ils aient une tendance à raccourcir. Cependant cette tendance peut être relevée déjà 5 ans après la première apparition des règles, et à 30 ans un cycle régulier de 28 jours peut devenir un cycle régulier de 26 jours. La transition ménopausique, chez toutes les femmes, s'annonce très clairement par une rupture dans la succession auparavant régulière des cycles. À partir de ce moment, les cycles deviennent imprévisibles et présentent une alternance de cycles longs et de cycles courts, de cycles avec ovulation et donc avec shéma hormonal de la pré-ménopause et de cycles sans ovulation et donc avec shéma hormonal de la post-ménopause. Entre ces deux extrêmes, il n'y a aucune progression ordonnée de l'un à l'autre, mais une succession apparemment anarchique de fluctuations hormonales accompagnées de temps à autre par une élévation soutenue de l'excrétion des œstrogènes et l'apparition d'associations hormonales plutôt bizarres. En fait, tout cela est loin de confirmer le concept biomédical qui veut affirmer que «pendant la péri-ménopause il y a une diminution graduelle de la fonction ovarienne et un changement graduel dans le statut endocrinien».

Au contraire, les changements observés chez des femmes au cours d'une étude très poussée en Nouvelle-Zélande[6], ont démontré que ceux-ci n'étaient en aucun cas graduels car jusqu'à la post-ménopause on a pu établir chez elles, par intervalles, la présence de follicules œstrogéniques et de corps jaune. Il est donc impossible d'affirmer qu'une femme a atteint la ménopause pendant au moins un à deux ans après la dernière menstruation.

Un jour ou l'autre, toutes les femmes cessent d'être menstruées mais là encore, il est souvent impossible de détecter un changement hormonal clair à ce moment-là. Il est intéressant de signaler l'apparition sporadique de hauts taux d'œstrogènes dans un environnement habituellement pauvre en œstrogènes au cours de la post-ménopause. L'ovaire post-ménopausique peut encore posséder des follicules œstrogéniques. Il semble donc n'y avoir aucun doute à ce sujet: Chez certaines femmes, *la défaillance du cycle utérin précède la défaillance du cycle ovarien*. En d'autres termes, c'est l'utérus qui vieillit avant l'ovaire et c'est exactement ce que croient certains chercheurs qui affirment que le manque apparent d'association entre la cessation des règles et un changement hormonal quelconque suggère la possibilité que ce sont *les processus de vieillissement qui se produisent dans l'utérus* qui jouent un rôle dans la détermination du véritable moment de la ménopause. La mise en garde du Dr Metcalf doit nous amener à nous poser de sérieuses questions: «Pendant la transition ménopausique (qui dure en moyenne 4,5 ans), le changement est toujours possible et il est prudent de se rappeler la possibilité persistante d'une ovulation[7].»

Il est ainsi impossible aujourd'hui de continuer à croire et à déclarer que la ménopause est un phénomène lié à une carence brusque, brutale et abrupte en œstrogènes suite à un arrêt aussi brusque, brutal et abrupt de la fonction ovarienne et entraînant des taux élevés de gonadotrophines.

Cela, évidemment, nous pose des problèmes face aux bouffées de chaleur et aux sueurs car le concept biomédical depuis les années 50, les présente au grand public féminin comme une preuve et une conséquence directe de la carence en œstrogènes. Une telle croyance a été ancrée dans l'esprit des femmes par le fait que la prise d'œstrogènes exogènes soulage les bouffées de chaleur chez la majorité de celles qui en souffrent *tant qu'elles en prennent*. C'est un fait d'expérience courante que dès qu'une femme qui souffrait de bouffées de chaleur s'arrête de prendre des hormones, celles-ci reviennent aussi fortes qu'auparavant et semblent ne plus vouloir disparaître. Ainsi dès qu'une femme de 40 ans qui a été exposée au concept biomédical de la ménopause ressent une chaleur quelconque, elle vit immédiatement un stress terrible qui va aggraver sa perception de ce phénomène car, pour elle, il est une preuve certaine qu'elle est en train de tomber dans une déchéance physique irréversible...

De nombreuses études faites au cours des années 70 et 80 n'ont pas pu établir qu'il y avait des différences marquées entre les taux d'œstrogènes des femmes qui souffraient de bouffées de chaleur et de celles qui n'en souffraient pas[8]. Des études plus récentes faites à la fin des années 80 et au début des années 90, ont rapporté que les taux circulants d'œstradiol et d'œstrone étaient plus faibles chez les femmes post-ménopausées qui avaient des chaleurs et des sueurs que chez celles qui n'en avaient pas[9].

Pourtant, il existe des observations qui laissent perplexes: Toutes les femmes arrivent à la post-ménopause et tôt ou tard, elles n'ont plus des taux d'œstrogènes élevés; or seulement certaines d'entre elles ont des bouffées de chaleur alors que d'autres n'en ont jamais et pour d'autres encore, elles demeurent un phénomène transitoire. Les filles prépubères ont des taux d'œstrogènes faibles, or elles ne souffrent jamais de chaleurs. Les femmes au cours de la grossesse ou dans le post-partum immédiatement après l'accouchement sont soumises à des taux élevés d'œstrogènes et il leur arrive assez fréquemment d'avoir des épisodes de bouffées de chaleur. Elles peuvent aussi en subir au cours du post-partum alors que leur taux d'œstrogènes est à nouveau abaissé. Les femmes post-ménopausées qui ont toujours eu des taux d'œstrogènes anormaux à la suite d'une anomalie du développement des ovaires (dysgénésie gonadique) n'ont pas de chaleurs à moins qu'elles aient suivi une hormonothérapie de substitution et que celle-ci ait été interrompue. C'est alors que les chaleurs surviennent. Les hommes qui ont une anomalie du développement des testicules éprouvent des chaleurs. Les hommes et les femmes soumis à la prise de médicaments antagonistes des œstrogènes ou de la testostérone peuvent avoir des chaleurs.

Si l'on croit que ce sont les taux élevés de gonadostimulines qui provoquent les bouffées de chaleur, là encore, on est confondu: Les chaleurs diminuent et disparaissent en général après la ménopause malgré des taux de gonadostimulines qui resteront élevés. L'abaissement de ces taux élevés de LH et de FSH par des médicaments, n'annule pas les bouffées de chaleur qui vont persister. Des bouffées de chaleur surviennent en l'absence de taux élevés de gonadostimulines chez les femmes qui n'ont plus leur hypophyse[10].

Une étude[11] portant sur 438 femmes qui avaient ou qui avaient eu des chaleurs a révélé que 50 p. 100 d'entre elles avaient commencé à en avoir au cours de la pré-ménopause, alors que leurs cycles étaient encore réguliers ou commençaient tout juste à être irréguliers. Les autres avaient commencé à avoir des chaleurs dans l'année qui avait suivi la cessation de leurs règles et un certain nombre d'elles, plus de deux ans après leur ménopause.

Les chaleurs pour elles avaient commencé aussi tôt que 20 ans et aussi tard que 58 ans et elles duraient ainsi pour certaines d'entre elles depuis plus de 20 ans. Les chaleurs survenaient en général à la fréquence de 10 à 50 par jour et pouvaient durer moins de 1 minute à plus de 15 minutes. La majeure partie des femmes pouvaient sentir la survenue d'une bouffée parce qu'elles ressentaient alors un sentiment d'anxiété. Au cours d'une bouffée de chaleur, les femmes étaient irritées, ennuyées, frustrées et parfois elles expérimentaient un sentiment de panique, un sentiment de suffocation et même, à l'occasion, des sentiments suicidaires. Environ 42 p. 100 d'entre elles avaient honte de leurs chaleurs. Presque toutes les femmes avaient aussi des sueurs et c'était pour elles, le symptôme le plus pénible car il les obligeait à changer de vêtements le jour et de draps la nuit.

L'observation personnelle avait amené ces femmes à remarquer que leurs chaleurs pouvaient apparemment survenir spontanément mais qu'elles pouvaient aussi être déclenchées par le stress et des situations chargées d'émotivité (59 p. 100), par la chaleur en été ou par la température élevée d'une pièce surchauffée (44 p. 100), par un espace confiné (38 p. 100), par la consommation de café (17 p. 100) et par celle d'alcool (20 p. 100).

L'observation scientifique a cherché à établir s'il existait des facteurs prédisposants pour les chaleurs. Elle n'a pas pu tirer de relation de cause à effet entre les bouffées de chaleur et des variables sociodémographiques comme la classe sociale, l'âge, l'emploi, l'état civil ou le nombre de grossesses. Elle n'a pas pu non plus opposer les femmes ayant des bouffées de chaleur à celles qui n'en ont pas en trouvant entre elles des différences d'âge à la puberté ou à la ménopause, dans le nombre d'enfants mis au monde, dans la taille ou au sujet de problèmes médicaux. Par contre quelques études très récentes ont pu établir une corrélation entre le poids et les bouffées de chaleur : Selon une d'entre elles, ce sont les femmes trop maigres qui souffrent de ce désordre; selon une autre étude, ce sont les femmes qui ont une répartition plus importante des graisses dans le bas du corps (ventre, hanches, cuisses) que dans le haut du corps (bras, épaules, poitrine) et selon une autre étude encore, les femmes faisant de l'embonpoint ou obèses ne souffrent pas de chaleurs[12].

Les ménopauses chirurgicale, iatrogène, précoce

Il semble ainsi que plus on veut mettre le doigt sur *la* cause des chaleurs moins on y arrive. Pourtant une affirmation datée de 1941 et rapportée dans un article du *British Medical Journal* en décembre 1949, nous met sur une piste fort intéressante. «L'incidence des bouffées de chaleurs graves après la cessation des règles est d'environ 17 p. 100 alors qu'après une castration par radiothérapie ou par ovariectomie, l'incidence est de 50 p. 100[13].» La castration considérée comme un geste criminel en dehors d'un but strictement thérapeutique, réalise alors *une ménopause dite artificielle*, les ovaires ayant été excisés ou empoisonnés.

En 1990, Kronenberg dans un article très poussé sur l'épidémiologie et la physiologie des bouffées de chaleur, note: «Les femmes qui ont subi *une ménopause chirurgicale* ont tendance à avoir une incidence plus élevée de bouffées de chaleur, au moins pendant l'année qui suit l'ovariectomie, que les femmes qui connaissent une ménopause naturelle.» Un peu plus loin, dans le même article, l'auteur déclare: «Les bouffées de chaleur ont commencé avant l'âge de 41 ans chez 10 p. 100 des femmes ayant eu une ménopause naturelle mais chez 33 p. 100 des femmes ayant subi une ménopause artificielle ou chirurgicale.» Puis il signale que ce sont les femmes qui ont eu une ménopause chirurgicale qui se plaignent le plus particulièrement de bouffées de chaleur qui ne s'estompent pas avec le temps mais qui persistent et durent et durent parfois pendant des décennies sans perdre de leur intensité ni de leur fréquence[14].

Une étude clinique française datée de 1987[15] parle de *ménopause iatrogène* suite à un traitement de la maladie de Hodgkin avec chimio- et radiothérapie. Cette maladie en elle-même, soulignent les auteurs de ce rapport, n'altère pas la fonction ovarienne. Le problème se situe au niveau du traitement qui mène dans plus de 50 p. 100 des cas à la rémission complète mais «souvent au prix d'une altération de la fertilité». La radiothérapie est considérée comme très toxique pour les ovaires. Elle entraîne une fibrose ovarienne avec un arrêt de la maturation ou une destruction des follicules. Cette perte du capital folliculaire est variable, mais elle exposera de toute façon la femme, tôt ou tard, à une ménopause précoce iatrogène qui se signalera par un arrêt des règles *et des bouffées de chaleur.* Et les auteurs de conclure que pour préserver la fertilité des femmes devant être soumises à des traitements anti-cancéreux, il serait bon de viser une moindre toxicité par la recherche d'autre produit, d'une économie de dose et de champ de radiothérapie.

Poursuivons notre piste. Des articles récents[16,17,18] parlent de ménopause précoce, survenant à l'âge de 16, 18 et 23 ans et se manifestant par un arrêt des règles, la survenue de bouffées de chaleur quelques mois après la cessation des menstruations et à l'examen (laparoscopie), par la présence d'un utérus infantile (tout petit) et d'ovaires atrophiés.

Si l'on reconnaît que certaines ménopauses précoces sont la conséquence de maladies auto-immunes qui attaquent les ovaires[19,20], on sait aussi aujourd'hui que ce phénomène peut être la conséquence du syndrome inflammatoire pelvien (SIP) dont l'incidence connaît un pic tragique chez les adolescentes sexuellement actives de 15 à 19 ans et chez les femmes de 20 à 24 ans aux partenaires multiples[21]. On a aussi observé et rapporté des cas de ménopause précoce chez des femmes africaines ayant utilisé des herbes indigènes pour combattre leur infertilité[17] et chez les utilisatrices de l'agent progestatif, le Depo-Provera®, prescrit dans le traitement de l'endométriose mais aussi comme contraceptif injectable, efficace pour une durée de trois mois[22]. (Il freine l'ovulation en agissant sur l'hypothalamus.)

Bouffées de chaleur et hystérectomie

Cernons de plus près encore notre problème. Ménopause précoce: On découvre la présence d'un utérus infantile chez des femmes jeunes. Ménopause iatrogène: On déplore que le champ de radiothérapie a englobé l'utérus qui a subi, tout comme les ovaires, une fibrose. Ménopause chirurgicale: On a volontairement éliminé l'utérus.

En fait, la ménopause chirurgicale, c'est l'hystérectomie qui connaît depuis les années 1900 plusieurs variantes: On parle *d'hystérectomie élargie* qui implique l'ablation de l'utérus et de ses annexes, d'une partie du vagin et du col utérin; on parle d'*hystérectomie partielle* qui conserve la fonction ovarienne endocrine mais aussi une zone plus ou moins vaste de la muqueuse utérine pour permettre quand même une menstruation; on parle d'*hystérectomie subtotale* qui laisse le col en place mais enlève pratiquement toute la muqueuse utérine; on parle d'*hystérectomie sus-isthmique* basse ou haute qui laisse le col et l'isthme; on parle d'*hystérectomie fundique* limitant l'ablation au fond utérin; on parle d'*hystérectomie totale* qui enlève l'ensemble de l'organe, col et corps. Cette hystérectomie peut être ou non associée à une ablation uni- ou bilatérale des trompes et/ou des ovaires. On parle alors de *salpingohystérectomie* ou d'*ovarosalpingohystérectomie*. Comme je le mentionnais dans un chapitre précédent, c'est cette dernière hystérectomie qui, selon un bulletin de la FDA publié en 1976, semble être la plus fréquemment pratiquée en Amérique du Nord, un tiers des femmes ménopausées aux États-Unis ayant subi une ménopause chirurgicale et non pas naturelle et cela, souvent, dès l'âge de 30 ans... Or, s'il est une ménopause qui est abrupte, brusque, brutale et instantanée, c'est bien celle-là. D'autres statistiques beaucoup plus récentes indiquent qu'aux États-Unis on pratique chaque année 650 000 hystérectomies, la majeure partie d'entre elles étant totales et faites sur des femmes dans la trentaine et la quarantaine, soit, normalement, en pré-ménopause. Et l'on prédit que si cette opération continue à se faire à ce rythme (c'est la seconde opération chirurgicale majeure immédiatement après la césarienne), chaque Américaine sur trois, se retrouvera sans utérus (et sans ovaires) à l'âge de 60 ans[23]...

Il devient ainsi difficile de parler de ménopause tout court, car ce phénomène naturel et universel est de plus en plus rare en Occident. Oui, nous avons un énorme contingent de femmes ménopausées mais leur ménopause, pour un tiers d'entre elles, a été provoquée, déclenchée, brusquée, hâtée, décidée et exécutée soudainement! Peut-on alors être surpris de tant de symptômes liés à ce traitement, à cette opération, à cette mutilation, à cette castration?

Un article médical publié en 1987 dans l'*International Journal of Gynaecology and Obstetrics* et intitulé «Endocrine and Metabolic Effects of Simple Hysterectomy» débute par la déclaration suivante: «On connaît fort bien les symptômes ménopausiques qui surviennent après une hystérectomie simple qui a préservé les ovaires[24].» Quels sont ces symptômes? Tout d'abord, les bouffées de chaleur. Tiens! Tiens! Par contre, fait souligné avec insistance par les auteurs de cette recherche, on a pu constater que les bouffées de chaleur chez ces femmes sous investigation qui avaient conservé leurs ovaires, étaient survenues en présence de concentrations *normales* d'œstradiol et de gonadotrophines dans leur sang. D'autre part, ces femmes hystérectomiées et ayant des bouffées de chaleur se mirent aussi à souffrir d'une diminution de leur masse osseuse, soit d'ostéoporose. Après une investigation plus serrée, on a pu constater que ces femmes qui avaient des chaleurs et une diminution de leur masse osseuse avaient aussi des concentrations sanguines *d'acide urique* plus élevées que celles qui n'avaient pas de chaleurs sans avoir cependant de différences significatives entre les taux plasmatiques de phosphatase alcaline et de cholestérol. L'élévation du taux d'acide urique dans le sang est un phénomène habituel et considéré comme normal après la ménopause. Les auteurs de cette recherche voient dans cette élévation l'indication d'une hypoœstrogénisation subtile, difficile à déceler mais peut-être réelle car les bouffées de chaleur chez ces femmes comme chez toutes les femmes, cèdent à un apport exogène d'œstrogènes[24]...

Bouffées de chaleur et stérilisation

Nous devons signaler ici que certaines recherches médicales donnent à entendre qu'il pourrait y avoir la survenue d'un syndrome ménopausique après la stérilisation[19]. Offerte aujourd'hui comme une méthode contraceptive inoffensive et même réversible, la stérilisation quelle que soit la technique opératoire employée — l'incision a lieu dans l'abdomen ou dans le fond vaginal; il y a enlèvement de l'extrémité des trompes, section et enfouissement d'une partie, ligature, section, cautérisation et même application de pinces grâce à des modes de repérage des trompes par visualisation directe ou utilisation d'instruments — oui, la stérilisation comporte des effets secondaires précis, outre les risques opératoires. On observe une augmentation marquée (trois fois plus) des troubles des règles (syndrome prémenstruel, règles douloureuses) et des douleurs pelviennes constantes qui peuvent s'aggraver pendant les relations sexuelles ou au cours d'exercices physiques[25] ainsi qu'une augmentation importante des troubles psychologiques[26] entraînant des difficultés conjugales pouvant déboucher sur le divorce : dépression, sentiment d'être en deuil, grossesse nerveuse, crainte exagérée de perdre ses enfants, désir de les protéger à outrance, troubles du sommeil, cauchemars, fatigue, impression d'être vidée, de n'être plus personne, d'avoir perdu son identité de femme. Et... en plus, on signale la survenue de bouffées de chaleur[19]. Certaines recherches ont démontré qu'après une ligature des trompes, on peut observer une diminution de la sécrétion de progestérone, cause possible des désordres du cycle utérin (règles trop abondantes, irrégularités menstruelles)[27].

Ainsi, la conclusion que donnait un groupe de médecins de la Nouvelle-Zélande en 1988 à la suite d'une étude poussée sur le statut hormonal des femmes pré-ménopausées, péri-ménopausées et post-ménopausées[6], semble devoir s'imposer de plus en plus à une société qui depuis plus d'un siècle méprise l'utérus pour n'y voir qu'un réceptacle optionnel pour les femmes qui veulent encore des bébés... Rappelons cette conclusion : Ce sont les processus de vieillissement qui se produisent dans l'utérus qui jouent un rôle dans la détermination du véritable moment de la ménopause ou, en d'autres termes, c'est la défaillance du cycle utérin qui précède la défaillance du cycle ovarien. Il est utile de signaler ici que la progestérone prise à des doses supraphysiologiques comme c'est le cas lors de l'utilisation de certains contraceptifs hormonaux, pourrait avoir un rôle inhibiteur du développement de l'utérus[28].

Qu'on le veuille ou non, le cycle utérin est un cycle aussi important, aussi intense, aussi féminin que le cycle ovarien et il est impossible, à la lumière des phénomènes qui se produisent chaque fois que ce cycle est perturbé ou annulé, de ne pas envisager que ce sont les altérations brutales de ce cycle qui peuvent être à l'origine du syndrome ménopausique et donc des bouffées de chaleur. Se pourrait-il que les penseurs d'autrefois aient eu raison et qu'après tout, l'utérus soit réellement le véritable siège de la féminité? La préservation de son intégrité grâce à une hygiène sexuelle rigoureuse visant à éliminer, entre autres, tout risque de syndrome inflammatoire pelvien, semble donc être de toute première importance et il est tout à fait normal qu'après une chirurgie qui élimine cet organe (hystérectomie) ou qui empêche à tout jamais sa fonction ultime (stérilisation), la femme se sente diminuée... On peut comprendre qu'elle se mette alors, sous l'effet d'un stress psychique d'autant plus intense qu'elle doit le camoufler totalement car ces opérations lui ont été offertes pour la «libérer» et augmenter «sa qualité de vie», à subir des bouffées de chaleur et des sueurs qui, pour elle, sont un signe assuré que la fin de sa fécondité est arrivée et qu'elle est maintenant en train de vieillir.

Certes, dans ce contexte, il est facile d'envisager combien les chaleurs peuvent être pour les femmes occidentales une cause de frustration, d'anxiété et même d'idées suicidaires. Il est aussi facile de voir pourquoi elles sont le symptôme premier pour lequel elles consultent le médecin et acceptent avec reconnaissance la prescription hormonale immédiatement efficace. Cependant, il faut se le dire et le dire à nos filles, on peut prévenir les bouffées de chaleur et les sueurs et à cette fin, toute femme doit en tout premier lieu jalousement veiller sur son utérus.

Alors que cela fait un siècle que l'on considère leur utérus comme banal, superflu, embêtant et trouble-fête, les femmes doivent à nouveau avoir le courage d'affirmer ouvertement, sans avoir à se réfugier dans les zones grises de la dépression, que cet organe qui n'a aucune correspondance masculine, reste l'unique et suprême matrice du monde et qu'il est donc, sans aucun doute possible, la quintessence même de la féminité.

Bouffées de chaleur et hypoglycémie

Apparemment dans un autre ordre d'idée, deux chercheurs, Simpkins et Katovich, ont publié en 1990 deux articles démontrant et affirmant que les bouffées de chaleur et les sueurs étaient en réalité un phénomène hypoglycémique.

Le chapitre intitulé «Êtes-vous hypoglycémique?», dans mon livre *Le mal du sucre*[29], présente un questionnaire qui liste les principaux symptômes de cette maladie de notre siècle, conséquence de notre consommation effarante de sucres raffinés, de farine blanche, d'alcool, de café et de protéines animales en excès. Parmi les 97 symptômes listés, on en trouve trois qui s'énoncent ainsi:

— J'ai des sueurs froides pendant la nuit.
— J'ai des bouffées de chaleur.
— Je sue terriblement.

Effectivement, on le sait depuis longtemps, l'hypoglycémie ou la baisse de glucose dans le sang est fréquemment accompagnée de sueurs et de chaleurs. Simpkins et Katovich font remarquer que les femmes pré-ménopausées ou post-ménopausées qui souffrent de chaleurs sont toujours sans symptôme immédiatement après un repas, celles-ci survenant lorsque le taux de glucose sanguin se met à chûter. En laboratoire, l'administration de glucose par voie intraveineuse, à ce moment-là, arrête immédiatement les bouffées et les désordres qui les accompagnent, soit les battements de cœur, l'anxiété, la sensation d'étouffement qui sont aussi des symptômes d'hypoglycémie.

Pour ces chercheurs, la bouffée de chaleur est un résultat direct de la mise en œuvre de mécanismes au niveau du système nerveux sympathique visant à élever les taux de glucose sanguins[30,31]. Serait-il possible, à la lumière de ces faits, de comprendre pourquoi les œstrogènes administrés aux femmes qui souffrent de chaleurs, soient si efficaces tant qu'elles en prennent, les chaleurs reprenant de plus belle dès qu'elles cessent cette médication? Rappelez-vous que le premier effet secondaire des œstrogènes est de modifier le métabolisme des glucides ou hydrates de carbone qui se met à tendre vers l'*hyperglycémie,* soit l'excès de glucose dans le sang... Cette élévation artificielle de la glycémie est suffisante pour masquer les bouffées de chaleur et les sueurs et faire croire à une relation causale entre ce phénomène et une soi-disant carence en œstrogènes.

L'hypoglycémie est une maladie nutritionnelle dont on distingue en pratique trois types:

● *L'hypoglycémie réactionnelle* due à une libération excessive d'insuline provoquée par une consommation habituelle de produits sucrés (desserts, bonbons, chocolat, etc.).

● *L'hypoglycémie de jeûne* qui apparaît chaque fois que l'on ne mange pas suffisamment parce que l'on saute le petit déjeuner, on grignote au lieu de manger des repas équilibrés, on suit des régimes pour maigrir qui offrent moins de 1 700 calories par jour, on consomme de l'alcool qui déplace toujours les aliments solides. C'est probablement pourquoi les femmes maigres semblent souffrir beaucoup plus de bouffées de chaleur et de sueurs que les femmes qui ont un poids normal ou qui sont obèses parce qu'elles mangent constamment.

● *L'hypoglycémie iatrogène* provoquée par la prise de médicaments comme l'aspirine, les barbituriques et les antidépresseurs, la nicotine, la caféine et de grandes quantités de leucine, un acide aminé abondant dans le lait et le fromage.

L'hypoglycémie, c'est aussi la réponse douloureuse d'un corps mal nourri et mal traité, donc agressé, aux stress quels qu'ils soient[32]. Il est ainsi normal que l'hystérectomie et la stérilisation qui ne laissent aucune femme indifférente mais qui, chez la majorité d'entre elles, provoquent un stress d'autant plus profond et mordant qu'elles doivent, selon les conventions de notre société occidentale, les considérer comme banales et passer par-dessus comme si de rien n'était, oui, il est normal que ces opérations provoquent dans l'année qui les suivent des symptômes d'hypoglycémie dont les bouffées de chaleur, les sueurs et de l'anxiété.

La correction de ces misères qui, vous le voyez bien, n'appartiennent pas d'une façon exclusive à la ménopause, doit obligatoirement passer par la correction de l'hypoglycémie. Ceci se fera grâce à l'adoption d'un régime dépourvu de sucres raffinés et de produits sucrés, offrant trois repas équilibrés par jour à base de pain complet et de céréales entières bien cuites. Le pain et les céréales non raffinés mangés en abondance et destinés à remplacer les produits animaux, sont les seuls aliments capables de maintenir dans le corps une glycémie stable, à toute épreuve.

La vitamine E et les bouffées de chaleur

En 1945 paraissait un rapport préliminaire d'une étude expérimentale et clinique sur l'usage de la vitamine E dans la ménopause[33]. L'auteur, le Dr Christ J. Christy, débutait son article en reconnaissant que la naissance de l'endocrinologie et de la biochimie modernes avait rendu possible l'usage d'une variété de substances œstrogéniques dans le traitement du syndrome ménopausique. Pour sa part, cependant, il s'était attaché à l'usage de la vitamine E en dose thérapeutique pour un groupe de cas ayant des symptômes *graves* de la ménopause. Sa clinique était spécialisée dans le traitement des femmes souffrant d'hémorragies utérines anormales causées par l'usage inadéquat ou prolongé d'œstrogènes. Elles lui étaient référées par leur médecin traitant qui soupçonnaient chez elles un cancer de l'utérus.

Évidemment, le Dr Christy citant le Dr Novak, auteur d'un manuel de gynécologie régulièrement mis à jour qui fait encore autorité aujourd'hui[34], débat le problème des effets cancérogènes des œstrogènes et affirme que si ce médicament est parfois profitable pour faciliter l'ajustement hormonal d'un grand nombre de patientes, son usage prolongé et sans discernement est inutile et en réalité, dangereux. C'est pourquoi, affirme-t-il, le consensus actuel est d'éviter des doses élevées sans raison et d'éliminer totalement un tel traitement chez des personnes qui manifestent des lésions précancéreuses ou qui ont des antécédents familiaux de cancer.

Ayant été amené à étudier des expériences qui indiquaient l'efficacité de la vitamine E sous forme d'huile de germe de blé dans le traitement de l'aménorrhée de guerre survenant à la suite d'un grave choc psychique, d'une inquiétude prolongée ou d'une peur intense, le Dr Christy, se rappelant aussi des documents qui indiquaient que la carence en vitamine E altérait la fonction thyrotrope et gonadotrope de l'hypophyse (la thyroïde et les ovaires sont sous le contrôle de l'hypophyse), décida d'utiliser la vitamine E sous forme d'acétate sur 25 patientes âgées de 22 à 55 ans. Douze entre elles souffraient d'un cancer du cervix, une d'un adénocarcinome du fond de l'utérus, six avaient des fibromes, une avait un carcinome de l'ovaire, une avait un hémangioendothéliome du paramètre (une partie du col de l'utérus), une souffrait d'hémorragies post-ménopausiques à la suite d'une thérapie aux hormones, une d'hémorragies utérines dans l'intervalle des règles à la suite d'un désordre endocrinien, une faisait de l'endométriose. Chacune de ces patientes était ménopausée et toutes se plaignaient de très graves chaleurs et sueurs. Leur ménopause pour toutes, à l'exception d'une seule qui avait eu une ménopause naturelle, avait été chirurgicale et iatrogène (irradiations, rayons X, radium).

Le Dr Christy affirme que les résultats de cette thérapie vitaminique E furent «étonnants». Tout le groupe traité a répondu favorablement au traitement et a rapporté soit un soulagement complet soit une amélioration marquée de la fréquence et de l'intensité des chaleurs et des sueurs abondantes ainsi qu'un changement net pour le mieux de leur humeur et de leur état d'esprit. Aucune réaction indésirable n'a été rapportée: pas de maux de tête, pas de nausées, pas de vomissements, pas d'étourdissements, pas de sensibilité des seins, pas de douleurs pelviennes, pas de pertes sanguines.

Pour conclure, le Dr Christy affirme que bien que l'on ne sache pas comment la vitamine E agit, elle est aussi efficace que les œstrogènes naturels ou synthétiques et dans certains cas, elle semble plus efficace pour soulager les bouffées de chaleur. De plus, la vitamine E présente un réel avantage sur les œstrogènes car elle ne stimule pas l'utérus ni les seins et n'a aucun effet cancérogène. Elle peut donc être utilisée librement par les patientes ménopausées souffrant d'un cancer quelconque. «Elle ne produit aucun effet secondaire fâcheux et elle est bien tolérée[33].»

Cet article devait soulever jusqu'au début des années 50 beaucoup d'enthousiasme dans le milieu médical de l'après-guerre et il fut suivi de nombreux articles semblables[35,36,37,38,39,40,41,42], tous vantant l'effet extraordinairement positif de la vitamine E sur les symptômes les plus dévastateurs de la ménopause: les chaleurs, les sueurs et la sécheresse vaginale.

Puis en 1953, le vent tourne. On se met à insinuer que la vitamine E ne pourrait être qu'un placebo[43]. On la trouve maintenant infiniment moins efficace que les œstrogènes dont on semble ne plus avoir peur du tout et la vitamine E rejoint les oubliettes de la science pour n'en ressortir qu'au cours des années 70, mais sous un tout autre jour.

En 1922, on avait découvert que la vitamine E était la vitamine de reproduction ou de fertilité. Des expériences avaient démontré que des animaux nourris de grains de blé dont on avait ôté le germe ou de lait, devenaient incapables de se reproduire. Chez le mâle carencé en vitamine E, on observait tout d'abord une immobilisation des spermatozoïdes puis un arrêt de la spermatogenèse et finalement une dégénérescence de l'épithélium germinal[44]. Chez la femelle, l'ovulation et la fécondation peuvent se faire normalement ainsi que l'implantation de l'œuf dans la muqueuse utérine, mais le développement de l'embryon s'arrête bientôt et celui-ci meurt avant d'arriver à terme[45].

L'observation de ces animaux privés de vitamine E avait également permis de remarquer qu'ils souffraient, en plus, de dystrophies et de troubles fonctionnels neuro-musculaires[46]. Plus tard, dans les années 40, on devait établir que la vitamine E était une «hormonovitamine», engagée dans les processus hormonaux: Elle renforçait l'action de la progestérone et de la testostérone et elle inhibait celle de la folliculine (œstrone)[47].

Notre siècle peu désireux de fertilité ne devait pas s'enthousiasmer outre mesure pour la vitamine E mais il est important de souligner qu'il n'a pas pu oublier l'effet bénéfique de la vitamine E pour les problèmes de la ménopause car l'édition du *Novak's Textbook of Gynecology* de 1981 recommande son usage associé au complexe B pour les symptômes aigus de la ménopause chez les patientes qui, parce qu'elles ont été traitées pour un cancer de l'utérus ou du sein, ne peuvent recevoir d'œstrogènes.

Par contre, au cours des années 70, lorsqu'on se mit à réaliser progressivement que la vitamine E était plus qu'une vitamine de fertilité mais aussi un puissant anti-oxydant capable de prévenir le cancer, l'intérêt du monde scientifique a été piqué au vif. En 1989, un article intitulé «La vitamine E et la santé: Notre régime est-il adéquat[48]?» exprimait des craintes sérieuses sur la capacité du régime occidental, celui-ci étant à base de céréales raffinées, de lait écrémé et de viande, des aliments dépourvus de cette vitamine, de fournir un taux adéquat de vitamine E. Or, selon de nombreuses études, une carence en vitamine E «est associée à un risque accru de cancers et de quelques-unes des principales maladies de dégénérescence[49]», dont les maladies cardio-vasculaires. Et l'auteur de cet article de déclarer que ce fait soulève à nouveau l'hypothèse voulant que la vitamine E soit un puissant anti-oxydant *indispensable* à l'être humain en quantité adéquate pour maintenir chez lui une structure et une fonction normales de ses membranes.

Plusieurs facteurs entraînent des carences en vitamine E. Ce sont: un flot ralenti de bile (cholestase); l'ingestion d'alcool; des infections intestinales d'origine parasitique, virale ou bactérienne et l'usage excessif dans le régime d'huiles polyinsaturées (huiles à salade, excepté l'huile d'olive vierge, margarine, mayonnaise, etc.). Le raffinage des céréales, la congélation des aliments (attention au pain et aux farines congelés) et leur friture à haute température détruisent la vitamine E[50]. Les personnes à risque pour une carence certaine en vitamine E sont les alcooliques, les diabétiques, celles qui souffrent de malabsorption intestinale et les cancéreux. Ces malades pourront alors exhiber, entre autres, une hypertrophie du cœur, une faiblesse musculaire généralisée et une fragilité importante des globules rouges, conséquences de la carence en vitamine E[51].

Un article paru en 1991 dans l'*American Journal of Clinical Nutrition* faisait un tour moderne de la question[52]. En voici un résumé.

Les besoins humains en vitamine E ont été évalués à 30 unités internationales par personne, par jour et déclarés tels dans une édition des taux quotidiens recommandés d'éléments nutritifs (RDA) datée de 1968. Ce taux cependant a été abaissé à 15 unités internationales dans les éditions ultérieures, car il semble presque impossible d'obtenir 30 unités internationales de vitamine E dans un régime occidental courant.

La vitamine E en fortes doses stimule le système immunitaire et inhibe la conversion des nitrites en nitrosamines dans l'estomac. C'est pourquoi des études récentes suggèrent que la vitamine E réduit l'incidence de certains cancers.

La vitamine E combinée au sélénium améliore l'état mental et le bien-être général des personnes âgées.

La vitamine E inhibe l'agrégation plaquettaire et la production des prostaglandines* qui augmentent à leur tour l'agrégation plaquettaire, ce dernier phénomène étant un facteur dans le développement de l'athérosclérose et autres

---

* Les prostaglandines sont des hormones extrêmement puissantes qui provoquent la fièvre, l'inflammation et la douleur[53]. Ce sont des dérivés des acides gras et bien que leurs effets biologiques et métaboliques soient très divers, variables et encore en partie imprécis, on sait qu'elles peuvent provoquer une carence en progestérone. Un apport adéquat en vitamine E permet une production adéquate de prostaglandines et c'est ainsi qu'elle préserve la progestérone[54].

maladies vasculaires. On suggère donc que la vitamine E puisse avoir un effet bénéfique chez les patients souffrant d'athérosclérose. On sait que la pilule anticonceptionnelle augmente les troubles de la coagulation: elle épaissit le sang. Or un supplément de vitamine E donné à des utilisatrices à long terme de ce contraceptif a réduit considérablement ce phénomène. On peut donc espérer que la vitamine E réduise les risques de thrombose (formation d'un caillot dans une veine).

La vitamine E a un effet bénéfique dans l'arthrite et mieux qu'un placebo, elle réduit la douleur des articulations, augmente leur souplesse et élimine la nécessité de faire usage d'analgésiques additionnels[55,56,57]. L'effet est probablement obtenu par le biais de l'inhibition des prostaglandines par la vitamine E. Ces substances dont l'action est inflammatoire, se retrouvent en quantité excessive dans le liquide articulaire des personnes arthritiques. Les prostaglandines étant synthétisées à partir des graisses consommées dans le régime, on comprend pourquoi une diminution importante de la quantité des graisses saturées et insaturées doit accompagner tout traitement intelligent de ce problème débilitant.

La vitamine E réduit chez les personnes âgées de 40 à 70 ans les risques de cataractes séniles. Des études animales ont démontré que la supplémentation en vitamine E avait un effet protecteur contre les cataractes causées par les radiations, mais aussi celles causées par le lactose ou le galactose (sucres du lait) suite à des déficits enzymatiques.

La vitamine E protège contre les effets de la fumée de tabac riche en radicaux libres qui irritent les poumons et elle constitue ainsi un élément important dans la lutte contre le cancer du poumon.

La vitamine E est indispensable pour limiter les dégâts causés par les radicaux libres produits au cours de l'exercice physique intense. Le travail musculaire épuisant augmente la concentration des radicaux libres dans les muscles et dans le foie et il entraîne des pertes importantes en vitamine E dans ces organes. La vitamine E augmente la performance physique et l'endurance tout en protégeant les cellules des muscles et du foie des effets dévastateurs des radicaux libres.

Les médecins d'après-guerre ont prescrit aux femmes qui souffraient de chaleur 30 unités internationales de vitamine E par jour, sous forme d'acétate, réparties en plusieurs doses. L'amélioration survenait en une à six semaines, mais dans certains cas, il était nécessaire d'augmenter la dose jusqu'à 100 unités internationales[58].

Les seuls effets secondaires rencontrés chez quelques rares patientes ont été des troubles oculaires (sensations de brûlure dans les yeux, tâches devant les yeux, vision embrouillée et lourdeur des paupières[58]) et des réactions allergiques à la vitamine E lorsque celle-ci était donnée sous forme d'huile de germe de blé à des patientes intolérantes au blé[59]. L'usage de la vitamine E doit alors être immédiatement interrompu.

Naturellement les meilleures sources de vitamines sont nos aliments et toute femme devrait chercher à obtenir quotidiennement 30 unités internationales de vitamine E à partir de ce qu'elle mange. Cela est fort possible si elle consomme en abondance du véritable pain complet, des céréales non raffinées bien cuites (la vitamine E n'est pas détruite par la cuisson[50]), des fruits et des légumes frais crus ou bien préparés, si elle abandonne l'usage du pain blanc, des pâtes blanches, de la margarine et des huiles végétales polyinsaturées à l'exception de l'huile d'olive vierge qui est un gras neutre, ni saturé ni insaturé, et qui est une bonne source de vitamine E.

Bouffées de chaleur et température ambiante

Selon certaines études, il y aurait une relation entre la température ambiante et la survenue des chaleurs[60]. On sait qu'une température ambiante élevée peut être bien tolérée tant que l'air est *sec* et *renouvelé*. Par contre, une température chaude et humide provoque automatiquement une élévation de la température du corps (hyperthermie) qui se manifeste par des bouffées de chaleur et des sueurs abondantes[61].

On peut donc comprendre que la température ambiante influence l'intensité et la fréquence des bouffées de chaleur, celles-ci étant aggravées par un temps chaud et humide ou lorsque dans une pièce fermée et non ventilée la température s'élève jusqu'à 30°C. On a pu provoquer expérimentalement une réduction importante de la fréquence et de l'intensité des chaleurs en maintenant la température des pièces à 19°C le jour et la nuit. Dormir dans une pièce fraîche réduit alors les bouffées de chaleur au point de permettre le rétablissement d'un sommeil calme et réparateur[60]. Sauvons de l'énergie! Baissons les thermostats dans nos maisons et ouvrons les fenêtres! Nous lutterons ainsi à bon marché contre un phénomène désagréable de la ménopause occidentale.

Les femmes qui souffrent de bouffées de chaleur cherchent à se refroidir. Il leur arrive alors de se placer devant une unité d'air climatisé ou devant un réfrigérateur ouvert. L'application de cubes de glace sur les joues et les pommettes est très efficace pour calmer les chaleurs. L'habitude de terminer sa toilette matin et soir par une douche froide de 40 à 60 secondes est une mesure préventive merveilleusement stimulante et rajeunissante des bouffées de chaleur, dépourvue d'effets secondaires. Apprendre à boire un minimun de six grands verres d'eau très fraîche plutôt que plusieurs tasses de café très chaud est aussi un geste de prévention simple, bon marché et indispensable.

Pour éviter les sensations d'étouffement et d'envahissement de chaleur, il est nécessaire d'apprendre à s'habiller de vêtements suffisamment amples et en tissus naturels. Il faut éviter à tout prix, les corsets, les gaines, les collants et les pantalons serrés qui entravent la libre circulation du sang. Il faut aussi apprendre à s'habiller pour couvrir élégamment la *totalité* de son corps. Des extrémités découvertes (pieds, jambes, cuisses, mains, bras, épaules, poitrine) entraînent une grande déperdition de chaleur latente et obligent le corps à se réchauffer constamment. Frissonner consciemment ou inconsciemment entraîne de la fatigue, de l'anxiété et un sentiment de misère morale et physique difficile à dissiper[62,63]. Or les bouffées de chaleur surviennent chez beaucoup de femmes au cours de situations où elles ne se sentent pas au contrôle des événements mais dans un état de dépendance mièvre. De bons vêtements confortables, chauds, bien coupés, enveloppants des pieds à la tête sont non seulement très féminins mais encore indispensables au bien-être physique et mental de la femme à la ménopause.

Phytothérapie et bouffées de chaleur

Nos sœurs méditerranéennes n'ont pas de bouffées de chaleur et il leur est impossible de nommer quelqu'un qu'elles connaissent personnellement qui en ait souffert : ni mère, ni sœur, ni tante, ni grand-mère. Bien sûr chez elles, la ménopause est naturelle. Elles conservent leur utérus et leurs ovaires jusqu'à leur mort et grâce à une stricte hygiène sexuelle et à une moralité rigoureuse, elles les conservent en bon état. Leur alimentation est à base de céréales complètes et donc abondante en vitamine E. Elles ne consomment pas d'alcool, mangent peu de sucre et ne boivent pas de lait, une riche source de leucine, un acide aminé capable de provoquer des crises d'hypoglycémie (et même d'épilepsie[64]) caractérisées par des tremblements, des étourdissements, des chaleurs et des sueurs profuses. Elles portent d'amples vêtements en coton ou en laine qui protègent leur corps de l'ardeur du soleil et leur esprit des injures des regards licencieux...

Mais il y a probablement plus. Ces femmes qui consomment très peu de viande, mangent énormément de végétaux (céréales, légumes, fruits, noix, graines, légumineuses et aromates). Or les végétaux sont des aliments riches en stérols, des composés qui comportent les précurseurs de la vitamine D (provitamine D_2 et D_3) et ceux du cholestérol. Par contre, contrairement au cholestérol d'origine animale (lait, viande, fromage, œufs, fruits de mer), les stérols végétaux aussi appelés phytostérols, abaissent les taux de cholestérol sanguins chez l'être humain, en diminuant son absorption. Ce qui nous intéresse plus particulièrement cependant, est de savoir que les stéroïdes hormonaux (œstrogènes naturels, androgènes, progestérone, glucocorticoïdes, minéralocorticoïdes) sont des dérivés des phytostérols. En 1981, un article publié dans le *Journal of Endocrinology* commençait par la phrase suivante : «On sait depuis plus de 30 ans qu'il y a dans les plantes des substances œstrogènes[65].» Ces hormones végétales imitent l'action de l'œstradiol sur l'utérus des ruminants et lorsque leur présence est trop élevée dans l'herbe d'un pâturage, elles provoquent l'infertilité. Elles sont aussi capables d'agir directement sur l'ovaire et d'augmenter la production de progestérone.

143

Ainsi, la consommation régulière et abondante de végétaux favorise chez la femme, en tout temps, une «hormonothérapie naturelle» qui, à la ménopause, favorisera l'épanouissement de sa féminité. On a pu provoquer chez des femmes ménopausées qui consommaient une alimentation riche en végétaux, une hémorragie utérine dite de privation (soit des règles artificielles comme celles que produit l'arrêt de la «pilule» à la fin du mois), en retirant d'un seul coup de leur régime tous les végétaux. Ces expériences ont indiqué que grâce à un régime intelligent, une femme pouvait avoir à tout âge dans son sang, des quantités adéquates de substances œstrogéniques. Une fois de plus, on a la preuve que la prétendue carence en œstrogènes brutale à la ménopause n'est pas une fatalité biologique, mais un phénomène culturel qui va affliger les femmes qui n'ont pas appris à se nourrir avec sagesse et intelligence de végétaux entiers.

Le Département de l'Agriculture des États-Unis a publié une liste des aliments contenant des taux appréciables de phytostérols, après avoir fait un relevé de la littérature mondiale sur cette question. (Les Japonais, en particulier, ont fait des recherches approfondies à ce sujet.) En voici, pour votre santé, votre beauté et votre bien-être, un aperçu[66].

Huiles contenant des stérols

	Stérols (mg/100 g)
Huile d'olive	232
Huile de sésame	2 950
Huile de germe de blé	1 970

Les stérols de l'huile d'olive sont très stables et résistent à une chaleur prolongée de 180° C. Le raffinage des huiles réduit leur contenu en stérols de 20 à 60 p. 100. Si celles-ci sont aussi hydrogénisées, il y aura une perte additionnelle de 20 à 40 p. 100. Les margarines sont une piètre source de stérols.

Légumes contenant des stérols

	Stérols (mg/100 g)
Asperges vertes	24
Betteraves rouges	25
Choux de Bruxelles	24
Concombre	14
Fèves germées	15
Haricots très jeunes	121
Maïs frais en épi	70
Oignon	15
Petits pois très jeunes	108
Tomate	7

Fruits contenant des stérols

	Stérols (mg/100 g)
Abricot	18
Banane	16
Figue	31
Fraise	12
Orange	24
Pamplemousse	17
Pêche	10
Poire	8
Pomme	12
Zeste de citron	35

Noix et graines contenant des stérols

	Stérols (mg/100 g)
Acajou	158
Amande	143
Graines de tournesol	534
Graines de sésame non raffinées	714
Noix de coco	47
Noix de Grenoble	108
Pécane	108

Céréales contenant des stérols

	Stérols (mg/100 g)
Farine de blé entier fraîche	69
Flocons d'avoine	58
Maïs en semoule	178
Sarrazin	198
Son de blé	154
Son de riz	1 325

Légumineuses contenant des stérols

	Stérols (mg/100 g)
Arachides	220
Haricots secs	127
Pois chiches	35
Pois secs	135
Soja	161

Aromates et fines herbes contenant des stérols

(herbes séchées)	Stérols (mg/100 g)
Ail (poudre)	8
Aneth	124
Basilic	106
Carvi	76
Céleri (graines)	60
Coriandre	46
Cumin	68
Fenouil	66
Fenugrec	140
Laurier	151
Marjolaine	60
Oignon (poudre)	87
Origan	203
Paprika	175
Rosemarin	58
Sauge	244
Thym	163

L'usage millénaire des aromates pour la toilette, l'hygiène, la beauté et l'assaisonnement des plats est certainement un geste utile et sage. Il faut cependant continuer à le poser comme autrefois, à l'ancienne mode. Les bienfaits des aromates sont liés à leur emploi quotidien et judicieux tout au long de la vie, *en petite dose*. Chercher à en faire des médicaments en les concentrant, en extrayant leurs substances actives ou en les trafiquant d'une manière ou d'une autre, est dangereux. Il est très important de respecter certaines traditions alimentaires et de ne pas véhiculer cette philosophie pernicieuse qui veut que si un peu de fines herbes est bon, beaucoup de fines herbes soit meilleur. Non. La modération, très particulièrement dans le domaine des herbes, est une règle obligatoire, si on veut en profiter pleinement. En effet, puisque les herbes et certaines plus que d'autres, comportent des substances actives très proches des hormones sexuelles, il est inutile d'en forcer la dose au risque de provoquer des excès aux conséquences graves.

Permettez-moi de vous donner ici une recette à base de sauge, un aromate très riche en stérols qui a toujours été employé comme un spécifique pour lutter contre les chaleurs et les sueurs nocturnes. C'est une soupe destinée à redonner du courage, de la force et de la beauté à toute personne fatiguée.

Soupe ravigotante

---

2 litres d'eau
12 feuilles de sauge séchée
6 gousses d'ail pilé
6 cuillères à soupe de levure alimentaire
6 cuillères à soupe de sauce de soja
4 cuillères à soupe d'huile d'olive vierge
du sel au goût

Mettre les trois premiers ingrédients dans une casserole et faire bouillir 10 minutes. Ajouter les quatre autres ingrédients. Remuer. Donner un bouillon et verser immédiatement dans des assiettes à soupe bien creuses au fond desquelles vous avez déposé deux bonnes tranches de pain de blé entier rassis. Garnir d'un peu de persil haché. Cette soupe constitue un délicieux repas du soir, rapide à faire, nourrissant et économique.

La racine de réglisse en poudre

La pharmacopée moderne doit aux herbes et plantes quelques-uns de ses médicaments les plus puissants et les plus couramment prescrits: la digoxine extraite de la digitale, une fleur; l'aspirine en provenance de l'écorce de saule; la réserpine fabriquée à partir de la racine de serpentaire. Évidemment lorsque ces simples étaient employés à la dose de quelques pincées en infusion de temps à autre, il était difficile pour eux d'entraîner des effets secondaires mesurables. Par contre, lorsque que leurs principes actifs ont été extraits, concentrés, purifiés et même synthétisés en laboratoire, leurs effets secondaires sont devenus parfois tragiques et toujours dangereux.

Depuis qu'un médecin hollandais du nom de Revers l'a redécouverte dans un vieux livre de plantes médicinales, la racine de réglisse a connu le même sort. Au lieu de l'employer sans histoire, comme autrefois, à la pointe de couteau au besoin, on en a extrait les principes actifs, l'acide glycyrrhizique dont on a fabriqué des médicaments efficaces contre la toux, et la carbénoxolone, très appréciée dans le traitement de l'ulcère gastrique car elle augmente la résistance de la muqueuse de l'estomac à l'hypersécrétion acide et facilite grandement sa cicatrisation.

Les vieux documents que nous possédons sur la réglisse nous la présente comme étant une racine expectorante, comme un aromatisant et comme un régénérateur. Un de ces usages est encore de mode: Aux États-Unis, la plus grande partie de la réglisse importée est utilisée dans l'industrie du tabac fumé et du tabac mâché pour les parfumer. Récemment, on a découvert que l'acide glycyrrhizique, un agent anti-inflammatoire, pouvait inhiber ou contrecarrer les effets dévastateurs du virus d'Epstein-Barr[67], une cause de certaines tumeurs, alors qu'une autre étude a démontré que la carbénoxolone était capable d'empêcher la réplication du virus de l'herpès simplex (HSV) et qu'elle avait un puissant effet antiviral[68]. Elle a ainsi été utilisée avec succès pour le traitement des lésions de l'herpès simplex[69] et de la balanite (inflammation du gland[70]).

Plusieurs études scientifiques ont établi que la racine de réglisse avait des propriétés semblables à celles des hormones sécrétées par les glandes surrénales, propriétés minéralocorticoïdes favorisant la rétention du sodium et l'excrétion du potassium et propriétés glucocorticoïdes, son action se rapprochant de celle du cortisol, une hormone stéroïdienne fabriquée à partir de la progestérone et se transformant en cortisone[71]. C'est donc une puissante substance anti-inflammatoire, anti-arthritique et anti-allergique[72].

On a également découvert que la racine de réglisse avait la capacité de freiner chez la femme l'excès d'androgènes qui peut se signaler par de la moustache, de l'acné, une voix grave, une apparence générale masculine, une pilosité du thorax et de la ligne blanche abdominale, une hyperthrophie clitoridienne, un blocage des cycles menstruels, l'absence d'ovulation et une aménorrhée[73]. L'usage de la racine de réglisse en poudre permet la reprise de cycles ovulatoires et de règles normales[71].

Des médecins hollandais, de Vries et ses collègues (1960), ont utilisé la réglisse dans le traitement de la maladie d'Addison[74], cette maladie débilitante causée par l'épuisement des glandes surrénales et caractérisée par une extrême nervosité, une grande irritabilité, une forte dépression, une fatigue puissante, une anxiété profonde, une faiblesse musculaire parfois extrême. Dans cet état, le moindre effort physique ou mental paraît une montagne et entraîne facilement un découragement intense, des battements de cœur accélérés, et... des chaleurs et des sueurs profuses. La prise de toutes petites quantités de poudre de réglisse, plusieurs fois au cours de la journée, placées juste sous la langue et avalées avec un peu d'eau, parce que cette plante comporte du cortisol, cette hormone qui se transforme en cortisone que sécrète normalement les surrénales, permet de lutter efficacement contre ces symptômes qui sont aussi, hélas! trop souvent, ceux que subissent les femmes au cours de leur ménopause sous l'effet des stress qu'elles connaissent ou ressentent.

La racine de réglisse lorsqu'elle est bouillie, cuite et concentrée, peut entraîner chez certaines personnes probablement génétiquement prédisposées, parce qu'elle est une source des hormones surréaliennes, les minéralocorticoïdes, un excès de sodium et une perte importante de potassium qui se manifesteront par de l'hypertension et de la faiblesse musculaire. Ce phénomène se produit en général chez des personnes qui suivent des régimes pour maigrir pauvres en calories (moins de 1 700 calories par jour) ou trop riches en sel ou encore qui utilisent des diurétiques[75].

La prise de réglisse en poudre ne comporte pas d'effets secondaires si elle se fait dans le cadre d'un régime normal en sel (pas plus de 3 à 5 g par jour), suffisant en calories et adéquat en potassium grâce à une consommation abondante de fruits et de légumes frais. Les besoins en potassium sont de 1 800 à 5 600 mg par jour.

Bonnes sources de potassium[76]

1 banane moyenne	550 mg
1 verre de jus d'orange frais	400 mg
1 grosse pomme de terre au four	782 mg
1 pomme de terre moyenne en robe des champs	407 mg
1 tasse de carottes cuites	344 mg
1 avocat moyen	1 208 mg
¼ melon cantaloup	251 mg

Ainsi nous pouvons répondre à notre question: Est-il possible d'avoir si chaud? Certes, c'est possible et vous connaissez maintenant les causes habituelles de ce phénomène qui est devenu bien à tort, le symptôme cardinal et le plus détesté de la ménopause en Occident. Fort heureusement, un régime riche en céréales complètes bien cuites, dépourvu de sucres et de farines raffinés ainsi que de café, l'usage judicieux de la vitamine E et de la racine de réglisse en poudre, constituent des armes efficaces et souvent indispensables tout particulièrement pour les femmes qui ont subi des opérations qui ont affecté leur utérus et son cycle. Mais, il faut par dessus tout, garder votre sang-froid! Les bouffées de chaleur ne sont nullement un signe de décrépitude. Elles peuvent tout simplement vous signaler que vos vêtements ne sont pas adéquats: Ils sont trop serrés, trop courts, trop décolletés. Elles peuvent aussi vous crier que votre thermostat est trop élevé. Apprenez à vivre à 19°C. Ouvrez vos fenêtres. Gonflez vos poumons d'air frais. Buvez de l'eau froide en abondance et... souriez! La vie commence à 40 ans! Elle commence aussi à 50 ans et à 60 ans...

En fait, la vie commence au moment même où, par la grâce de Dieu votre Créateur, vous prenez la décision de vivre votre vie de femme en femme et non plus en gamine enchaînée par des slogans fallacieux destinés à vous faire perdre confiance en vous et en Lui. Les bouffées de chaleur ne sont pas une flétrissure. Répétez-le tout haut : La ménopause n'est pas une tare mais l'occasion providentielle d'un nouveau départ...

1. Wilbush J., What's in a name? Some linguistic aspects of the climacteric, *Maturitas*, 3: 1-9, 1981.
2. Chowdury N.R., Menopause and its problems, *J Indian Med Assoc*, 53: 16-17, 1969.
3. Lock M., Japanese experience and perceptions of menopause: a preliminary analysis, Paper presented at the 4th International Congress on the Menopause, Orlando, Fl., 1984.
4. Chowdury N.R., Menopause and its problems, *J Indian Med Assoc*, 53: 16-17, 1969.
5. Kronenberg F., Hot Flashes: Epidemiology and Physiology, *Annals of New York Academy of Sciences*, 52-81, 1991.
6. Metcalf M.G., The approach of menopause: a New Zealand study, *The New Zealand Med J*, Vol. 101, No. 841, 103-106, 1988.
7. Ibid.
8. Gannon L.R., *Menstrual Disorders And Menopause*, New York, Praeger, p. 175, 1985.
9. Kronenberg F., Hot Flashes: Epidemiology and Physiology, *Annals of New York Academy of Sciences*, 52-81, 1991.
10. Gannon L.R., *Menstrual Disorders And Menopause*, New York, Praeger, 1985.
11. Kronenberg F., Hot Flashes: Epidemiology and Physiology, *Annals of New York Academy of Sciences*, 52-81, 1991.
12. Gannon L.R., *Menstrual Disorders And Menopause*, New York, Praeger, p. 175, 1985.
13. Mc Laren H., Vitamin E In the Menopause, *British Medical Journal*, 1378-1381, Dec. 17, 1949.
14. Kronenberg F., Hot Flashes: Epidemiology and Physiology, *Annals of New York Academy of Sciences*, 52-81, 1991.
15. Le Pors P., Tschupp M.J., de Queiroz D., Grosbois B., Lemoine H., Grall J.Y., Grossesse gémellaire après ménopause iatrogène, *J Gynecol Obstet Biol Reprod*, 16: 617-620, 1987.
16. Dunham A., Premature menopause: three teenage cases, *The British Journal of Clinical Practice*, Vol. 41, No. 10, 978-979, October 1987.
17. Chimbira T.H.K., Kasule J., Premature Menopause, *The Central African Journal of Medecine*, Vol. 33, No. 10, 235-239, October 1987.
18. Maiti Kumar Samio, Menopause at 23 years, *J Indian M A*, Vol. 85, No. 5, 5-6, May 1987.
19. Wolfe C.D.A., Stirling R.W., Premature menopause associated with autoimmune ooparitis. Case report. *British Journal of Obstetrics and Gynecology*, Vol. 95, 630-632, June 1988.

20. Rabinowe S.L., Ravnikar V.A., Dib S.A., George K.L., Dluhy R.G., Premature menopause: monoclonal antibody defined T lymphocyte abnormalities and antiovarian antibodies, *Fertility and Sterility*, Vol. 51, No. 3, 450-453, March 1989.
21. Starenkyj D., *L'adolescent et sa nutrition*, Orion, Québec, p. 146, 1989.
22. Corea G., *The Hidden Malpractice*, Jove/HBJ Book, New York, 1977.
23. Bachman G.A., Sexual Issues at Menopause, *Annals of New York Academy of Sciences*, 87-91, 1991.
24. Menon R.K., Okonofua F.E., Agnew J.E., Thomas M., Bell J., O'Brien P.M.S., Dandona P., Endocrine And Metabolic Effects Of Simple Hysterectomy, *Int J Gynaecol Obstet*, 25: 459-463, 1987.
25. Porter C.W., Hulka J.F., Female sterilization in current clinical practice, *Family Planning Perspectives*, 6: 30-38, 1974.
26. Barglow P., Pseudocyesis and psychiatric sequelae of sterilization, *Archives of General Psychiatry*, 11: 571-580, 1964.
27. Meyer P., *Physiologie humaine I*, Flammarion Médecine-Sciences, p. 359, 1977.
28. Ibid.
29. Starenkyj D., *Le mal du sucre*, Orion, Québec, p.51-54, 1990.
30. Katovich M.J., Simpkins J.W., Effect of Hyperglycemia on the Development of a Flush Response in an Animal Model for the Menopausal Hot Flash, *Annals New York Academy of Sciences*, 433-435, 1991.
31. Simpkins J.W., Katovich M.J., Hypoglycemia Causes Hot Flash in Animal Models, *Annals New York Academy of Sciences*, 436-437, 1991.
32. Starenkyj D., *Le mal du sucre*, Orion, Québec, p. 35-41, 1990.
33. Christy C.J., Buffalo N.Y., Vitamin E in Menopause, Preliminary Report of Experimental and Clinical Study, *Am J Obst and Gynecol*, 50: 84-87, 1945.
34. *Novak's Textbook of Gynecology*, Williams and Wilkins, Baltimore, 1944.
35. Ferguson H.E., The Use of Vitamin E in the Menopausal Syndrome, *Virginia M Month*, 75: 447, 1948.
36. Rubenstein B.B., Vitamin E Diminishes the Vasomotor Symptoms of Menopause, *Fed Proc*, 7: 106, 1948.
37. Finkler R.S., The Effect of Vitamin E in the Menopause, *J Clin Endocrinol*, 9: 89, 1949.
38. Mc Laren H.C., Vitamin E in the Menopause, *Brit M J*, 2: 1378, Dec 17, 1949.
39. Vitamin E Therapy, Editorial, *Brit M J*, 2: 1399, Dec 17, 1949.
40. Perloff W.H., Treatment of the Menopause, *Am J Obst and Gynecol*, 58: 684, 1949.
41. Kavinoky N.R., Vitamin E and the Control of Climacteric Symptoms: Report of Results in 171 Women, *Ann West Med and Surg*, 4: 27, 1950.
42. Sikkema S.H., Menopausal Syndrome Treated with Alpha-Tocopherol: Report of 2 Cases and Review of the Literature, *Rocky Mountain M J*, 48: 505, 1951.
43. Blatt M.H.G., Wiesbader H., Kupperman H.S., Vitamin E and Climacteric Syndrome, Failure of Effective Control as Measured by

Menopausal Index, *AMA Archives of Internal Medecine*, 792-799, 1953.

44. Evans H.M., Bishop K.S., Relations between Fertility and Nutrition, *JI Metab Res*, 1: 319-356, 1922.
45. Starenkyj D., *Le bébé et sa nutrition*, «Pour faire un beau bébé», p. 57-94, Orion, Québec, 1990.
46. Bresse G., *Morphologie et Physiologie animales*, p. 534, Larousse, 1968.
47. Ibid. p. 539.
48. Mc Intosh G.H., Vitamin E and Human Health: is our diet adequate? *The Medical Journal of Australia*, Vol. 150, 607-608, 1989.
49. Gey K.F., Brubacher G.V., Strahelin H.B., Plasma levels of antioxidant vitamins in relation to ischaemic heart disease and cancer, *Am J Clin Nutr*, 45: 1368-1377, 1987.
50. Krause M.V., Hunscher M.A., *Nutrition et diétothérapie*, p. 103, Les Éditions HRW Ltée, Québec, 1978.
51. Vitamin E and Cell Injury, *Nutrition Reviews* Vol. 46, No. 3, 136-137, March 1988.
52. Packer L., Protective role of vitamin E in biological systems, *Am J Clin Nutr*, 53: 1050S-5S, 1991.
53. Meyer P., *Physiologie humaine* I, Flammarion Médecine-Sciences, p. 42-43, 1977.
54. *Journal of Reproductive Medicine* 28, 446-64, July 1983.
55. Yoskikawa T., Tanaka H., Kondo M., Effect of vitamine E on adjuvant arthritis in rats, *Biochem Med* 29, 227-34, 1983.
56. Machtey I., Ouaknine L., Tocopherol in osteoarthritis: a controlled pilot study, *J Am Geriatr Soc*, 26: 328-30, 1978.
57. Blankenhorn G., Clinical efficacy of spondyvit (vitamin E) in activated arthroses. A multicenter, placebo-controlled, double-blind study, *Z Orthrop*, 124: 340-3, 1986.
58. Finkler R.S., The Effect of Vitamin E in the Menopause, *J Clin Endocrinol* 9: 89-94, 1949.
59. Shute E., Wheat Germ Oil Therapy, *Am J Obst and Gynecol*, 35: 249-255, 1938.
60. Kronenberg F., Hot Flashes: Epidemiology and Physiology, *Annals of New York Academy of Sciences*, 52-81, 1991.
61. Meyer P., *Physiologie humaine* III, Flammarion Médecine-Sciences, p. 1291, 1977.
62. Starenkyj D., *Le bébé et sa nutrition*, «Comment dois-je m'habiller?» p. 82-86, *Québec, Orion*, 1990.
63. Starenkyj D., *L'enfant et sa nutrition*, «Qu'ils jouent dehors mais...» p 27-30, *Québec, Orion*, 1988.
64. Thrash A., Thrash C., *Les hommes malades des bêtes*, p. 93, *Québec, Orion*, 1984.
65. Kaplanski O., Shemesh M., Berman A., Effects of Phyto-Oestrogens on Progesterone Synthesis by Isolated Bovine Granulosa Cells, *J Endocr*, 89: 343-348, 1981.
66. Weihrauch J.L., Gardner J.M., Sterol content of foods of plant origin, *J Am Diet Ass*, 73: 39-47, July 1978.
67. Tsuda H., Okamoto H., Elimination of metabolic cooperation by glycyrrhetinic acid, an anti-tumor promoter, in cultured Chinese hamster cells, *Carcinogenesis*, Vol. 7, No. 11, 1805-1807, 1986.

68. Dargan D.J., Subak-Sharpe J.H., The Effect of Triterpenoid Compounds on Uninfected and Herpes Simplex Virus — infected Cells in Culture — II. DNA and Protein Synthesis, Polypeptide Processing and Transport, *J gen Virol*, 67: 1831-1850, 1986.

69. Bank S., Carbenoxolone sodium gel in the treatment of herpes febrilis, *S Afr med J*, 45; 596, 1971.

70. Csonka G.W., Murray M., Clinical evaluation of carbenoxolone in halanitis, *Br J Vener Dis*, 47: 179, 1971.

71. Tamaya T., Sato S., Okada H.H., Possible mechanism of steroid action of the plant extracts glycyrrhizin, glycyrrhetinic acid, and paeoniflorin: Inhibition by plant herb extracts of steroid protein binding in the rabbit, *Am J Obstet Gynecol*, Vol. 155, No. 5, 1134-1139, November 1986.

72. Tangri K.K., Seth P.K., Parmar S.S., Bhargava K.P., Biochemical study of anti-inflammatory and anti-arthritic properties of glycyrrhetic acid, *Biochem Pharmacol*, 14: 1277, 1965.

73. Meyer P., *Physiologie humaine* I, Flammarion Médecine-Sciences, p. 363, 1977.

74. de Vries L.A., Holt S.P., van Daatselaar J.J., Mulder A., Borst J.G.G., Characteristic Renal Excretion Patterns in Response to Physiological, Pathological and Pharmacological Stimuli, *Clinica Chim Acta* 5: 915, 1960.

75. Achar K.N., Abduo T.J., Menon N.K., Severe Hypokalemic Rhabdomyolysis Due To Ingestion Of Liquorice During Ramadan, *Aust NZ I Med*, 19: 365-367, 1989.

76. *Handbook of the Nutritional Contents of Foods*, The United States Department of Agriculture, Dover Publications, Inc, New York, 1975.

7

Les problèmes sexuels de la ménopause

L'hormonothérapie substitutive de la ménopause devait, dès ses tout débuts, susciter une controverse qui bien qu'étouffée, n'en a pas été moins vive. Décidé à évaluer le bien-fondé de la prescription de ces nouvelles préparations à base d'hormones à prix modéré, un médecin obstétricien-gynécologue, J.C. Donovan, qui possédait aussi une spécialité en psychiatrie, se proposa en 1950 d'interviewer dans son cabinet 110 femmes péri-ménopausées. Permettant à chacune de ses patientes de s'exprimer librement dans une atmosphère parfaitement détendue, dépourvue de tout stress et de toute interférence en provenance de l'extérieur, il leur accorda une oreille attentive et beaucoup de sympathie; mais il refusa de manifester un intérêt particulier pour un quelconque de leurs «symptômes».

Bientôt le Dr Donovan put affirmer que ces femmes qui approchaient de la ménopause, recherchaient de l'aide médicale parce qu'elles étaient non malades mais anxieuses et elles utilisaient les soi-disant symptômes de la ménopause pour attirer l'attention de leur entourage et verbaliser leur angoisse. Elles parlaient de bouffées de chaleur, de sueurs, d'insomnie parce qu'elles avaient appris qu'à l'énumération de ces problèmes, leur médecin poserait un diagnostic de ménopause, écrirait une prescription d'hormones et leur promettrait une amélioration instantanée de leur état. Pour preuve de ses affirmations, le Dr Donovan, dans son article adressé aux gynécologues américains[1], avance «un fait curieux»: Alors que les rendez-vous se succédaient, les patientes changeaient leurs plaintes, et les misères décrites la première fois n'étaient plus mentionnées; et le docteur Donovan d'expliquer que c'est influencées par l'attitude de leurs anciens médecins, qu'elles avaient placé tant d'importance sur leurs symptômes ménopausiques, car ce n'était que dans la mesure où elles se plaignaient d'une chose précise qu'elles avaient réussi à capter leur attention.

En réalité le Dr Donovan s'opposait complètement à la théorie de la carence en œstrogènes à la ménopause et refusait l'hormonothérapie de substitution. Selon lui, il insiste sur ce fait, le syndrome ménopausique était un «artifice clinique» car les patientes en besoin d'aide se saisissaient d'une anomalie anatomique fortuite ou d'une sensation passagère, l'exagéraient, se mettaient à en parler pour attirer l'attention ou l'utilisaient comme une expression non verbale de leur détresse. Les médecins conduits par leurs préjugés, suggéraient souvent eux-mêmes et les symptômes et le diagnostic à la simple description de leurs malaises. Les médecins étaient donc les grands responsables de la montée en flèche des cas de syndrome ménopausique.

Donovan, pour sa part, par une indifférence volontaire et calculée, avait indiqué à ses patientes que leurs symptômes avaient peu d'importance pour lui. Il avait ainsi pu les déconditionner et bientôt celles-ci cessèrent de grossir leurs sensations de chaleur jusqu'à les transformer en bouffées et en sueurs insupportables. Le Dr Donovan ne craignait donc pas de s'opposer au traitement hormonal des problèmes de la ménopause car, il en avait la preuve, ils n'étaient que des «troubles du comportement» susceptibles d'être corrigés avec de la sympathie, une attitude compréhensive et une bonne relation médecin/malade.

Il est intéressant pour nous de noter ici que ces patientes qui changeaient de plaintes d'une visite à l'autre, les anciens maux se guérissant sans traitement et les nouveaux qui surgissaient disparaissant à leur tour avec le temps et toujours sans intervention, malgré tous les efforts déployés pour attirer et retenir l'attention du Dr Donovan, n'ont jamais parlé de problèmes sexuels.

Évidemment, les symptômes tout comme les mots sont sujets à la censure d'une culture donnée, et au début des années 50, les femmes n'avaient pas encore été influencées par les médias au point d'étaler sans gêne les détails de leur vie intime.

Cela fait maintenant plus de 40 ans que l'on prêche et impose par le biais de la télévision notamment, l'abandon des conventions que la pudeur exigeait autrefois. On a ainsi réussi à implanter une convention sociale inverse, celle de l'activité sexuelle obligatoire à tout âge, en tout temps et n'importe comment. Une fois de plus, la femme occidentale est coincée : Alors que la puissance sexuelle et l'orgasme ont été élevés au rang d'une norme arbitraire, ce standard admis par notre société comme absolument impératif, suscite maintenant dans le cœur de toute femme qui mûrit une peur sociale de ne plus être à la hauteur des exigences tyranniques d'une culture libidineuse. Ne se définissant plus, depuis déjà plusieurs décennies, comme une épouse et une mère mais comme une partenaire sexuelle, la femme occidentale, dès la trentaine, se met à redouter le vieillissement sexuel. Alors qu'ailleurs ce phénomène, s'il devait survenir, est largement contrebalancé par des avantages sociaux importants, la femme âgée étant honorée par ses enfants et entourée de beaucoup de respect par les jeunes femmes, en Occident, la femme ménopausée touche souvent au terme de sa reconnaissance sociale.

Endeuillée par sa jeunesse envolée, dans un état de stress véritable, elle se penche alors et se concentre sur ce qu'elle perçoit être les ravages du temps, la perte réelle, concrète et sans retour de sa féminité, la preuve d'une carence fatale en œstrogènes. Ainsi si la femme occidentale ménopausée se plaint à haute voix de bouffées de chaleur insupportables, elle consulte en réalité très souvent pour un autre symptôme, encore plus débilitant pour elle, la sécheresse vaginale.

Or tout comme les bouffées de chaleur, ce problème semble répondre immédiatement et d'une manière satisfaisante à la prescription hormonale. D'ailleurs on reconnaît aujourd'hui en médecine que la sclérose atrophique vaginale est, outre les bouffées de chaleur, «le seul autre symptôme (de la ménopause) qui semble traitable avec des œstrogènes[2]».

Cependant là encore, tout comme pour les bouffées de chaleur, les études cherchant à démontrer une relation de cause à effet entre la carence en œstrogènes et la sécheresse vaginale, le prurit (démangeaisons), les douleurs apparaissant au cours de la relation sexuelle (dyspareunie) et le rétrécissement du vagin très expansif pendant la vie fertile pour permettre le passage d'un bébé de plusieurs kilos, sont loin d'être concluantes et certaines sont carrément contradictoires.

En 1978, Larsson-Cohn et ses collègues ont noté que 40 p. 100 de leurs patientes recevant des hormones n'expérimentaient aucune amélioration alors que Giola et ses collègues ont affirmé en 1980 que seuls des dosages relativement élevés d'œstrogènes par voie orale amélioraient l'état du vagin[3]. Pour d'autres chercheurs, ce problème n'a pas besoin d'œstrogènes pris par la bouche mais il répond à une administration vaginale, sous forme de crème ou de suppositoire, d'œstrogènes en petites doses et pendant une courte période de temps[4].

Les tissus du vagin et de l'urètre sont des tissus hormono-dépendants qui connaissent tout comme l'utérus un cycle au cours duquel ils sont soumis à des modifications spécifiques sous l'influence du cycle ovarien. Ainsi, alors que le taux d'œstrogènes varie et tour à tour s'élève et s'abaisse, les sécrétions vaginales sont plus ou moins abondantes, l'irrigation sanguine des vaisseaux est plus ou moins forte, la couche muqueuse plus ou moins épaisse et le pH plus ou moins acide; mais tout cela reste normal et ne soulève aucun problème pour peu que la femme s'abstienne de relations sexuelles pendant ses menstruations.

On sait qu'à la cessation des cycles utérin et ovarien, la femme ménopausée peut maintenir un taux d'œstrogènes très voisin de celui qu'elle avait au cours de la première phase de son cycle ovarien soit 5 à 15 microgrammes par 24 heures[5]. Il n'y a donc aucune raison qu'elle souffre à ce moment-là de plus de troubles vaginaux que pendant sa vie fertile. Pourtant, dans les dix ans qui suivent la ménopause, il peut s'installer chez environ 25 p. 100 des femmes une atrophie grave des tissus vaginaux, atrophie qui touchera 37 p. 100 des femmes 10 ans après la ménopause[6].

Ces femmes souffrent alors de sécheresse vaginale et d'une réduction de la couche muqueuse du vagin qui devient très fragile : durcie, desséchée, amincie, elle saigne et s'infecte au moindre contact. Le manteau acide qui naturellement recouvre le vagin assure à celui-ci une protection contre les infections microbiennes. Alors que la muqueuse vaginale perd de son épaisseur, elle perd aussi un grand nombre de cellules destinées à maintenir un pH très acide. Devenue trop alcaline, elle est le lieu de prédilection de nombreuses infections accompagnées de démangeaisons et d'affections dermatologiques comme le kraurosis et le lichen.

Ces changements physiques, bien sûr, vont entraîner une cascade de symptômes : pertes vaginales, saignements à la suite d'une relation, contractions anormales et douloureuses des muscles vaginaux gênant ou empêchant les rapports sexuels (vaginisme), douleurs apparaissant au cours de la relation (dyspareunie), sensations de lourdeur dans le pelvis ou de pression, sentiment que tous les organes vont tomber hors du vagin. Au fur et à mesure qu'ils s'aggraveront, ces symptômes pénibles et débilitants vont affecter profondément la femme dans sa vie sexuelle. Évidemment, un tel état chez la femme ne peut pas manquer de troubler son partenaire qui réagira généralement en se désintéressant d'elle ou en devenant impuissant. L'atrophie du vagin peut, chez un petit nombre de femmes, se doubler d'une atrophie de l'urètre qui se manifestera par le besoin d'uriner très fréquemment, l'incapacité de se retenir et des irritations urinaires.

Les causes des problèmes sexuels

Un article médical daté de 1949 déclarait : « Une étude récente sur les conséquences qu'une ménopause survenant à la suite d'une thérapie au radium pouvait provoquer sur les fonctions sexuelles, a entraîné la conviction qu'une telle ménopause (artificielle ou iatrogène) conduisait de nombreuses patientes à la perte rapide de leur désir sexuel normal et de leur capacité d'atteindre l'orgasme[7]. » L'auteur de cette déclaration remarque en plus que les lésions séniles des tissus génitaux, le prurit et les infections sont très courantes après une ménopause artificielle.

En 1988, un autre article médical faisait remarquer que les changements vaginaux, chez certaines femmes, sont totalement imperceptibles alors que chez d'autres, ils sont plutôt rapides et graves. Je cite: «Les femmes post-ménopausées qui vont fort probablement expérimenter ces changements dramatiques sont les femmes qui ont eu une ménopause soudaine, à la suite d'une castration chirurgicale, d'une irradiation ou du syndrome inflammatoire pelvien (SIP)[8].»

Plus près de nous encore, un article paru en janvier 1991, parle d'hystérectomie et affirme que cette opération a des effets négatifs sur la fonction sexuelle de nombreuses femmes. Elle l'affecte directement en provoquant la sécheresse vaginale, le rétrécissement ou le raccourcissement du vagin, des lésions cicatricielles et une diminution des sensations vaginales. Et l'auteur de cet article spécialisé sur les problèmes sexuels de la ménopause d'affirmer que tous les problèmes post-ménopausiques ne peuvent pas être reliés à une carence hormonale parce qu'ils sont très souvent la conséquence de problèmes de santé chroniques comme le cancer, l'arthrite et les troubles coronariens, d'une mauvaise forme physique ou d'opérations chirurgicales antérieures. Bien entendu, ils peuvent aussi être tout simplement la continuation de problèmes sexuels qui n'ont jamais été réglés ou encore surgir à la suite de problèmes sexuels survenant ou présents chez le partenaire[9].

Les traitements des problèmes sexuels

Pour le Dr Mc Laren des doses massives de vitamine E, quoique lentement, vont guérir à coup sûr les lésions séniles et les érosions rouges dans le vagin des femmes ménopausées à la suite d'une thérapie au radium. En 4 à 12 semaines, on pourra constater un assouplissement remarquable de la vulve, puis une diminution des démangeaisons et finalement une guérison presque complète qui se maintiendra après la fin du traitement pendant un an d'observation. Le Dr Mc Laren conclut son étude en affirmant que la vitamine E n'est pas un aphrodisiaque et qu'elle n'augmente pas le désir sexuel. Cependant elle soulage les douleurs qui surviennent au cours de la relation sexuelle en guérissant les lésions séniles du vagin et elle conserve ou redonne la souplesse à la vulve. La vitamine E exerce aussi une influence bénéfique sur l'urètre et permet la régénération de ses tissus. Pour le Dr Mc Laren, la vitamine E peut remplacer les œstrogènes naturels et le stillbœstrol (un œstrogène de synthèse) dans le contrôle des symptômes de la ménopause «car même si seulement 60 p. 100 des cas répondent favorablement», on évite l'inquiétude des hémorragies utérines et les risques de cancer[7].

Pour le Dr Brenner qui a observé que les problèmes sexuels de la ménopause surviennent plus particulièrement et plus gravement chez des femmes qui ont eu une ménopause chirurgicale ou encore qui ont attrapé une MTS particulièrement dangereuse pour l'avenir féminin de la femme, soit le syndrome inflammatoire pelvien (SIP), la solution est de toutes petites doses d'œstrogènes, sur une courte période de temps (2 à 12 semaines), prises quotidiennement soit par la bouche, ou le vagin ou les muscles ou sous la langue, ou à travers la peau. Cela n'a pas vraiment d'importance. Lorsque l'état du vagin est à nouveau satisfaisant, les œstrogènes pourront n'être pris qu'à l'occasion, deux à trois fois par semaine.

Peu de femmes ménopausées mesurent l'impact réel des infections vaginales acquises au cours de leur jeunesse, sur la santé de leur vagin. Par exemple, la vaginite à *Candida albicans* est particulièrement dommageable car, d'une part, la levure détruit les cellules du mur vaginal, produit une décharge, cause des démangeaisons et une sensation de brûlure, et, d'autre part, les médications utilisées pour attaquer la levure endommagent elles aussi, les cellules vaginales. Ainsi, le mur vaginal s'amincit, perd de son élasticité et sa lubrification naturelle. Sa reconstruction, une fois l'infection guérie, peut prendre plusieurs semaines au cours desquelles l'abstinence est obligatoire au risque d'avoir des douleurs intenses qui ne manqueront pas d'entraîner une inhibition sexuelle non seulement chez la femme mais aussi chez son partenaire. Ces infections vaginales étant très souvent à répétition, surtout si on continue à ignorer les règles d'hygiène élémentaires, elles peuvent endommager de façon permanente le vagin[10,11].

Pour Bachman, une femme, auteur du troisième article cité plus haut, la solution aux problèmes sexuels de la ménopause réside dans l'apaisement de l'anxiété que tant de femmes ressentent à cette époque de leur vie. L'hystérectomie simple qui a préservé les ovaires entraîne pour beaucoup de femmes une diminution de leur désir sexuel (libido) et de leur capacité d'atteindre au paroxysme. La perte des ovaires ajoute au problème car l'ovaire ménopausé continue à produire des androgènes. Or ce sont les androgènes qui donnent à la femme la joie de vivre et le désir sexuel après la ménopause[12].

C'est ainsi que beaucoup de femmes ménopausées se retrouvent sans désirs face à un partenaire qui lui aussi, pour diverses raisons, peut présenter des troubles. Elle, souffre de sécheresse vaginale mais lui, n'arrive plus à maintenir une érection normale. Alors que cela fait 20 ou 30 ans qu'ils s'aiment ainsi, ils ne possèdent plus ni l'un ni l'autre ce qu'il faut pour continuer; d'où une anxiété croissante qui peut rapidement déboucher sur le rejet de l'autre car on croit qu'il n'aime plus... Certains thérapeutes voudraient apprendre aux couples âgés ce qu'on appelait autrefois carrément des perversions sexuelles et les leur présenter comme une alternative correcte et satisfaisante à la relation hétérosexuelle basée sur le don de soi, relation qui permet à l'homme de conquérir avec fierté et à la femme de s'abandonner avec délices... Pour la majorité des couples, cette suggestion de modifier leur activité sexuelle dans le sens de la perversion ne fait qu'augmenter leur angoisse, approfondir leur piètre estime de soi et précipiter leur aliénation.

Il est temps de libérer le couple d'âge moyen et avancé de la tyrannie du sexe à tout âge, à tout prix. Il doit comprendre qu'il peut, et qu'il est bienséant, tout comme les couples fidèles et chastes d'autrefois, maintenant qu'il ne veut plus et qu'il ne peut plus se reproduire, de tout simplement s'abandonner aux gestes émouvants de l'affection, de la tendresse et de l'intimité qui sont le privilège éternel des véritables amoureux.

Les solutions aux problèmes sexuels de la ménopause sont donc, selon certaines études anciennes et récentes, la vitamine E en dosages assez élevés, soit entre 30 et 100 unités internationales par jour, pendant plusieurs mois; les œstrogènes en toutes petites doses, de préférence sous forme de crème vaginale pendant une courte période de temps; une psychothérapie dont le but sera de soulager la femme et l'homme de leur anxiété.

En fait, l'hormonothérapie substitutive telle qu'elle est recommandée pour le traitement des problèmes sexuels de la ménopause par le concept biomédical, car il considère ce phénomène naturel et universel comme une maladie de carence en œstrogènes, n'a pas soutenu une investigation scientifique objective. Les œstrogènes, s'ils corrigent rapidement et d'une façon souvent dramatique la sécheresse vaginale, l'atrophie des tissus génitaux et la douleur ressentie au cours des rapports, n'augmentent pas le désir sexuel, et pour certaines femmes, ils le diminuent encore plus[13].

Or, très souvent, c'est la perte du désir sexuel qui effraie le plus la femme, celui-ci pouvant survenir en dehors de tout problème vaginal. C'est pourquoi, les placebos, certaines mesures d'hygiène qui consistent à mettre résolument de côté les savons parfumés, les huiles de bain parfumées, les serviettes sanitaires parfumées, le papier hygiénique coloré et parfumé, les poudres et les déodorants vaginaux ainsi que les sous-vêtements serrés en tissus synthétiques, l'habitude bi-quotidienne d'une aspersion d'eau froide de 30 à 40 secondes sur le périnée et l'usage de simples lubrifiants vaginaux solubles à l'eau, peuvent, tout autant et avec infiniment moins de dangers que les œstrogènes, corriger la sécheresse vaginale et les douleurs ressenties au cours de la relation et par le fait même, augmenter le désir sexuel[14].

En réalité, si l'on veut traiter les problèmes sexuels de la ménopause avec des hormones, et plus particulièrement la perte du désir sexuel, il va falloir se tourner vers les androgènes qui ont pour effets secondaires une acné, une peau grasse et un hirsutisme (apparition de poils sur le visage et la poitrine) qualifié par ceux qui les prescrivent de «léger» avec le commentaire suivant: «La plupart des patientes trouvent que les effets bénéfiques d'une telle thérapie dépassent largement ses inconvénients[14].» Une étude datée de 1990 affirme que même le rôle des œstrogènes sur le maintien de l'intégrité vaginale quoique bien établi cliniquement, a été contesté en faveur de la testostérone, l'hormone mâle[15]. D'autres études très rigoureuses ont démontré que les œstrogènes n'avaient pas d'effets sur les différents aspects de l'activité sexuelle. Les effets enregistrés lors de la prescription hormonale pouvaient ainsi être assimilés à ceux d'un placebo[15]: On croit que l'on a des problèmes parce qu'on manque d'œstrogènes; on reçoit des œstrogènes et l'on est convaincu que tout va rentrer dans l'ordre. La foi dans le succès certain du traitement est suffisante pour provoquer une amélioration ou même une disparition des symptômes.

De plus, toutes les études qui se penchent sur les problèmes sexuels de la ménopause tracent une nette différence entre les femmes ayant eu une ménopause naturelle et celles ayant eu une ménopause artificielle chirurgicale. Ce sont ces dernières qui, privées de leur utérus, souffrent le plus de sécheresse vaginale, et ce sont les femmes privées de leurs ovaires et donc de leur apport naturel en androgènes qui se plaignent le plus de la perte du désir sexuel[13].

Il faut arriver à tirer tout cela au clair. Nous avons déjà signalé que les femmes occidentales, dans une très grande proportion, perdent leur désir sexuel à la ménopause alors que les femmes méditerranéennes le voient souvent augmenter et rarement diminuer. Dans leur besoin et leur envie de plaire à leurs maris et d'avoir encore un enfant, ces femmes multiplient les rapports sexuels. Or, fait très intéressant, plusieurs études occidentales ont démontré que le maintien de relations sexuelles régulières (une à deux fois par mois[16]) était probablement le meilleur préventif de la sécheresse et de l'atrophie vaginales[17]. En effet, les femmes heureusement mariées qui ont une vie sexuelle épanouie avec leur mari, ont une santé vaginale de beaucoup supérieure aux femmes du même âge qui n'ont pas ou qui n'ont plus ce privilège[18]. Ces femmes ont aussi une meilleure santé mentale — elles font moins d'anxiété et de dépression — et selon certaines recherches qui commencent à confirmer ce que la croyance populaire, la pratique vétérinaire et l'enseignement biblique ont toujours affirmé, ce phénomène pourrait être relié au fait qu'une femme fidèle est peu à peu imprégnée et donc transformée par son mari grâce à l'absorption vaginale des prostaglandines contenues dans son sperme[18].

Les prostaglandines du sperme ont un effet à la fois stimulant et calmant et sont responsables, entre autres, des contractions puis de la relaxation de l'utérus. Après avoir été absorbées par l'utérus, elles passent dans le courant sanguin pour être éliminées ensuite dans des proportions de 20 à 50 p. 100 dans l'urine de la femme[19]. La croyance populaire a longtemps véhiculé l'idée qu'un mariage antérieur avait de l'influence sur les enfants d'un mariage subséquent de telle sorte qu'une femme deux fois mariée pouvait avoir de son second mari des enfants qui ressemblent au premier. La médecine vétérinaire parle d'imprégnation, de cette influence exercée par une première fécondation sur les produits des fécondations ultérieures par d'autres géniteurs. Dans l'élevage des chevaux ou des chiens de race, on tient compte avec beaucoup de sérieux de ce phénomène biologique car on est convaincu qu'une chienne de race, par exemple, est complètement perdue quand elle a été fécondée, ne serait-ce qu'une seule fois, par un chien d'espèce commune, car alors ses portées rappelleront toujours l'animal de race inférieure avec lequel elle aura été accouplée. L'enseignement chrétien affirme: «Ainsi, ils ne sont plus deux, mais ils sont une seule chair. Que l'homme ne sépare donc pas ce que Dieu a joint[20].» L'union sexuelle d'un homme avec une femme vierge donne à celle-ci une nouvelle identité qu'elle devrait jalousement protéger afin que personne d'autre ne vienne la brouiller. Cette réalité biologique devrait aussi amener la femme à choisir avec beaucoup de soin celui qui la transformera afin qu'elle puisse en être fière.

Beaucoup de femmes au cours des 20 ou 30 dernières années, ont décidé de ne pas se marier et ont préféré mener, souvent dès leur adolescence, une vie sexuelle active au hasard de leurs rencontres. Ce vagabondage qui pouvait leur sembler intéressant alors qu'elles étaient jeunes, devient pénible quand on n'a plus vingt ans... Elles décident alors de cesser leur poursuite de plus en plus aléatoire d'un bonheur instantané sans ancrage dans le temps. Par contre, plusieurs femmes mariées sont obligées d'arrêter leurs relations avec leurs maris car ceux-ci présentent assez tôt dans leur vie des signes d'épuisement, de désintéressement et d'incapacité sexuels. La sagesse d'autrefois enseignait: «L'adolescence doit ménager pour l'âge viril les trésors que la vie lui a transmis dans l'enfance. L'âge viril à son tour doit faire des épargnes et ne pas attendre pour mettre un terme à ses prodigalités que le fonds vital soit presque entièrement dissipé... car on paie cher le soir, les folies du matin.»

Serait-il possible que l'activité sexuelle, telle qu'elle est préconisée par toute une culture qui, avec toute la puissance de ses moyens de communication, insiste pour n'y voir qu'un geste banal qu'elle cherche à légitimer pour tous, soit en réalité une source de stress intense pour la femme et pour l'homme lorsque s'installe le climatère?

Le stress et les œstrogènes

D'après des recherches minutieuses, ce ne sont pas les taux d'œstrogènes qui affectent l'activité sexuelle de la femme et qui influencent l'état de ses organes génitaux, mais *le stress*. En effet, l'anxiété qui est une forme de stress aigu, constitue l'influence la plus puissante pour réduire la fréquence des rapports sexuels et la dépression qui est une forme de stress chronique, entraîne à coup sûr la perte du désir sexuel[21]. La sécheresse et l'atrophie vaginales ne sont alors que des conséquences secondaires à un problème beaucoup plus profond qui ne peut absolument pas être traité par la prescription hormonale car il touche au phénomène qui constitue la toile de fond de toute dépression: la perte de l'estime de soi-même définie comme étant cette juste opinion de soi que donne *une bonne conscience*[22]... Il est impossible pour un être humain d'être heureux quand il ne jouit pas de sa propre estime. Nous avons vu que les femmes ménopausées d'antan et d'ailleurs avaient une très haute opinion d'elles-mêmes parce qu'elles avaient le sentiment très net d'avoir fait leur devoir en se mariant, en étant fidèles et en ayant eu des enfants qu'elles avaient élevés afin qu'elles puissent être fières d'eux. C'était là, selon leur propre témoignage, une raison importante de la facilité et du détachement avec lesquels elles vivaient leur ménopause.

Pour la femme occidentale, la ménopause est une période de sa vie où elle subit énormément de pressions sociales, mais aussi de remords pour n'avoir pas accompli les désirs innés de son cœur de femme. Dans notre culture, la ménopause est devenue le symbole même du vieillissement car ici, la femme n'est désirable et n'a de valeur que dans la mesure où elle est jeune, pleine de vitalité et belle. C'est ainsi que la ménopause est une période où surviennent des changements majeurs: certes, la femme occidentale peut se dire que maintenant, elle n'aura plus à craindre une grossesse non désirée, qu'elle va peut-être devenir grand-mère et qu'elle va être enfin libre de poursuivre sans soucis ses activités personnelles mais, pour elle, cela fait-il le poids dans la balance quand sur l'autre plateau elle doit faire face à la perte de sa jeunesse et de son entrain, au désintérêt marqué de son entourage dans le milieu du travail et à des tensions sérieuses avec ses adolescents et son mari qui lui aussi passe à travers une crise d'identité et d'insécurité?

Ainsi, le sentiment d'être rejetée par la société et le sentiment de ne pas avoir accompli sa mission se combinent étrangement dans le cœur de la femme ménopausée et constituent des stress psychologiques extrêmement puissants qui, plus que tous les autres stress, sont capables d'affecter le système hypophyso-cortico-surrénal et d'en entraver l'activité. Quand on sait que les œstrogènes de la post-ménopause sont en grande partie d'origine surrénalienne, il semble raisonnable, selon les Drs Ballinger, Cobbin, Krivanek et Saunders, de proposer l'hypothèse suivante: à savoir que l'initiateur des symptômes du syndrome ménopausique est le stress psychosocial et le remords, car lorsqu'une femme subit un grand stress ou un long stress, la production d'œstrogènes en provenance des surrénales tombe presque à zéro[23].

Une fois de plus, l'hypothèse du modèle biomédical de la ménopause est ébranlée: Ce n'est pas la carence œstrogénique qui cause les détresses de la ménopause occidentale mais c'est le stress psychosocial et le remords qui causent et la carence en œstrogènes et les symptômes divers de ce syndrome désolant. La physiologie enseigne depuis longtemps que les œstrogènes produits à partir de l'androstènedione, un androgène d'origine surrénalienne, quoiqu'en quantité moindre que les œstrogènes ovariens, sont suffisants pour répondre aux besoins d'une femme qui a cessé sa vie fertile, pour peu qu'elle ne subisse pas de stress majeurs. Les signes visibles d'un stress qui nous ronge, parfois même à notre insu, sont: un esprit abattu, des sentiments de culpabilité, de l'insomnie, une perte de la productivité et des hauts et des bas imprévisibles d'une journée à l'autre.

Lorsque l'on compare un groupe de femmes subissant peu de stress à un groupe de femmes subissant beaucoup de stress, on peut mesurer chez ces dernières des taux d'œstrogènes beaucoup plus bas que chez les premières. Puis, alors que des femmes ménopausées très stressées guérissent de leurs stress, on peut observer que leurs taux d'œstrogènes s'élèvent pour atteindre peu à peu les taux normaux de la première phase du cycle ovarien en période fertile. La théorie biomédicale de la ménopause est donc mise au défi car on sait très bien que la thérapie hormonosubstitutive ne corrige pas la dépression. C'est le stress qui abaisse le taux d'œstrogènes et non la carence en œstrogènes qui cause la dépression[23].

On a aussi pu établir que la certitude d'une amélioration pouvait très fortement affecter la production d'œstrogènes. Des femmes souffrant d'atrophie vaginale à qui l'on prescrit un placebo (un médicament inerte) avec la promesse que leur problème va être corrigé, connaissent une puissante amélioration de leur état[24]. On leur a affirmé que leur problème sexuel va être corrigé. Le stress qu'il leur causait se dissipe, permettant immédiatement une élévation marquée de leur taux d'œstrogènes...

Dans cette optique, on peut comprendre pourquoi la sécheresse vaginale et l'atrophie du vagin et de l'urètre surviennent principalement chez les femmes qui ont eu une ménopause artificielle, qui ont souffert de MTS ou qui ont subi une hystérectomie. Ces problèmes sont perçus par la femme comme des agressions et ils sont ainsi une source de stress intense qui va obligatoirement diminuer la production d'œstrogènes et donc altérer l'intégrité de ces organes hormono-dépendants.

Vous souvenez-vous de cette observation des médecins des XVIIIe et XIXe siècles au sujet des paysannes françaises et des bourgeoises anglaises? Ils avaient signalé avec beaucoup d'insistance que ces femmes pieuses et très croyantes ne souffraient nullement de leur ménopause. Pourquoi? On peut penser que leur foi permettait à ces femmes de ne pas porter sur elles-mêmes le poids de tous les fardeaux de la vie mais de s'en remettre chaque matin et chaque soir aux soins affectueux de Dieu. Elle leur permettait aussi de croire au pardon qui efface et purifie toutes les fautes passées et présentes. La foi pour elles était donc un puissant facteur anti-stress et une arme efficace contre la dépression. Leur foi était ainsi le gage de leur féminité, car elle leur assurait en tout temps, des taux normaux d'œstrogènes.

Permettez-moi d'aller plus loin. Peut-être... Peut-être... que la sécheresse vaginale et l'atrophie du vagin et de l'urètre, lorsque l'on réduit leurs diverses causes connues à un dénominateur unique, seraient très tragiquement le signe physique d'un sentiment dévastateur, desséchant et source d'un stress puissamment débilitant : la crainte pour la femme de ne pas être aimée... C'est l'amour, l'amour qui aime malgré tout, qui aime quand même, qui aime peu importe quoi, c'est l'amour qui rime avec toujours qui *seul* peut faire vibrer dans sa profondeur totale la femme. C'est l'amour inconditionnel, parce qu'il n'a pas peur d'affirmer tout haut qu'il a trouvé son vis-à-vis et que c'est pour la vie, qui *seul* peut procurer au cœur d'une femme la sécurité qui va lui permettre l'abandon de son corps, de son esprit et de son être tout entier à celui qui par son engagement à l'aimer et à la chérir jusqu'à sa mort, prouve qu'il l'aime, elle, vraiment... Tout amoureux sait très bien reconnaître que la lubrification vaginale est une réponse positive à ses gestes, à ses mots, à ses sentiments de tendresse envers la femme aimée et que la sécheresse vaginale est un signe de tension, d'anxiété, de refus.

Se pourrait-il qu'après avoir pendant longtemps joué au jeu de l'amour et s'être soumise aux multiples prouesses de multiples partenaires, la femme ménopausée occidentale, acceptant les slogans de sa culture qui la déclare vieille et sans plus aucun charme, laisse tomber son masque — à quoi bon, maintenant ? — et déclare vaginalement cette vérité dure, pénible, cruelle : Elle ne sent pas aimée, elle n'est pas aimée pour elle-même ? Elle démissionne donc et met un terme à sa quête effrénée d'amour à n'importe quel prix. N'ayant pas appris à se faire aimer, elle n'a pas été aimée. Ayant cru que dans la soumission de son corps aux moindres désirs de son partenaire elle avait un moyen assuré d'être aimée, elle vit maintenant un désenchantement pénible.

« L'éternel féminin » qui affirme et encourage le besoin pressant, urgent, impérieux, irrésistible de la femme d'être aimée par un homme qui est conscient qu'il a la responsabilité d'aimer, a été raillé, attaqué, interdit. Et... alors même que beaucoup de femmes refusaient au cours de notre siècle de plus en plus, leur dépendance affective envers l'homme, elles lui ont soumis de plus en plus servilement, rapidement et sans exigence aucune, leur corps. Et... parce qu'elles n'étaient pas mariées, ou qu'elles ne portaient pas le nom de leur mari, ou qu'elles se faisaient avorter, ces femmes modernes ont cru qu'elles conservaient *leur* liberté, *leur* identité, *leur* personnalité !

Les fausses doctrines ont toutes les mêmes particularités: Elles détruisent l'être humain car elles mentent sur les besoins profonds et ardents de sa nature intime, besoins placés là par le Créateur.

Les femmes ménopausées d'aujourd'hui doivent reconnaître dans le miroir de leur âme, la source de leur anxiété et de leur dépression, causes réelles de leurs problèmes sexuels. La jeunesse est un feu d'artifice. C'est à l'âge mûr que vient le moment de vérité, et alors... tout ce que réclame un homme, c'est de pouvoir enfin véritablement aimer, aimer d'un amour qui se sacrifie, d'un amour qui renonce à soi-même, d'un amour qui ne cherche pas son intérêt, oui! aimer ainsi une femme qui reconnaît son droit, son privilège et son besoin d'être aimée, l'accepte avec bonheur et s'y soumet de tout son cœur...

Oh! combien il est réconfortant de savoir que tant qu'il y a de la vie, il y a de l'espoir. La femme ménopausée peut encore, si elle le désire vraiment, goûter au miracle de l'amour, car le besoin pour l'homme d'aimer et pour la femme d'être aimée, ne diminue pas avec le temps mais au contraire, il augmente; et son assouvissement n'est pas lié à la jeunesse ni à la beauté mais aux désirs de tous ceux qui cessent de jouer aux durs et qui, enfin, avouent leur nécessité.

Être aimée de son homme, être aimée de ses enfants resteront toujours pour la femme sa plus belle vocation, sa plus noble carrière, sa plus éclatante réussite. Et puis... écoutez-moi bien... comme le cœur ne vieillit pas, une femme aimée saura jusqu'à sa mort vibrer aux gestes *véritables* de l'amour engagé et le manifester avec effusion...

1. Donovan J.C., The menopausal syndrome: a study of histories, *Am J Obstet Gynecol*, 62: 1281-1291, 1951.
2. Gannon L.R., *Menstrual Disorders and Menopause*, Biological, Psychological and Cultural Research, Praeger, New York, p. 192, 1985.
3. Ibid. p. 193.
4. *Novak's Textbook of Gynecology*, p. 714, 1981.
5. *Novak's*, p. 709, 1981.
6. Ibid.
7. Mc Laren H.C., Vitamin E In The Menopause, *British Medical Journal*, 1378-1381, Dec. 17, 1949.
8. Brenner P.F., The Menopausal Syndrome, *Obstetrics and Gynecology*, 6S-11S, Vol. 72, No. 5 (Supplement), November 1988.
9. Bachman G.A., Sexual Issues at Menopause, *Annals of New York Academy of Sciences*, 87-91, 1991.
10. La prévention des problèmes sexuels, *Le Bulletin*, 21-25, Sept./Oct. 1986.
11. Starenkyj D., *L'adolescent et sa nutrition*, Orion, Québec, p. 148, 1989.
12. Kupperman H.S., et al., Contemporary Therapy of The Menopausal Syndrome, *JAMA*, Vol. 171, No. 12, 1627-1637, November 21, 1959.
13. Walling M., Andersen B.L., Johnson S.R., Hormonal Replacement Therapy for Postmenopausal Women: A Review of Sexual Outcomes and Related Gynecologic Effects, *Archives of Sexual Behavior*, Vol. 19, No. 2, 119-137, 1990.
14. Beard M.K., Curtis L.R., Libido, menopause and estrogen replacement therapy, *Postgraduate Medecine*, Vol. 86, No. 1, 225-228, 1989.
15. Myers L.S., Dixen J., Morrissette D., Carmichael M., Davidson J.M., Effects of Estrogen, Androgen and Progestin on Sexual Psychophysiology and Behavior in Postmenopausal Women, *Journal of Clinical Endocrinology and Metabolism*, 70: 1124-1131, 1990.
16. Walling M., et al., Hormonal Replacement Therapy for Postmenopausal Women, *Archives of Sexual Behavior*, Vol. 19, No. 2, 119-137, 1990.
17. Leiblum S., Bachman G., Kemmann E., Colburn D., Swartzman L., Vaginal atrophy in the postmenopausal woman. The importance of sexual activity and hormones, *JAMA*, 249: 2195-2198, 1983.
18. Bachman G.A., Sexual Issues at Menopause, *Annals of New York Academy of Sciences*, 87-91, 1991.
19. Mann E.C., Cunningham G., *Medical Aspects of Human Sexuality*, 14-19, Jan./Feb. 1975.
20. Matthieu 19: 6.
21. Bachman G.A., Sexual Issues at Menopause, *Annals of New York Academy of Sciences*, 87-91, 1991.
22. *Le petit Robert* 1, dictionnaire.
23. Ballinger S., Cobbin D., Krivanek J., Saunders D., Life Stresses And Depression In The Menopause, *Maturitas*, 1: 191-199, 1979.
24. Ballinger S., Stress as a Factor in Lowered Estrogen Levels in the Early Postmenopause, *Annals of New York Academy of Sciences*, 95-114, 1991.

8

Peut-on prévenir les cancers de la femme?

Le cancer du sein frappera une femme sur neuf au cours de sa vie, selon les projections pour les années 1990-2000 de l'American Cancer Society[1].

La prévention, nous dit un dictionnaire de médecine[2], c'est l'ensemble des mesures qui permettent d'éviter l'apparition, l'aggravation et l'extension de certaines maladies. Il existe ainsi une prévention primaire qui consiste à éviter la maladie, une prévention secondaire qui vise à en minimiser les effets une fois qu'elle s'est installée et une prévention tertiaire qui cherche à réinsérer l'individu diminué par la maladie dans des conditions de vie compatibles avec son état.

C'est parce que cette définition est si vaste que la médecine, depuis quelques années, peut parler de médecine préventive quand, par exemple, elle conseille l'ovariectomie pour la prévention du cancer de l'ovaire, l'hystérectomie pour la prévention du cancer de l'utérus et du col, l'ablation des trompes pour la prévention des infections pelviennes et la mastectomie pour la prévention du cancer du sein.

Cela fait déjà plus d'un siècle que l'on admet qu'il soit normal d'enlever systématiquement un utérus sain ou pathologique, peu importe, puisque enseigne-t-on, il est «physiologiquement inutile» une fois la période des maternités désirées achevée. Depuis, on a avancé l'idée qu'il soit simple et raisonnable d'enlever des trompes devenues superflues et puis des ovaires dont on peut fort bien remplacer les hormones qu'ils fabriquent par des pilules bon marché[3]. En 1975, un éminent professeur américain de médecine préventive, «prévenait» le cancer du sein chez une jeune fille de 16 ans dont toutes les parentes avaient eu le cancer du sein, en lui coupant les deux seins et en installant à leur place des prothèses mammaires à base de silicone[4]. Évidemment, il n'entrevoyait absolument pas la possibilité qu'elle désire allaiter ses enfants, un jour... Cas isolé ? Le 9 janvier 1992 le *Wall Street Journal* publiait un long reportage qui racontait l'histoire de deux femmes qui avaient réclamé et obtenu une double mastectomie parce qu'elles étaient terrifiées à l'idée d'avoir un cancer du sein...

Si les femmes en général, n'éprouvent pas le besoin de faire remplacer physiquement un utérus, des trompes ou des ovaires dont elles se sont parfois allègrement débarrassées, elles tiennent toujours à la reconstruction plastique de leurs seins, symboles culturels de leur féminité. Hélas! depuis que certaines prothèses mammaires ont été bannies tant aux États-Unis qu'au Canada parce que l'on soupçonne fortement qu'elles puissent être cancérogènes, les femmes d'aujourd'hui ont à prendre des décisions sérieuses.

Accepteront-elles maintenant, enfin, avec deux siècles de retard, une véritable médecine préventive *primaire* ? Il est évident que les médecines préventives secondaire et tertiaire sont au bout de leur rouleau : les chirurgies, les prothèses et les hormones qu'elles offrent sont toutes autant, sinon plus, chargées d'effets maléfiques que les problèmes qu'elles cherchent à éliminer. Vidées, coupées de leurs organes féminins, combien de temps les femmes pourront-elles encore se nourrir de l'illusion qu'elles sont des femmes ? Et cela d'autant plus qu'elles se sont même asservies à une mode qui leur refuse les cheveux longs et les robes qui font froufrou...

Vers la fin du XVIIIe siècle et au début du XIXe siècle, les médecins désespérés par le délabrement de la santé des femmes de l'aristocratie française, avaient eu le courage de leur offrir un programme de prévention primaire qu'ils avaient résumé en quelques mots très simples: Il fallait que celles-ci changent leur style de vie caractérisé par «la bonne chair», «les plaisirs de l'amour» et «les jouissances stériles».

Notre médecine moderne est plus sophistiquée, plus documentée, plus scientifique. C'est pourquoi elle fait des études de corrélations internationales, des études épidémiologiques, des études de cohorte, des études de migrants ou encore des expérimentations animales, puis elle en publie les résultats. Elle parle alors avec autorité de facteurs de risque relatifs, significatifs, accrus, d'odds ratios, d'associations fortes ou positives, de relations dose-effet. Aujourd'hui, après 50 ans de recherches minutieuses, les hommes et les femmes de science ne craignent plus d'avancer qu'il y a aux cancers féminins deux grandes classes de causes: celles qui sont liées à la nutrition et celles qui sont liées au style de vie.

C'est une excellente nouvelle! Ces causes pouvant être modifiées par la seule bonne volonté des femmes, il est donc fort possible de réduire considérablement le nombre des cancers de l'ovaire, du col, de l'utérus et du sein qui rongent actuellement la population féminine occidentale et d'y soustraire la génération future.

Le cancer de l'ovaire

L'ovaire est une glande sexuelle de la femme paire et symétrique, du volume d'une grosse amande, située dans l'intérieur de l'abdomen près du pavillon des trompes de Fallope. Il exerce une double fonction: Il permet la maturation et l'expulsion des ovules et il sécrète les hormones femelles, les œstrogènes et la progestérone.

L'ovaire est formé de tissu de remplissage et de soutien (tissu conjonctif) semé de nombreux petits organites appelés follicules. Chaque follicule contient en son centre un ovule et à sa périphérie des cellules qui sécrètent des œstrogènes. Chaque ovaire contient environ 200 000 follicules. Par contre, seul un petit nombre d'ovules seront libérés au cours de

l'existence, environ 400 à 600 et tous les autres dégénére-
ront avec leur follicule.

Chaque mois, il y a maturation d'un follicule. Un follicule mûr est visible à l'œil nu et son diamètre varie de 3 mm
à 10 mm. Il se creuse alors une cavité contenant un liquide
clair très riche en œstrogènes (liquor folliculi) où se niche
l'ovule. Quand le follicule a atteint sa pleine maturité, il se
rompt et permet ainsi la libération de l'ovule. Après la rupture du follicule, la cicatrisation de la cavité du follicule
rompu se fait grâce à la prolifération d'une masse de cellules
jaune d'or constituant ce qu'on appelle le corps jaune. Le
corps jaune joue alors le rôle d'une glande endocrine dont
la sécrétion assure les modifications de la muqueuse utérine
en vue de la nidation d'un ovule fécondé. Cette sécrétion est
la progestérone[5].

L'ovaire peut être le siège d'une grande variété de
tumeurs. Les kystes sont les plus fréquents. Ce sont des
poches formées d'une paroi minime et ayant un contenu
liquide. Ils peuvent être bénins ou malins, petits ou
énormes. Ils se développent aux dépens d'un follicule ou
d'un corps jaune. Ils peuvent sécréter de grandes quantités
d'œstrogènes ou d'androgènes et dans ce dernier cas, entraîner un syndrome de virilisation.

L'ovaire est un organe fragile. Son fonctionnement normal est facilement altéré au cours des *maladies auto-
immunes* comme les nombreux désordres de la thyroïde, la
polyarthrite rhumatoïde, la maladie d'Addison, la candidose;
par les *radiations* et la *chimiothérapie* utilisées dans le traitement de certains cancers; par les *infections* comme les
oreillons ou la tuberculose des organes génitaux féminins et
par les *désordres du métabolisme* et les *anomalies enzymatiques* comme la galactosémie, une anomalie du métabolisme
du galactose qui empêche le lactose et le galactose, les
sucres du lait, d'être dégradés en glucose dans le foie[6].

Dans tous ces cas, on constate alors une *ménopause précoce*, l'ovaire cessant d'expulser les ovules et de sécréter les
œstrogènes. Or selon certaines études, les facteurs de risque
de la ménopause précoce sont également les facteurs de
risque du cancer de l'ovaire. En d'autres termes, tout ce qui
risque de provoquer une ménopause précoce risque
également d'entraîner le cancer de l'ovaire[7].

Style de vie et cancer de l'ovaire

On a relevé que la *stérilité*, la *nulliparité* (aucun enfant mis au monde) ou une *faible parité* (un ou deux enfants seulement) étaient des facteurs qui augmentaient les risques de cancer de l'ovaire. Pourquoi? L'ovaire ne peut libérer qu'un nombre fixe d'ovules. Lorsque son stock est épuisé, il s'arrête de fonctionner et c'est la ménopause. Les grossesses et les allaitements en mettant l'ovaire au repos pendant de nombreux mois et années de la vie fertile d'une femme, sont protecteurs de son capital d'ovules et prolonge sa vie de fécondité. Par contre, une femme qui a eu une puberté précoce (8-10 ans), qui n'a jamais été enceinte et qui par conséquent n'a pas allaité, n'a jamais mis ses ovaires au repos. Cette «ovulation constante», phénomène moderne occidental, entraîne la libération, mois après mois pendant près ou plus de 40 ans, d'un ovule, libération qui cause chaque fois un traumatisme mineur à la surface de l'ovaire et qui l'expose alors au liquide folliculaire riche en œstrogènes[8]. C'est dans cette optique que la première pilule contraceptive très riche en œstrogènes qui empêchait l'ovulation, mais non la pilule actuelle minidosée qui permet l'ovulation, a été considérée comme ayant un effet protecteur contre le cancer de l'ovaire[9].

Les *radiations* reçues au cours d'un traitement de la maladie de Hodgkin ou du cancer du col, sont toxiques pour les ovaires. Dans le cas de la maladie de Hodgkin, la patiente reçoit des radiations dirigées vers le bassin de 4 500 rads. Or des radiations de seulement 250 à 500 rads entraînent une ménopause précoce chez 66 p. 100 des patientes alors que des radiations de 800 rads provoquent une ménopause artificielle chez 100 p. 100 des patientes. Des études épidémiologiques ont révélé que les femmes souffrant du cancer de l'ovaire avaient subi, plus fréquemment que les autres, une ménopause artificielle à la suite de radiations thérapeutiques ou autres. Les survivantes de la bombe atomique de Hiroshima ont eu un taux élevé de cancer de l'ovaire[10].

L'exposition aux *hydrocarbures* (produits du pétrole, combustion des graisses, huiles minérales, produits de nettoyage, vernis, etc.) est un facteur de ménopause précoce et de cancer de l'ovaire[11].

Fumer augmente le risque chez la femme du cancer de l'ovaire [12].

Nutrition et cancer de l'ovaire

Les ovaires, répétons-le, sont des organes très sensibles aux substances toxiques. Or certains aliments, lorsqu'ils ne sont pas correctement métabolisés par le corps parce que celui-ci a un défaut enzymatique, deviennent automatiquement des poisons pour ces organes-cibles.

Le lait et tous les produits laitiers comportent des sucres, le lactose et le galactose, qui pour être digérés ont besoin de la présence dans le tube digestif d'une enzyme, la lactase. Malheureusement, cette enzyme, naturellement, disparaît chez tous les êtres humains passé l'âge du sevrage, soit deux à cinq ans. C'est ainsi que 80 à 90 p. 100 des Sémitiques, des Asiatiques, des Africains, des Esquimaux et des Indiens de l'Amérique du Nord, du Sud et des Indes sont intolérants au lait et traditionnellement n'en consomment pas dans leurs pays d'origine. Le mélange des races augmente les taux d'intolérance chez la progéniture. L'intolérance au lactose chez les Américains et les Européens est directement proportionnée au pourcentage de «sang» indien, noir, arabe, asiatique ou slave qui coule dans leurs veines [13].

Lorsque le galactose n'est pas correctement ou complètement métabolisé, il s'accumule dans les tissus et dans le sang. Il provoque alors des nausées, des vomissements, la perte de l'appétit, de la léthargie. La galactosémie, c'est ainsi qu'on appelle l'intolérance héréditaire au galactose, lorsqu'elle n'est pas traitée par le bannissement total du régime quotidien de tous les produits laitiers sous toutes leurs formes, entraîne l'arriération mentale, la cirrhose du foie, les cataractes, des troubles du langage (bégaiement), des défauts de l'émail des dents et un taux très élevé de déficit ovarien (ménopause précoce) chez les adolescentes et les jeunes femmes [14].

Des expérimentations animales ont démontré que des rattes gravides soumises à un régime riche en galactose ont mis au monde une progéniture au nombre d'ovules réduits [15] alors que des rattes non gravides se mettaient à souffrir de troubles de l'ovulation [16]. On sait que les femmes qui ont la galactosémie souffrent de ménopause précoce [17]. Le galactose non digéré est toxique non seulement pour l'ovaire mais aussi pour le foie, le rein et le cerveau (1 schizophrène sur 5 ne métabolise pas correctement le galactose[18]).

Des études de cohorte ont démontré que les femmes qui ont un faible taux des enzymes lactase et galactose-l-phosphate et donc qui ne peuvent convertir correctement le lactose et le galactose en glucose, avaient plus fréquemment des menstruations irrégulières, de la nulliparité, une histoire d'avortements spontanés, de naissances d'un mort-né, d'infertilité et de ménopause survenant avant 45 ans, soit cinq années au moins avant les cas-témoins. Lorsque l'on étudie le journal alimentaire de femmes ayant eu le cancer de l'ovaire, on peut établir qu'elles ont consommé plus de produits laitiers que les autres et qu'elles ont eu particulièrement une préférence marquée pour les produits laitiers fermentés, comme le yogourt, dans lesquels le lactose et le galactose sont plus directement disponibles pour la digestion[19]. (En l'absence ou dans l'insuffisance de lactase, l'enzyme responsable de la digestion du lactose, le corps va être obligé de faire appel aux bactéries du côlon qui bientôt débordent de leur frontière et envahissent l'intestin grêle, affaiblissent ses muqueuses et arrivent ainsi à se disséminer dans tout l'organisme et à le troubler. Cette flambée bactérienne ou invasion de micro-organismes en provenance du côlon, entraîne la production d'un grand nombre de substances toxiques comme l'ammoniaque responsable de confusion mentale, l'histamine responsable de maux de tête, le tryptophane responsable de crises d'asthme et d'hallucinations. Comme ces substances doivent être dégradées par le foie et éliminées par les reins, elles surchargent ces organes et entravent leur bon fonctionnement[20]). La Suède qui a une consommation d'environ 500 g de lait par jour, par personne, a cinq fois le taux de cancer de l'ovaire du Japon qui n'en consomme qu'environ 135 g[21].

Les statistiques publiées en 1987 par la Milk Industry Foundation indiquaient une augmentation importante de la consommation des produits laitiers aux États-Unis, au cours des dernières décennies. La consommation de yogourt, un produit laitier qui comporte souvent du lactose additionnel (ajouté) et dont le galactose est plus directement disponible que dans le lait frais, a augmenté de 0,25 livre en 1960 à plus de 4 livres en 1986, par an, par personne[22].

Les chercheurs qui se penchent sur cette question désirent que l'on prenne garde à ces observations et que l'on se mette rapidement à réviser les recommandations nutritionnelles que l'on fait aux jeunes femmes et aux femmes enceintes dans notre société. La consommation de lactose ne devrait pas excéder 20 g par jour, la quantité fournie par deux verres de lait[23]. En effet, il faut le répéter, des expérimentations animales ont indiqué qu'une forte consommation de galactose pendant la grossesse (soit 4 portions de yogourt par jour), entraînait la mise au monde d'une progéniture au stock d'ovules déficitaire et au développement vaginal retardé, alors que les filles de mères souffrant de galactosémie ont une ménopause précoce et un défaut du développement du vagin (agénésie vaginale).

Il va falloir aussi remettre en question l'habitude très répandue dans les industries alimentaire et pharmaceutique d'utiliser du lactose comme liant dans de très nombreux produits: médicaments (pilules), viandes, charcuterie (hotsdogs, saucisson), margarines, produits pâtissiers, crèmes, pommes de terre instantanées en poudre, etc. Les abats (foie, cervelle, pancréas) ou les saucisses contenant des abats doivent être évités car ces organes stockent le galactose. L'alcool inhibe l'élimination du galactose. Les pois doivent être consommés avec une certaine prudence[24]. Ainsi toute femme qui tient à la santé de ses ovaires, doit très soigneusement limiter ou éviter le lactose, en apprenant à lire les étiquettes des produits qu'elle achète.

Une très large étude de cohorte poursuivie entre les années 1960 et 1980 auprès de 27 529 Californiens a révélé que le risque du cancer de l'ovaire était aussi positivement lié à la consommation d'*œufs frits* et d'autres *fritures*: poulet frit, poissons frits, pommes de terre frites[25]. Il se forme au cours de la friture dans les graisses de l'aliment et dans le beurre ou l'huile employés pour frire, des substances mutagènes très toxiques pour l'ovaire. Un bon bol de gruau chaud cuit à l'eau pour le petit déjeuner est donc un meilleur choix nutritionnel que deux œufs frits sur le plat.

Le cancer du col de l'utérus

Le col est un conduit étroit qui ouvre la base de l'utérus dans le vagin. Il est facilement accessible à l'œil à l'aide du spéculum lors d'une investigation gynécologique, au doigt au cours d'un toucher vaginal pour déterminer la survenue de l'ovulation[26], par exemple, et au membre viril lors de rapports sexuels. On lui connaît classiquement deux parties: L'une, l'endocol, est très sécrétrice (elle sécrète la glaire cervicale) et elle subit, quoique à des degrés moindres, les mêmes modifications que la muqueuse utérine. L'autre, l'exocol, est constituée comme le vagin et involue comme lui.

Le col peut ainsi très facilement être soumis à de multiples traumatismes: traumatismes obstétricaux (accouchements difficiles, avortements, électrocoagulations* répétées ou exagérées), infections multiples, lésions variées.

On ne reconnaît dans l'état actuel de nos connaissances aucun facteur de risque lié à la nutrition dans la survenue de ce cancer qui est le plus fréquent des cancers génitaux de la femme, mais seulement des facteurs de risque liés au style de vie[27].

Cancer du col et style de vie

On possède aujourd'hui une vaste évidence épidémiologique qui nous indique que le cancer du col est presque exclusivement causé par des facteurs appelés par certains auteurs, environnementaux:

1.) Le *DES* ou diéthylstillbœstrol devait pour la première fois être officiellement incriminé dans le cancer du col dépisté chez des jeunes filles nées de mères qui avaient reçu cette hormone synthétique au cours de leur grossesse dans le but de prévenir une fausse couche. Hélas! depuis les années 40, le DES a aussi été très généreusement employé dans l'élevage des animaux destinés à la consommation humaine et même s'il a été banni dans certains pays, il n'en reste pas moins qu'il existe de très nombreux accrocs à la loi. Ainsi aujourd'hui, personne ne peut consommer des produits et des sous-produits animaux sans prendre en considération le fait que l'exposition répétée et constante à de faibles doses de DES est plus dangereuse qu'une forte dose de DES occasionnelle[28].

---

* Coagulation des vaisseaux ou destruction des tissus utilisant la chaleur dégagée par un fort courant électrique.

2.) La prise de la *pilule anticonceptionnelle* est définitivement liée à la survenue du cancer du col. Plusieurs études dont une provenant de l'OMS (Organisation mondiale pour la santé) ont déclaré qu'il y avait entre «la pilule» et le cancer du col, un «lien direct[27]».

3.) Les *MTS* sont un facteur à risque très élevé. Les femmes qui ont des condylomes (verrues génitales), les statistiques disent 1 sur 5[29], et celles qui ont eu une infection herpétique, risquent fortement d'avoir le cancer du col. Le virus herpétique influence aussi énormément la fréquence du cancer du pénis chez l'homme[30].

4.) Des études des populations juives et musulmanes ont révélé que ces femmes n'avaient qu'un très faible taux de cancer du col. La raison en est leur *hygiène sexuelle* qui les oblige à s'abstenir de relations sexuelles pendant leurs menstruations et pendant les 40 à 80 jours après la naissance d'un garçon ou d'une fille. Tout traumatisme répété sur un organe congestionné ou saignant peut favoriser la survenue d'un cancer (et la transmission d'une MTS[31]).

5.) L'*activité sexuelle* dès la plus tendre adolescence est un facteur à risque des plus graves[32]. De toutes jeunes gamines prennent ainsi la pilule anticonceptionnelle, s'exposent à des risques très élevés de MTS et n'ont aucune notion d'hygiène sexuelle. Leur style de vie réunit ainsi trois des plus importants facteurs à risque du cancer du col[32].

Il est impossible de le taire ou de l'ignorer: Plus une fille débute son activité sexuelle jeune et plus elle multiplie les partenaires (ce qui est alors inévitable), plus ses risques d'avoir le cancer du col sont élevés. Ce n'est que deux ans après l'installation régulière de ses règles qu'une fille acquiert une certaine maturité de ses organes génitaux et développe un équilibre hormonal stable.

6.) *Fumer* est un facteur à risque pour le cancer du col, car fumer pour la fille est un pronostic d'activité sexuelle précoce et débridée avec tout ce que cela représente de risques de maladies transmises sexuellement[33] (MTS).

Pour ces femmes qui n'ont pas été gardées dans leur jeunesse ou qui n'ont pas eu le bonheur de recevoir une éducation qui a souligné l'importance de leur virginité[34], les tests de Papanicolaou ou frottis cervicaux sont un moyen de prévention secondaire indispensable. Ils permettent une intervention médicale qui sera d'autant plus efficace qu'elle sera *précoce*. Lorsque l'on intervient au premier stade de ce cancer, par une intervention strictement locale, on peut espérer 100 p. 100 de guérisons[35]. Les tests de Papanicolaou doivent donc être effectués une fois par an dès qu'une femme a une activité sexuelle avec plus d'un partenaire. Des examens plus fréquents seront indiqués dès que la femme sera atteinte d'une MTS quelconque ou si sa mère a eu du DES pendant sa grossesse[36].

Le cancer de l'utérus

L'utérus aussi appelé matrice, est un organe creux qui sert de réceptacle à l'ovule fécondé et permet son développement jusqu'au moment de son expulsion. Il a la forme d'une poire et s'évase vers le haut en deux cornes qui débouchent sur les trompes puis les ovaires. Le bas de l'utérus se termine par le col qui fait saillie dans le vagin.

L'utérus a 6 à 7 centimètres de longueur sur 4 centimètres de largeur chez la femme qui n'a pas eu d'enfant. Lorsqu'une femme a enfanté, ces dimensions ont 1 centimètre de plus environ. Pendant la grossesse, l'utérus augmente considérablement de volume. À la ménopause, l'utérus subit une involution qui va ramener sa taille approximativement à ce qu'elle était avant la puberté.

La paroi de l'utérus épaisse d'environ 1 centimètre est constituée par trois tuniques: la tunique séreuse, la tunique musculaire ou myomètre et la tunique muqueuse ou endomètre. C'est l'endomètre qui subit au cours du cycle des modifications considérables. Chaque mois, la couche dite fonctionnelle de cette tunique s'épaissit, devient le siège d'une hypervascularisation et d'une prolifération glandulaire. Elle se congestionne, puis se détruit partiellement. Les vaisseaux se rompent et provoquent l'hémorragie menstruelle. Il y a ensuite réparation de la muqueuse à partir de la couche basale intacte.

L'endomètre est donc un organe que l'on appelle hormono-dépendant. Il subit très étroitement l'influence du cycle ovarien et des hormones œstrogènes et progestérone.

On reconnaît que les facteurs de risque du cancer de l'utérus sont en gros les mêmes que ceux du cancer du sein:

obésité, diabète et hypertension[37]. Cependant ce que l'on n'est pas prêt à dire pour le cancer du sein, on le dit pour ce cancer-là, et nombreux sont les articles médicaux qui démontrent que la prise d'œstrogènes est une cause majeure du cancer de l'utérus: «L'hormonothérapie substitutive de la ménopause augmente considérablement les risques du cancer de l'utérus[38].»

Les œstrogènes et le cancer de l'utérus

Aussi surprenant que cela paraisse, il y a des raisons précises à une telle franchise: En 1975, on déclarait officiellement que la prise d'hormones à la ménopause comportait de sérieux risques de cancer de l'endomètre au point que les femmes qui tenaient à en prendre devaient subir une hystérectomie pour éviter une telle catastrophe[39]. Puis on découvrait l'effet bénéfique et «préventif» de la progestérone capable de s'opposer aux effets cancérogènes des œstrogènes. Le cancer de l'utérus n'était donc plus un problème réel car il pouvait facilement être prévenu par des mesures de prévention secondaire et tertiaire.

Lorsque Butenandt et Westphal, en 1934, ont réussi à isoler la progestérone à partir de 50 000 ovaires de truies, ils ont proclamé avoir découvert un «secret de la nature» qui «ouvrirait de nouveaux horizons». L'isolation de cette nouvelle substance fut considérée comme «un moment de béatitude pour lequel un savant donnerait 1 000 jours[40]»...

On venait de découvrir l'hormone de la maternité et elle devait au même titre que l'hormone de la féminité, révolutionner la gynécologie. Cependant au cours des dernières années, on s'est aperçu que la progestérone pas plus que les œstrogènes, n'était parfaitement inoffensive. Les progestatifs (toutes substances naturelles ou synthétiques ayant la même action que la progestérone, hormone naturelle) ont des effets androgéniques (voisins de ceux produits par les hormones mâles, les androgènes) qui se manifestent, entre autres, par la chute des cheveux ou la pousse de duvet sur le visage, une tendance à avoir la peau et les cheveux gras *et une prise de poids qui restera permanente*. On signale aussi l'apparition de troubles psychologiques et pour de nombreuses femmes, la perte du désir sexuel[40].

Le plus embêtant cependant est que la progestérone a des effets métaboliques négatifs. Elle entraîne une intolérance aux hydrates de carbone et précipite ainsi le diabète; elle provoque l'hypertension et annule les effets dits bénéfiques des œstrogènes sur le cœur[40]. Or, à l'heure actuelle, on affirme encore que la raison la plus importante pour prendre des œstrogènes à la ménopause est leur capacité d'abaisser les taux de cholestérol sanguins et donc de protéger la femme contre l'athérosclérose et ses conséquences dévastatrices sur le cœur et les vaisseaux sanguins. Cependant si la progestérone, indispensable pour prévenir le cancer de l'utérus causé par les œstrogènes, annule les effets cardioprotecteurs des œstrogènes, on est obligé de revenir à l'hystérectomie comme seul moyen de prévention du cancer de l'utérus chez une femme soumise à une hormonothérapie substitutive de la ménopause dans le but d'augmenter sa qualité de vie... C'est à se casser la tête contre les murs!

Ainsi les statistiques officielles indiquent que les risques d'avoir le cancer de l'utérus sont 7,6 fois plus grands chez une femme traitée aux œstrogènes et ce risque augmente avec la longueur du traitement: soit 13,9 fois plus pour un usage de 7 ans et plus[41].

La prise d'œstrogènes entraîne aussi des complications gynécologiques importantes comme des hémorragies qui persistent souvent pendant 10 ans et plus après la ménopause chez 61,3 p. 100 des utilisatrices. On signale l'obligation de procéder à une hystérectomie chez 28,2 p. 100 des femmes ménopausées qui prennent des œstrogènes alors que seulement 5,3 p. 100 des femmes ménopausées qui n'en prennent pas auront à subir cette opération. Il y a aussi la nécessité de procéder à de nombreux curetages et dilatations de l'utérus chez 30,7 p. 100 des utilisatrices d'œstrogènes alors que seulement 8,3 p. 100 des femmes qui ne sont pas ainsi médicamentées auront à subir ces interventions[42].

Les docteurs Ettinger, Golditch et Friedman concluaient ainsi un rapport sur les conséquences de l'usage des œstrogènes au cours de la ménopause: «Des doses modérées d'œstrogènes, utilisées sans progestatif, augmentent d'une manière significative les hémorragies anormales de l'endomètre, l'hyperplasie (augmentation de l'épaisseur de la paroi de l'utérus qui est normalement de 1 cm) de l'endomètre, le cancer de l'endomètre et le besoin de chirurgie gynécologique[42].»

De plus, ces auteurs soulignaient le fait que le cancer de l'endomètre lorsqu'il survient chez une utilisatrice d'œstrogènes n'est pas, contrairement à une croyance largement véhiculée, moins dangereux ou plus inoffensif que lorsqu'il survient chez une femme qui ne prend pas d'œstrogènes. Par contre, et c'est une nouvelle encourageante, lorsqu'une femme cesse de prendre des œstrogènes, les risques de cancer de l'endomètre diminuent au cours des quelques années qui suivent l'arrêt de la médication[42].

Malheureusement, concluaient les auteurs de ce rapport présenté à un Symposium international sur l'ostéoporose tenu à Copenhague au Danemark du 3 au 8 juin 1984, on continue dans les milieux médicaux à prescrire des œstrogènes seuls à des femmes qui ont encore leur utérus. Pourquoi? — Parce que l'on craint d'utiliser une thérapie à base d'œstrogènes et de progestérone combinés, son administration étant plus compliquée; parce que l'on craint qu'elle n'entraîne les mêmes effets secondaires que la pilule contraceptive et surtout parce que les femmes ménopausées ne veulent plus de règles vraies ou simulées... Elles risqueront cependant de souffrir d'hémorragies graves qui les amèneront fréquemment à l'hôpital et les forceront à subir des interventions chirurgicales coûteuses et non sans danger[42].

Voilà jusqu'où nous a mené le concept biomédical de la ménopause et un de ses slogans fracassants: Il faut comparer les différents risques! Les risques de la contraception par rapport à ceux que font courir une grossesse ne sont-ils pas insignifiants? Et les risques d'un traitement hormonal substitutif de la ménopause en face des dangers catastrophiques de la carence en œstrogènes ne sont-ils pas minimes?...

Le cancer du sein

Les statistiques à ce sujet sont sombres. En 1940, elles indiquaient qu'une femme sur 20 avait le cancer du sein. En 1970, on se met à parler de «véritable fléau social» car «quand une maladie menace 1 femme sur 15, *toutes* les femmes sont concernées[43]». En 1987, on crie à l'alarme:

1 femme sur 10 est victime. Pour la décennie 1990-2000, c'est une femme sur neuf qui est en danger et maintenant on ne peut s'empêcher de parler d'épidémie qui ne sera pas enrayée de sitôt malgré les armes disponibles[44].

Quelles sont ces armes? Il y a, bien sûr, la prévention primaire. Aujourd'hui, on connaît sinon les causes de ce cancer du moins ses facteurs à risque et cela avec certitude. Cependant, les autorités chargées d'enrayer ce fléau sont pessimistes: La prévention primaire, bien qu'elle serait tout à fait efficace, semble pour le moment encore être utopique car elle exigerait un changement radical du style de vie des femmes d'aujourd'hui. Il faut donc compter sur le dépistage et le traitement. Cela signifie qu'avec ces moyens, seules les femmes qui ont *déjà* le cancer du sein seront aidées dans la mesure du possible.

Les techniques de dépistage comprennent l'investigation personnelle grâce à un palper manuel, aussitôt après les règles dans le but de déceler un grain, une boule, une induration ou une condensation quelconque dans le sein et l'investigation médicale une fois par an au minimum. L'investigation personnelle et l'investigation médicale vont permettre le diagnostic d'une tumeur non invasive de moins de 2 cm dans 70 p. 100 des cas. On assure qu'à ce stade-là, une simple tumorectomie (on fait uniquement l'ablation de la tumeur), suivie d'irradiations, sera probablement suffisante avec 90 à 95 p. 100 de guérison totale. Si la tumeur dépasse 2 cm, le pourcentage de survie tombe à 48 p. 100; mais si elle a déjà des métastases (ce cancer émigre et fait des foyers secondaires qui peuvent se retrouver jusque dans le cerveau) et si les ganglions sont atteints, même après les grandes interventions de la chirurgie et les traitements prolongés de la chimiothérapie, il n'y a que 20 p. 100 de chances de survie dans les cinq années qui suivent les premières interventions[45].

Il existe, outre ces techniques de dépistage simples à ne pas négliger, des examens complémentaires: il y a la mammographie qui consiste en une radiographie des seins. Elle comporte malheureusement selon les aveux mêmes du National Cancer Institute des États-Unis, un danger ironique. Utilisée pour un dépistage systématique du cancer du sein une fois par an, elle risque de déclencher chez les jeunes femmes de moins de 35 ans, à la suite d'une exposition excessive aux radiations, le cancer[44]. Certains auteurs ont suggéré que les mammographies pourraient causer 75 cas de cancer du sein pour tous les 15 cas qu'elles permettraient de dépister[46]...

Il y a aussi la thermographie considérée comme une technique inoffensive — les seins ne sont pas irradiés mais on enregistre leur chaleur sur un film — et la cyto-ponction qualifiée «d'une simplicité et d'une facilité extraordinaire qui se pratique avec une aiguille excessivement fine sur les zones indiquées par la mammographie ou la thermographie».

Les causes du cancer du sein

Dans la première moitié de notre siècle, un ouvrage scientifique intitulé *Biological Actions of Sex Hormones*[47] déclarait que les causes principales des tumeurs mammaires étaient avant toute autre chose *les œstrogènes*. C'est Sir George Beatson qui, le premier, avait déclaré en 1896 que c'était dans les ovaires de la femme que nous devrions sans aucun doute, chercher pour trouver le siège de la cause excitatrice du cancer du sein et, probablement, de tous les cancers des organes féminins. Bientôt des expérimentations animales devaient venir confirmer cette intuition scientifique et démontrer que des femelles privées de leurs ovaires avant l'âge de six mois avaient des taux de cancer réduits de 78 p. 100 à 10 p. 100 ou que des mâles castrés dans lesquels on implantait des ovaires, développaient, phénomène excessivement rare, le cancer des mamelles.

La découverte des œstrogènes au cours des années 20 permit la mise sur pied d'expérimentations animales plus précises mais qui furent toutes concluantes: L'injection d'œstrogènes naturels ou artificiels provoquait tant chez les mâles que chez les femelles, le cancer des mamelles et cela même à des doses dites physiologiques.

On devait bientôt comprendre que le corps fabrique plus d'œstrogènes que nécessaires, celui-ci n'en ayant besoin que d'une dose infime. Le surplus doit alors être métabolisé, neutralisé et excrété hors du corps. La neutralisation des œstrogènes est une charge qui revient au foie et leur excrétion en est une qui revient aux reins. Une activité défectueuse de l'un ou de l'autre de ces organes peut alors favoriser la survenue du cancer du sein à la suite de l'accumulation des œstrogènes dans cet organe. La gynéco-mastie ou hypertrophie des seins chez l'homme, par exemple, est un symptôme fréquent de la cirrhose du foie.

On s'aperçoit aussi, dès les années 40, qu'il y a dans le cancer du sein, un *facteur héréditaire.* Il y a un rapport mère-fille statistiquement démontrable. On cerne la présence d'un virus qui passerait dans le lait, mais on reste catégorique: Il faut que ce virus soit exacerbé par les œstrogènes pour s'éveiller et exercer son action destructrice.

On continue à affirmer entre 1920 et 1950 ce qui avait été observé dès la fin du XIXe siècle: Chez l'être humain, le cancer du sein se déclare plus fréquemment chez les femmes non mariées et chez celles qui n'ont pas eu d'enfants.

Les moyens de prévention

À ces causes du cancer du sein, la médecine de notre première moitié de siècle opposait des moyens de prévention précis dont l'efficacité avait été vérifiée en laboratoire à la suite de très nombreuses expérimentations animales:

1.) On propose qu'une mère dans la famille de laquelle on a pu établir une histoire de cancer du sein, n'allaite pas son bébé fille. Cette idée avait déjà fait le sujet d'une thèse en faveur de l'allaitement mercenaire[48] par le médecin français Rouzet en 1818: «L'hérédité du cancer une fois reconnue, on voit de quelle importance il est de remettre l'enfant nouveau-né à une nourrice étrangère, lorsque la mère a présenté, soit avant, soit pendant la grossesse, quelques symptômes cancéreux; puisqu'il n'est guère douteux qu'elle ne communiquât à son nourrisson en l'allaitant, cette disposition au cancer à laquelle il avait peut-être échappé pendant l'époque de la gestation.» Cette proposition devait énormément faire pour décourager l'allaitement maternel après la Seconde Guerre mondiale et exposer ainsi des millions de mamans à des doses élevées et répétées d'un accouchement à l'autre de DES cancérogène pour tarir leur lait.

2.) Il faut à tout prix enrayer la production d'œstrogènes chez la femme. Cette proposition redonnera une grande popularité à l'ovariectomie abandonnée au XIXe siècle en faveur de l'hystérectomie. On avoue cependant qu'il y a un autre moyen que l'ablation des ovaires pour abaisser les taux d'œstrogènes circulants chez une femme et c'est un régime équilibré mais restreint en calories, pauvre en protéines, pauvre en graisses qui n'encourage pas l'obésité. En fait, l'auteur de cette étude sur le cancer du sein la conclut avec cette remarque: «Il faut se rappeler que tout traitement qui provoquera une réduction du poids retardera du même fait l'apparition du cancer du sein[47].»

On a appris depuis la publication de ces travaux de pionniers que la production dite périphérique d'œstrogènes augmente après la ménopause et que la quantité d'œstrogènes produite est proportionnelle au poids. Ce qui veut dire que plus une femme a de graisses ou encore, plus elle est grasse, plus elle fabrique d'œstrogènes... plus elle risque et le cancer de l'utérus et le cancer du sein, des cancers définitivement influencés par les œstrogènes endogènes (fabriqués à l'intérieur du corps) et les œstrogènes exogènes (consommés sous forme de médicaments ou dans les produits et sous-produits animaux[49]).

Aujourd'hui, alors que l'on n'ose plus penser que la fréquence de ce cancer féminin meurtrier va encore augmenter, on multiplie les études, les recherches, les expériences et l'on est arrivé à des conclusions précises et irréfutables. On connaît, on ne peut plus le nier, les facteurs de risque du cancer du sein. Que ferons-nous pour les combattre? Sommes-nous maintenant prêtes à enrayer un fléau qui, une fois de plus, terrasse la femme à la conquête de son émancipation? Sommes-nous enfin mûres pour une réelle prévention primaire?

Style de vie et cancer du sein

En 1985, Rose Kushner, présidente de l'International Union Against Cancer, lançait un avertissement d'épidémie de cancer du sein à la Chine. Sur quoi se basait-elle pour faire une telle prophétie? À la suite d'une politique très stricte de limitation des naissances instaurée en 1957, les femmes de ce pays avaient été brusquement et brutalement soumises à trois facteurs de risque graves pour le cancer du sein:

- une première naissance après 30 ans
- la prise d'hormones dans un but contraceptif
- des avortements à répétition[50]

En 1988, l'Union Internationale Contre le Cancer publiait dans l'*International Journal of Cancer* un article décrivant les facteurs à risque pour le cancer du sein chez les femmes chinoises de Beijing. Les femmes chinoises en général, selon ce rapport écrit par des médecins chinois, ont un faible taux de cancer du sein, soit cinq fois moins que les femmes américaines blanches. Cependant, il y a en Chine des régions à haut taux de cancer du sein et ces régions sont les grands centres urbains Shanghai, Beijing et Tianjin. Dans ces centres, on a pu établir que les victimes du cancer du sein étaient en grande partie des femmes qui avaient une éducation secondaire ou universitaire, qui avaient tendance à être plus grosses que les cas-témoins et avaient une histoire de maladie bénigne du sein (mastite kystique). Par contre, dans ces mêmes centres, les cas-témoins étaient des femmes qui avaient eu beaucoup d'enfants, qui avaient allaité longtemps — celles qui avaient allaité pendant neuf ans de leur vie comparativement aux femmes qui avaient eu des enfants mais qui ne les avaient pas allaités avaient 64 p. 100 de moins de risque d'avoir le cancer du sein — et qui avaient eu leur premier bébé tôt, soit *avant* 25 ans.

Ces médecins chinois concluaient leur article en affirmant que les facteurs de risque pour le cancer du sein chez les femmes chinoises des grands centres urbains étaient les mêmes que ceux qui menaçaient les femmes occidentales, soit: pas d'enfant, une première naissance tardive (après 30 ans), un poids élevé après la ménopause. Les facteurs de protection ici comme ailleurs étaient un grand nombre d'enfants et plusieurs années d'allaitement[51].

Au cours de la même année (1988), le *Japanese Journal of Cancer Research* publiait un article écrit par des médecins japonais sur les facteurs de risque pour le cancer du sein chez les femmes de ce pays. Il commençait par établir que le cancer du sein est un cancer des femmes occidentales mais qu'il était en train de prendre des proportions inquiétantes dans les centres *urbains* du Japon. Ces auteurs se sont penchés plus particulièrement sur deux facteurs de risque pour le cancer du sein: une puberté précoce et une ménopause tardive.

La puberté précoce est un phénomène de plus en plus fréquent dans toute société au style de vie occidental. Conséquence d'une alimentation trop riche en aliments concentrés en graisses et en protéines qui accélèrent la prise de poids[52], la puberté précoce expose la petite fille dès l'âge de 6 à 8 ans à des taux élevés d'œstrogènes endogènes et prolonge indûment son exposition à ces hormones cancérogènes. Alors qu'en 1880, l'âge moyen de l'apparition des premières règles en Europe était de 16,2 ans, il est aujourd'hui, en Occident, de 11,7 ans[52]. Les femmes qui ont une puberté normale dans notre société ont donc déjà 5 ans d'exposition aux hormones endogènes de plus que les femmes d'il y a cent ans. Par contre, si une femme a eu une puberté précoce, elle a pu subir une exposition pernicieuse aux œstrogènes en provenance de ses ovaires, de ses surrénales et de ses graisses, de plus de 10 ans que les femmes d'il y a cent ans...

Au Japon, les enfants qui souffrent de puberté précoce sont des enfants élevés en ville et nourris d'une alimentation «à l'américaine» où figurent fréquemment au menu les hot-dogs, les hamburgers, la crème glacée, les œufs, le fromage, le lait, les fruits de mer et les desserts sucrés. Les Japonaises qui reçoivent une alimentation traditionnelle à base de riz, de sauce miso et de légumes ne sont pas obèses et continuent à avoir leurs premières menstruations à 14 ans en moyenne.

La ménopause tardive* est un phénomène qui, lui aussi, augmente les risques de cancer du sein car, évidemment, il augmente la durée de l'exposition des seins à l'action pernicieuse des œstrogènes. La ménopause tardive, au Japon, survient chez des femmes plus grandes et plus grosses que la moyenne, qui ont une alimentation de style occidental où figurent quotidiennement les poissons et les fruits de mer, qui ne fument pas et qui ont un niveau d'éducation élevé[54].

Ainsi, partout au monde, dès que l'on se met à consommer une alimentation riche en graisses et en protéines à base de produits et de sous-produits animaux, on se met à provoquer chez les enfants une croissance accélérée qui se traduit par une prise de poids très rapide et une puberté précoce. Partout au monde aussi, dès que les femmes se mettent à s'instruire, elles se marient et ont leur premier bébé de plus en plus tard. Elles ont évidemment alors moins d'enfants et

---

* Au premier Congrès international sur la Ménopause qui a eu lieu en France en 1976, il a été établi que l'âge normal de la ménopause était de 51 ans. Au Japon, l'âge traditionnel de la ménopause est de 48 ans[53].

ne pouvant leur consacrer tout leur temps car elles doivent travailler en dehors de chez elles, elles les allaitent de moins en moins. Les femmes sont alors soumises à une bio-endocrinologie tout à fait particulière caractérisée par une «ovulation constante», de la première décennie de leur vie à la cinquième, soit pendant environ 40 ans. Qu'elles soient Américaines, Européennes, Chinoises ou Japonaises, les femmes qui n'ont pas d'enfants et celles qui ne les allaitent pas, deviennent ainsi des candidates à risque élevé pour le cancer du sein.

La croyance populaire a toujours affirmé que d'avoir beaucoup d'enfants pour une femme était un facteur de bonne santé et de jeunesse[55]. Ce sont les promoteurs de la pilule anticonceptionnelle qui ont lancé le slogan que la prendre était moins dangereux que de mettre au monde un bébé...

Voyons cela de plus près. Une contribution originale publiée, elle aussi en 1988, dans l'*American Journal of Epidemiology*[56] explique pourquoi une puberté tardive (entre 14 et 16 ans), une première grossesse à terme avant l'âge de 25 ans et un poids normal sont des facteurs tellement protecteurs du cancer du sein.

Selon une théorie énoncée par M.C. Pike et ses collaborateurs, les tissus du sein ont un rythme de vieillissement particulier. Le vieillissement de ces tissus très sensibles commence à la première menstruation et continue à un rythme constant jusqu'à la première grossesse à terme. Cette première grossesse à terme ralentit puissamment le vieillissement des tissus du sein qui ne se poursuit dès lors qu'à un rythme beaucoup plus lent jusqu'à la ménopause, pour ralentir encore plus après la cessation des règles. En fait, on croit qu'une première grossesse avant que le vieillissement ne soit allé trop loin, soit avant 25 ans, provoque un rajeunissement important de la glande mammaire et réduit sa sensibilité aux effets délétères des œstrogènes endogènes. L'embonpoint ou l'obésité après la ménopause — mais non avant — augmentent le vieillissement de la glande mammaire.

On sait qu'après la ménopause, il y a transformation des androgènes en provenance des surrénales en œstrogènes dans les graisses. Or plus une femme a de graisse, plus elle a de sites dits périphériques où cette transformation peut avoir lieu. Par contre, les œstrogènes endogènes non métabolisés, non neutralisés sont un facteur de vieillissement accéléré, comme nous l'avons déjà mentionné. Un poids normal à tout âge est donc sans aucun doute, un facteur essentiel et indispensable de santé, quoique un petit surplus de poids avant la ménopause ne pose aucun problème, la capacité des graisses de convertir les androgènes en œstrogènes n'étant acquise qu'une fois la ménopause installée.

Plus près de nous encore, un article daté de 1990 et publié dans l'*International Journal of Epidemiology* révèle les résultats d'une étude faite en Norvège sur la relation entre le nombre d'enfants qu'une femme a eu dans le mariage et la mortalité à la suite du cancer du sein. Son auteur Eiliv Lund est absolu: «L'étude présente a démontré que dans tous les groupes d'âge, il y avait une diminution importante des risques de mort par le cancer du sein chaque fois que le nombre d'enfants chez les femmes augmentait.» En Norvège, un grand nombre d'enfants (six et plus) était habituel jusqu'à ce que survienne une baisse de la fertilité à la fin du XIXe siècle, et l'allaitement prolongé (9 mois et plus) de chacun de ces enfants a été la norme jusqu'en 1920. Puis cet auteur compare la population norvégienne à la population esquimaude du Canada. Jusqu'à tout récemment, ce peuple du Grand Nord avait beaucoup d'enfants et un très faible taux de mortalité par le cancer du sein. En fait dans cette population, le cancer du sein n'a été détecté que chez des femmes qui n'avaient jamais allaité[57]. Ainsi, concluait l'auteur de cet article, le fait que les Norvégiennes et les Esquimaudes qui ont eu de nombreux enfants ont aussi très peu de risques d'avoir le cancer du sein, *et cela malgré un régime diamétralement opposé*, «fortifie l'hypothèse que le cancer du sein est causé par un faible nombre d'enfants[58]».

Les médecins du XIXe siècle avaient dénoncé «les jouissances stériles» des femmes de l'aristocratie française. Celles-ci avaient carrément refusé d'écouter. Pire, elles s'étaient terriblement fachées. Une telle déclaration frisait l'insulte et même l'injure. C'était irrévocable: Ces femmes voulaient et pensaient pouvoir faire mieux, pouvoir faire plus que de «procréer des enfants bien conditionnés et de corps et d'esprit». (Molière).

Aujourd'hui, les femmes du monde entier réentendent le même avertissement qui depuis le temps, est devenu une affirmation: Leur immunité aux cancers du sein, de l'utérus et des ovaires, passe par un grand nombre d'enfants et de nombreuses années d'allaitement. Est-ce possible? Mais alors qu'en est-il de tout ce que l'on dit aux femmes depuis 40 ans dans notre société, à savoir qu'elles n'ont pas besoin de maris fidèles et travaillants, que le mariage est une institution asservissante, que poursuivre une carrière sur le marché du travail est la réalisation féminine par excellence, qu'avoir des bébés ça démollit le ventre et la poitrine, que d'éduquer des enfants c'est du temps perdu car il y a plus excitant, plus intéressant à faire ailleurs?...

J'ai écrit dans mon livre *Les cinq dimensions de la sexualité féminine*: «Une importante école pour la femme est son corps. Alors que la femme comprend que son corps n'est pas à fleur de peau, alors qu'elle apprend qu'il va plus en profondeur que son épiderme et qu'à son écoute, elle en découvre les fonctions biologiques et les perçoit comme faisant partie intégrale de sa sexualité, elle devient un être humain avec une identité propre[59].»

Pourquoi grossesses et allaitements sont-ils tellement protecteurs des cancers du sein et de l'utérus? On reconnaît aujourd'hui que la femme fabrique trois œstrogènes principaux: l'œstriol, l'œstrone et l'œstradiol. L'œstrone et l'œstradiol sont considérés commes des «carcinogènes mammaires[60]» qui doivent être transformés dans le foie et l'intestin grêle en composé non carcinogène comme l'œstriol. L'œstriol agit comme un compétiteur non carcinogène capable de déplacer sur les sites récepteurs des seins et de l'utérus, l'œstradiol cancérogène. Or, au cours d'une grossesse, le fœtus et son placenta augmentent la production endogène d'œstriol de *mille fois*, alors que la production d'œstrone et d'œstradiol n'augmente que de cent fois[60].

Quelle nouvelle! Le bébé n'est pas un parasite! Dès sa conception, il fait du bien à sa mère et protège sa santé et sa beauté. De plus, pendant la grossesse et l'allaitement, les ovaires sont au repos et cessent de produire de l'œstradiol. L'utérus et les seins sont donc à l'abri des effets agressifs de cet œstrogène pendant de nombreux mois et années tout au long de la vie fertile d'une femme féconde...

Ainsi, si le cancer du sein est causé par l'agression des œstrogènes et plus particulièrement de l'œstradiol, l'hormone de l'ovulation considérée comme cancérogène dès qu'elle n'est pas neutralisée et excrétée hors du corps, il n'est pas difficile d'accepter que « le cancer du sein est causé par un faible nombre d'enfants[58] ». Maintenant, si les œstrogènes endogènes sont cancérogènes peut-on continuer à croire et à véhiculer que les œstrogènes exogènes sont inoffensifs?

En 1990, Brinton publiait un article à ce sujet et faisait un relevé de la littérature scientifique sur les effets de la prise d'hormones sur le cancer du sein : C'est absolument sûr, une femme qui a utilisé des œstrogènes pendant 20 ans ou plus de sa vie, court 50 p. 100 de plus de risques d'avoir le cancer du sein et ces risques augmentent si la femme a une parente qui a déjà eu le cancer du sein, si elle n'a pas eu d'enfant, si elle est obèse, si elle a souffert de mastite kystique, si elle a été exposée à un progestatif-retard utilisé en injection trimestrielle comme contraceptif (Depo-Provera[61])* ou à l'usage combiné d'œstrogènes et de progestérone[62].

L'exposition de la femme moderne à des œstrogènes endogènes parce qu'elle n'a pas d'enfant ou qu'elle n'en a qu'un ou deux et qu'elle ne les allaite pas, et à des œstrogènes exogènes (contraceptifs) parce qu'elle n'en veut pas, constitue la toile de fond des facteurs de risque pour le cancer du sein liés au style de vie.

À ces facteurs reproductifs, il faut ajouter trois facteurs appelés environnementaux : l'usage du café, de l'alcool et du tabac. Certes, la femme moderne prend du café, boit de l'alcool et fume plus que toute autre femme dans toute l'histoire du monde. Son style de vie basé sur la nécessité d'être constamment en compétition avec elle-même, les autres femmes et très particulièrement les hommes sur le marché du travail, l'a amenée à adopter ces vices masculins dans un vain effort pour faire face au stress qui la dévore.

---

* Les femmes qui ont été exposées à ce contraceptif avant l'âge de 25 ans ont un risque accru d'avoir le cancer du sein à 35 ans, alors que ce cancer se développe généralement après 50 ans[61].

Le café et le cancer du sein

De nombreuses expérimentations animales ont démontré que la caféine affectait le développement normal, hyperplasique* et cancéreux de la glande mammaire.

La caféine est un alcaloïde végétal naturel que l'on retrouve dans le café, le thé, le cacao (chocolat), les boissons gazeuses sucrées (colas) et de nombreux médicaments. La caféine appartient à un groupe de composés de bases puriques que l'on appelle des dérivés méthylés de la xanthine et qui incluent la théobromine (cacao) et la théophylline (un médicament bronchodilatateur). On avoue aujourd'hui que la caféine est la drogue la plus consommée dans de nombreuses parties du monde et qu'elle est responsable d'une très grande variété d'effets biochimiques et physiologiques.

En 1979, Minton et ses collaborateurs ont été les premiers à rapporter une association entre la consommation de café et la mastite sclérokystique (bosses, nodules et kystes sur les seins[63]). Or cette affection bénigne des seins est considérée comme un facteur à risque pour le cancer du sein[62]. Leurs expériences ont démontré que lorsque des femmes qui souffraient de mastite kystique, s'abstenaient totalement de caféine, 82,5 p. 100 d'entre elles étaient totalement guéries en 1 à 6 mois et 15 p. 100 connaissaient une amélioration importante de leurs symptômes (sensibilité exacerbée des seins, douleurs vagues, tiraillements[64]).

On considère que 50 à 90 p. 100 des femmes dans notre société souffrent de douleurs et de sensibilité des seins, si pas sur une base régulière, du moins d'une manière cyclique, chaque mois dans la semaine qui précède les menstruations. L'élimination totale du café, du thé, des colas, du chocolat et des médicaments à base de caféine est, selon Grady et Ernster, un moyen sûr et facile de réduire ces symptômes hautement désagréables pour la femme[65].

Dans certaines études, le risque du cancer du sein a été fortement et positivement lié à la consommation de thé et de café. La consommation de café pendant la grossesse, selon certaines expérimentations animales, peut entraîner des risques accrus de cancer du sein chez la progéniture

---

* L'hyperplasie, c'est l'augmentation importante du nombre de cellules du sein, sans modification pathologique de la structure de ces cellules.

femelle. On pense que ces risques accrus sont dus au fait que la caféine rend le sein encore plus sensible aux effets nocifs des œstrogènes et de la progestérone[65].

La caféine influence les fonctions de l'hypophyse antérieure et de la thyroïde et entraîne une augmentation dans le sang des minéralocorticoïdes, ces hormones en provenance des surrénales qui favorisent la rétention du sodium et la fuite du potassium[65].

La caféine augmente également la sécrétion d'insuline et favorise l'élévation du glucose dans le sang. Or dès que l'insuline et le glucose sont trop élevés dans le sang, le sein devient beaucoup plus sensible aux substances cancérogènes quelles qu'elles soient. C'est pourquoi on considère que le diabète est un facteur à risque pour le cancer du sein[65].

La caféine augmente aussi les taux d'acides gras libres dans le sang qui stimulent la croissance et la prolifération des cellules normales et cancéreuses[65].

Finalement, on rapporte que la caféine augmente les dépôts de calcium dans les tissus mammaires. Or on a pu mesurer que dans les cellules des tumeurs les taux de calcium étaient plus élevés que dans les cellules normales. Une augmentation du calcium cellulaire inhibe la prolifération des cellules saines du sein et entraîne leur différenciation[65].

L'habitude de boire du café contractée aux XVIIe et XVIIIe siècles par les aristocrates des cours européennes, est devenue extrêmement populaire et rares, à notre époque, sont les gens qui n'en consomment pas de une à six tasses et plus par jour. Pourtant, de tout temps, des mises en garde sérieuses ont été émises contre les boissons à base de caféine[66,67].

Pensez à boire du café de céréales ou encore mieux, de l'eau fraîche tout simplement.

L'alcool et le cancer du sein

La majorité des études faites à ce sujet retrouvent un effet en ce qui concerne la consommation d'alcool et considèrent que le risque est significatif pour les femmes jeunes, les femmes pré-ménopausées et les femmes minces, en fait pour les femmes qui normalement ne sont pas à risque, même quand elles ne consomment pas plus d'un verre par jour que ce soit de bière, de vin ou de spiritueux[68].

Selon Begg et ses collaborateurs, une femme qui prend plus de sept consommations par semaine a 40 p. 100 de plus de risques d'avoir le cancer du sein qu'une femme qui est abstinente[69].

On doit se rappeler que l'alcool détruit les vitamines B essentielles pour une neutralisation efficace des œstrogènes au niveau du foie. De plus, certains alcools comme la bière sont une source importante d'œstrogènes en provenance des cônes de houblon dont on la fabrique. On a ici l'explication de l'infiltration par la graisse des tissus (hanches, ventre, seins, fesses) des hommes grands buveurs de bière qui progressivement subissent une efféminisation de leur corps et de leur mentalité.

La consommation d'alcool peut donc augmenter notablement le taux d'œstrogènes endogènes et exogènes chez une femme et agresser par ce biais son utérus et ses seins[70,71,72].

Le tabac et le cancer du sein

Certaines études ont voulu établir que fumer réduisait les risques de cancer du sein, car fumer abaisse d'environ 30 p. 100 les taux d'œstrogènes circulants chez la femme au moment de l'ovulation[73]. Cependant cette hypothèse n'a pas résisté à des investigations approfondies qui ont établi que la fumée de cigarette avait un effet nocif sur les tissus des seins[74].

Fumer est une habitude qui est généralement accompagnée de la consommation d'alcool et de café en quantité plus importante, ces habitudes étant des facteurs de risque sérieux. Fumer entraîne des risques de cancer du sein particulièrement importants chez les femmes maigres, chez celles qui commencent à fumer avant l'âge de 17 ans et chez celles qui ont utilisé des contraceptifs oraux et/ou des hormones pour leur ménopause[75].

Finalement, une brève contribution originale parue en 1991 dans l'*American Journal of Epidemiology* a fait le point sur ces habitudes pernicieuses: Fumer et boire du café et du thé entraînent la perte de la fertilité chez les femmes. Or l'infertilité ou la stérilité sont définitivement des facteurs de risque fondamentaux du cancer du sein. La nicotine et la caféine sont deux substances qui altèrent les fonctions reproductrices chez l'homme et chez la femme: On a observé une plus haute fréquence d'anomalies du sperme chez les fumeurs que chez les non-fumeurs et une seule tasse de café par jour peut suffire pour empêcher une femme qui désire un enfant, de tomber enceinte, alors que les femmes qui prennent 3 tasses de café par jour au cours du premier trimestre de leur grossesse ont un risque accru de fausses couches.

Pour votre information[76]:

☐ 1 tasse de café, thé ou cacao contient 5 à 10 mg de caféine.
☐ 340 ml de colas contiennent 32 à 65 mg de caféine.
☐ 1 g de tablette de chocolat au lait contient 212 mg de caféine.

Et les auteurs de cette communication de conclure: «L'association entre l'habitude de fumer et une forte consommation de café ou de thé, et une faible fécondité est plutôt impressionnante[76].»

Il semble donc que les femmes de cette fin de millénaire ne pourront pas fermer leurs oreilles aux voix qui clament haut et fort que c'est leur stérilité ou leur infertilité ou leur nulliparité ou leur faible parité qui sont la cause de l'épidémie du cancer du sein qui maintenant s'abat sur elles...

Nutrition et cancer du sein

Les taux de mortalité pour le cancer du sein varient énormément dans le monde, étant les plus hauts aux États-Unis et en Europe occidentale, et parmi les plus bas au Japon. Ce phénomène a amené la communauté scientifique occidentale à soupçonner que des facteurs alimentaires pouvaient être à l'origine du cancer du sein. On a découvert qu'il y avait une relation directe entre la quantité de graisses, et plus particulièrement de graisses animales et saturées, consommée dans certains pays et le taux d'incidence du cancer du sein[77]. Une fois cette relation bien établie, on a fait des études plus détaillées sur la consommation des aliments qui sont riches en graisses et chaque fois des liens positifs significatifs ont été établis. C'est ainsi que l'on a pu démontrer qu'une consommation habituelle ou quotidienne des

aliments suivants était un facteur de risque pour le cancer
du sein:

— la viande et plus particulièrement la viande de porc
— le lait et les fromages gras
— les fritures, les graisses à frire et le lard
— les huiles polyinsaturées, les margarines, les
  mayonnaises
— le chocolat (une très riche source de gras)
— le sucre (il élève les taux de cholestérol sanguins).

On a aussi établi un lien précis entre l'obésité et le cancer du sein. Certains auteurs ont suggéré que le cancer du
sein survenant au cours de la post-ménopause est lié à l'obésité parce que celle-ci entraîne un mauvais fonctionnement
des surrénales et des taux trop élevés d'œstrogènes. Or
l'obésité, fondamentalement, est la conséquence d'une suralimentation centrée sur les graisses et les sucres[78].

En 1991, l'*American Journal of Clinical Nutrition*
publiait un article intitulé «Dietary Fats and Cancer[79]» qui
affirmait après 25 ans d'études en laboratoire, que les
graisses consommées dans l'alimentation quotidienne favo-
risaient énormément la survenue du cancer du sein. Cette
étude est en réalité un rappel d'un grand nombre d'études
entreprises dans les années 40 et 50 qui toutes avaient
démontré et établi que des régimes riches en graisses augmentaient l'incidence des tumeurs non seulement dans le
sein, mais aussi dans l'utérus et dans le côlon. Cette étude
est cependant particulière car elle établit que non seulement
la consommation abusive de graisses animales saturées mais
aussi celle des *graisses végétales insaturées* provoquait le cancer du sein. Deux exceptions étaient signalées: l'huile
d'olive et l'huile de noix de coco qui utilisées avec modération, pouvaient être considérées comme des gras neutres par
rapport au risque du cancer du sein[80].

Dans le pays où les taux de cancer du sein sont faibles,
on ne consomme que 19 à 22 p. 100 des calories sous forme
de graisses dans les menus quotidiens toutes sources com-
prises, mais on consomme 25 à 33 g de fibres, alors que dans
les pays où il y a beaucoup de cancers du sein, on consomme
entre 38 à 40 p. 100 des calories sous forme de graisses mais
seulement 11 à 13 g de fibres. En réalité, là où le cancer du
sein est rare, le régime traditionnel est végétalien ou semi-
végétarien alors que là où le cancer du sein est épidémique,

le régime est fortement basé sur les produits et les sous-produits animaux riches en graisses et totalement dépourvus de fibres[81].

Pourquoi les graisses sont-elles si vilaines? On a établi depuis maintenant fort longtemps qu'il y avait une relation directe entre le régime et le métabolisme des œstrogènes. Rappelez-vous les travaux de Biskind datés de 1946.

C'est ainsi que des études de comparaison entre des femmes végétariennes et des femmes omnivores ont permis de découvrir que les femmes végétariennes éliminaient jusqu'à trois fois plus d'œstrogènes dans leurs selles que les femmes omnivores alors qu'elles éliminaient moins d'œstriol dans leurs urines. On a aussi pu établir que chez les femmes végétariennes, les œstrogènes avaient une circulation entéro-hépatique réduite[82]. Cette circulation permet à de nombreuses substances sécrétées dans la bile d'être réabsorbées par l'intestin et transportées à nouveau au foie puis déversées à nouveau dans l'intestin et cela aussi longtemps que le circuit ne sera pas interrompu, soit par les fibres alimentaires ou un adsorbant naturel comme le charbon végétal activé[83]. Or un régime végétarien étant très riche en fibres, celles-ci permettent la séquestration des œstrogènes et leur élimination dans les selles. Le corps est ainsi quotidiennement déchargé de ses œstrogènes et ceux-ci ne peuvent alors aller agresser les organes hormono-dépendants ou hormono-sensibles comme l'utérus et les seins.

En comparant le métabolisme des œstrogènes chez des femmes orientales et chez des femmes caucasiennes, un groupe de médecins a pu établir des différences précises et importantes. Rappelant quelques études antérieures à la leur, ils ont souligné que chaque fois que l'on a comparé des femmes occidentales végétariennes à des femmes occidentales omnivores, on a observé que les femmes végétariennes avaient des taux d'œstrogènes dans leurs matières fécales plus élevés et des taux d'œstrogènes dans leurs urines plus faibles que les femmes omnivores. Plus les taux d'œstrogènes étaient élevés dans les fèces moins il y en avait dans le sang. Or les femmes végétariennes étudiées consommaient beaucoup moins de graisses saturées et insaturées que les femmes omnivores. Les végétariennes avaient moins d'œstrone et d'œstradiol dans leur plasma (sang) mais plus une femme consommait de graisses polyinsaturées et plus particulièrement d'acide linoléique, plus elle avait d'œstradiol dans le sang. Ceci est fort intéressant car lorsque survient un cancer du sein, on remarque un taux élevé d'œstrogènes dans le sang et dans les urines. Il faut noter que ces femmes végétariennes américaines, bien que consommant moins de 40 p. 100 de leurs calories sous forme de graisses, étaient cependant encore loin de consommer aussi peu que 20 p. 100 de leurs calories sous forme de graisses comme le font traditionnellement les Orientales.

En comparant ces femmes végétariennes occidentales déjà différentes des femmes omnivores occidentales à des femmes orientales, on a pu établir que les femmes orientales consommaient beaucoup moins de calories et de graisses que les femmes caucasiennes. Les femmes orientales post-ménopausées consommaient aussi moins de protéines. Leurs calories provenaient principalement des hydrates de carbone complexes (céréales non raffinées bien cuites). Leur alimentation était donc riche en fibres et leur consommation de graisses constituait 19 à 21 p. 100 de leurs calories, soit bien près de la moitié de la quantité consommée par les femmes caucasiennes.

Les femmes pré-ménopausées orientales excrétaient dans leurs matières fécales, en 24 heures, deux fois plus d'œstrone, trois fois plus d'œstradiol et quatre fois plus d'œstriol que les Caucasiennes. Elles excrétaient beaucoup moins d'œstrogènes dans leurs urines. Elles avaient environ 32 p. 100 de moins d'œstrone et d'œstradiol dans leur sang que les Caucasiennes.

Nous pourrions rapporter ainsi des dizaines d'études qui toutes établissent les mêmes faits: moins une femme consomme de graisses, plus elle consomme de fibres, moins elle a d'œstrogènes circulants (œstradiol) dans son sang parce qu'elle les élimine dans ses selles en grande quantité. Or le shéma hormonal d'une femme ayant le cancer du sein est la présence élevée d'œstrogènes dans les urines et d'œstradiol dans le sang. Fait intéressant, ce shéma hormonal se retrouve également chez les filles en bonne santé des femmes ayant eu le cancer du sein.

Que les femmes soient orientales ou caucasiennes, dès que dans leur régime les graisses n'excèdent pas 22 p. 100 des calories totales, leur profil hormonal démontre une diminution marquée des œstrogènes endogènes. L'étude d'un groupe d'Américaines strictement végétaliennes (pas de viande, pas de poisson, pas d'œufs, pas de lait, pas de fromage, pas de crème, pas de beurre) a permis d'établir que ces femmes pré-ménopausées dont le style de vie est américain, avaient pourtant des taux sanguins de 23 p. 100 de moins d'œstrone et de 20 p. 100 de moins d'œstradiol que les femmes omnivores du même âge, alors que les femmes post-ménopausées végétaliennes avaient des taux sanguins de moins de 30 p. 100 d'œstrone et de moins de 40 p. 100 d'œstradiol[84,85,86,87].

Ainsi sans aucun doute possible, on a pu établir que le régime selon qu'il est omnivore (et donc riche en graisses) ou végétalien (et donc pauvre en graisses) influençait la production, le métabolisme et l'excrétion des hormones endogènes. Mais par quels mécanismes? On a émis et vérifié deux hypothèses:

L'obésité et le cancer du sein

Un régime riche en graisses est un régime riche en calories qui favorise énormément l'augmentation du poids, l'embonpoint et l'obésité caractérisés par un excès de dépôts adipeux sur tout le corps. Or chez la femme post-ménopausée, les œstrogènes que l'on retrouve dans son sang proviennent de la conversion, dans ses graisses, des androgènes fabriqués par les surrénales et les ovaires. Cette capacité des graisses sous-cutanées de transformer les androgènes en œstrogènes augmente avec l'âge et avec le poids. En d'autres termes, plus une femme est âgée et plus elle est grosse, plus elle est capable de fabriquer des œstrogènes dans ses tissus graisseux. De plus, les femmes obèses, parce que l'obésité augmente l'activité des surrénales, sécrètent beaucoup plus d'androgènes que les femmes de poids normal[88].

L'obésité altère également le métabolisme des œstrogènes. Chez une femme ménopausée de poids normal, l'œstradiol est transformé en œstrone. L'œstrone, si le régime de la femme est abondant en vitamines B, sera converti en œstriol qui ne peut pas être reconverti en œstradiol dans les graisses et qui devra obligatoirement être excrété hors du corps. Par contre, en l'absence de vitamines B, l'œstrone ne sera pas converti en œstriol. Il ne pourra donc pas être excrété et il sera à nouveau converti en œstradiol. Or maintenant, cet œstradiol va avoir beaucoup de difficulté à être lié à la protéine vectrice des stéroïdes sexuels (sex-steroid-binding globulin, SSBG)* et n'étant pas lié à cette protéine dans le sang, il ira envahir les seins et l'utérus de la femme ménopausée et stimuler ces organes au point d'y initier un cancer. L'obésité étant un phénomène qui survient en présence d'une alimentation trop riche en graisses mais aussi en sucres raffinés, ces produits non seulement dépourvus de vitamines B mais qui, en plus, entraînent des carences en vitamines B, il est assez facile de comprendre pourquoi elle est un tel facteur à risque pour tous les cancers féminins et plus particulièrement pour le cancer du sein[89].

Les Drs Hershcopf et Bradlow ont établi que l'obésité était définitivement associée à une augmentation de la fréquence des tumeurs causées par les œstrogènes et que le pronostic de ces tumeurs était aggravé par l'excès de poids. Après avoir suivi plus de 400 000 femmes, l'American Cancer Society a pu établir qu'il y avait 50 p. 100 de plus de mortalité par le cancer du sein chez les femmes obèses que chez les femmes de poids normal[90].

Ainsi, parce qu'elle a pour toile de fond un régime carencé en vitamines B essentielles au métabolisme correct des œstrogènes, parce qu'elle entraîne une plus grande fabrication d'androgènes et parce qu'à cause de la présence de nombreux dépôts adipeux, elle offre un plus grand nombre de sites pour qu'ils y soient convertis en œstrogènes, l'obésité est un facteur à risque très sérieux pour le cancer du sein.

Le côlon et le cancer du sein

Revenons aux graisses (lipides) consommées en si grandes quantités dans le régime occidental. Commençons par quelques chiffres: au Japon, les femmes consomment 40 à 50 g de graisses par jour et l'incidence annuelle du cancer du sein dans ce pays est de 30 à 35 cas par 100 000 femmes, par année.

---

* De plus, la protéine vectrice des stéroïdes sexuels est très mal sécrétée chez les femmes obèses qui en ont moins que les femmes de poids normal.

Aux États-Unis, les femmes consomment 145 g de graisses par jour et l'incidence annuelle du cancer du sein dans ce pays est de 100 cas pour 100 000 femmes par année, soit 3 fois plus.

En 1957, au Japon, les femmes consommaient 23 g de graisses par jour et on enregistrait 1 500 cas de mortalité par le cancer du sein.

En 1972, au Japon encore, les femmes consomment déjà le double de graisses qu'en 1957 soit 52 g environ, et les cas de cancer du sein par rapport à cette année-là, ont déjà doublé, soit en 1975, 3 200 mortalités[91].

En fait, que l'on étudie cette question sous n'importe quel angle, on est obligé de constater que là où l'apport en graisses dans le régime excède 20 p. 100 des calories, il y a une augmentation marquée des cas de cancer du sein. On est aussi aujourd'hui obligé d'accepter que le cancer du sein est définitivement influencé par les œstrogènes que la femme fabrique dans son propre corps par le biais de ses ovaires, ses surrénales, ses graisses mais aussi de sa flore bactérienne du côlon ou gros intestin. Certes il y a, nous venons de l'exposer, des différences marquées entre le profil hormonal d'une femme qui consomme beaucoup ou peu de graisses, les différences les plus importantes étant que la femme au régime pauvre en graisses et donc riche en fibres (car quand on ne mange pas de viande, il *faut* manger beaucoup de pain) éliminera beaucoup d'œstrogènes dans ses selles, peu dans ses urines et aura des taux faibles d'œstrogènes dans son sang.

Or plusieurs études ont démontré que le fait de consommer beaucoup de graisses augmentait les taux d'œstrogènes dans le sang en forçant une plus grande absorption des œstrogènes *à partir des intestins*, ce qui explique qu'une femme qui mange beaucoup de graisses élimine peu d'œstrogènes dans ses selles.

Un régime riche en graisses (lipides) entraîne la formation d'une flore bactérienne riche en bactéries qui peuvent vivre en l'absence d'oxygène (anaérobiques). Or ces bactéries sont capables de produire des œstrogènes et surtout de l'œstradiol, à partir des stéroïdes biliaires. Plus elles sont nombreuses, plus il y aura fabrication d'œstrogènes.

Premier fait intéressant: les antibiotiques et plus particulièrement l'ampicilline, en détruisant la flore bactérienne, réduisent énormément les taux sanguins d'œstrogènes[92].

Les œstrogènes connaissent une circulation entéro-hépatique tout comme les acides biliaires[93], de nombreux médicaments et d'autres substances toxiques. Or si cette circulation n'est pas arrêtée, les œstrogènes fabriqués dans le corps et plus particulièrement ceux qui se forment dans le côlon sous l'effet des bactéries anaérobiques, vont être constamment recyclés et non éliminés.

Deuxième fait intéressant déjà signalé dans mon livre *Mon «petit» docteur*: le charbon végétal activé en poudre, un adsorbant naturel extrêmement efficace des drogues, des médicaments, des substances chimiques, des additifs alimentaires, des herbicides, des pesticides et des diverses substances polluantes de notre environnement, est aussi capable d'interrompre la circulation entéro-hépatique des œstrogènes et de les entraîner hors du corps dans les selles.

Un régime pauvre en graisses est obligatoirement un régime riche en fibres, les céréales non raffinées bien cuites (pain complet, pâtes de blé entier, riz brun, millet, sarrazin, flocons d'avoine, etc.) mangées en abondance à tous les repas remplaçant les produits et sous-produits animaux. Or les fibres de ces aliments comportent des lignines, une variété de fibres qui stimule la production de la protéine vectrice des stéroïdes sexuels (SSBG)[86], cette protéine qui lie les œstrogènes et les empêche de circuler librement dans le sang et d'aller se fixer dans les tissus hormono-sensibles des seins.

Un régime riche en graisses, soit un régime à base de viande, œufs et produits laitiers, entraîne la formation d'une mauvaise flore bactérienne aux innombrables bactéries capables d'exercer des effets mutagènes et cancérogènes. Dans une expérience citée par Goldin, des rats nourris de beaucoup de viande de bœuf après avoir été exposés à une substance cancérogène ont eu un taux de tumeurs de 83 p. 100, alors que des rats nourris de grains de blé, après avoir subi la même exposition, n'ont eu qu'un taux de 31 p. 100 de tumeurs[91].

On pourrait citer encore des dizaines d'études sur cette question mais c'est inutile, car toutes elles répètent et démontrent la même chose, à savoir que le cancer du sein tient à deux mots : infertilité et graisses alimentaires.

Certes, il est probablement impossible pour la majorité des femmes de notre fin de siècle de faire marche arrière et de mettre au monde 3, 5 ou 7 enfants bien espacés grâce à des allaitements prolongés et une méthode de contraception naturelle comme la méthode sympto-thermique.

Pour une femme, avoir plusieurs enfants exige un style de vie basé sur un engagement à vie et la protection d'un homme fier d'être chef de famille, heureux d'être un mari fidèle et désireux d'assumer les responsabilités matérielles de son petit monde[94].

Il faut être réaliste : L'infertilité, conséquence du style de vie actuel des femmes basé sur le travail considéré comme un moyen ultime de réalisation, et la nécessité devenue psychotique d'assumer tous les rôles, fonctions et métiers des hommes, restera pour notre génération de femmes pré-ménopausées, ménopausées et post-ménopausées, un facteur à risque pour le cancer du sein.

Cependant, quelle femme, d'accord ou pas d'accord, ne peut pas dès aujourd'hui cesser de fumer, cesser de boire du café et de l'alcool et cesser de consommer des graisses en si grande quantité ? La modification de ces habitudes qui n'exige pas un changement radical de la mentalité et du style de vie des femmes modernes, est certes la moindre chose que celles-ci peuvent faire pour se préserver de ce fléau douloureux.

Je ne reparlerai pas ici du plan pour cesser de fumer ou du programme pour manger sans prendre de poids excessif décrits dans mon petit livre *La vie en abondance*[95], accompagnés de menus et de recettes pour une semaine complète. Je voudrais par contre, partager avec vous le guide alimentaire publié par le National Cancer Institute, destiné à promouvoir la réduction de plusieurs cancers reconnus pour être la conséquence de mauvaises habitudes alimentaires, soit les cancers du côlon, de la prostate et du sein[96,97].

Les grandes lignes de ce guide sont :

1.) réduire l'apport en graisses à moins de 30 p. 100 des calories en éliminant en particulier les aliments frits et en limitant sévèrement tous les produits laitiers, les viandes et les œufs. Comme l'a démontré une étude-pilote, au bout de cinq ou six mois de régime à basse teneur en graisses, les taux d'œstrogènes (œstradiol et œstrone) sanguins mais aussi de cholestérol baissent considérablement[97];

2.) augmenter l'apport en fibres de 20 à 30 g par jour en consommant beaucoup de pain complet de blé et de seigle non raffinés, de céréales entières bien cuites, de pâtes alimentaires de blé entier et de pommes de terre cuites à la vapeur ou au four;

3.) inclure autant de légumes et de fruits que possible dans les menus quotidiens, en insistant sur les légumes verts ou jaunes;

4.) éviter l'obésité en suivant les 3 premières recommandations et en bannissant du régime le sucre et tous les produits sucrés: pâtisseries, confiserie, etc.;

5.) éliminer totalement l'alcool qui est associé aux cancers de la tête, du cou, du rectum, de l'œsophage et du sein;

6.) réduire au minimum l'apport d'aliments salés, vinaigrés, fumés ou frits associés aux cancers de l'estomac, de l'œsophage et des ovaires.

Et voici en gros la conclusion du National Cancer Institute:

On possède de plus en plus de faits qui suggèrent que des modifications de notre régime occidental peuvent réduire les risques d'avoir un grand nombre de cancers. Les femmes peuvent réduire leurs risques face aux cancers du sein et du côlon en effectuant de simples changements dans leur alimentation. Cesser de fumer et de boire, suivre un régime pauvre en graisses et riche en fibres à base de céréales complètes, de fruits et de légumes qui permettra d'avoir ou de maintenir un poids normal, sont des mesures qui réduiront effectivement les risques de cancers mais aussi de maladies cardiaques et qui augmenteront le bien-être, la qualité de vie et la santé des femmes pré-ménopausées, ménopausées et post-ménopausées[98].

Ce programme alimentaire est simple. C'est le programme alimentaire de millions de femmes tout autour du monde qui ne souffrent pas de cancers du sein, de l'utérus et des ovaires. Pouvons-nous nous permettre de ne pas le suivre?

1. Kessler L.G., Feuer E.J., Brown M.L., Projections of the Breast Cancer Burden to U.S. Women: 1990-2000, *Preventive Medecine* 20: 170-182, 1991.
2. *Dictionnaire de Médecine Flammarion*, p. 641.
3. Denard-Toulet A., *La ménopause effacée*, Robert Laffont, p. 455, 1975.
4. Fredericks C., *Breast Cancer: A Nutritional Approach*, Grosset and Dunlap, p. VIII, 1977.
5. Bresse G., *Morphologie et Physiologie animales*, Larousse, p. 923, 1968.
6. Cohen I., Speroff L., Premature Ovarian Failure: Update, *Obstetrical and Gynecological Survey*, Vol. 46, No. 3, 156-162, 1991.
7. Cramer D.W., Epidemiologic Aspects of Early Menopause and Ovarian Cancer, *Annals of New York Academy of Sciences*, 363-375, 1991.
8. Fathalla M.F., Incessant ovulation: A factor in ovarian neoplasia? *Lancet*, 2: 163, 1971.
9. Sivanesaratnam V., Fertility Control and the Risk of Gynecological Malignancies, *Obstetrical and Gynecological Survey*, Vol. 46, No. 3, 131-137, 1991.
10. Darby S.C., Nakashima E., Kato H., A parallel analysis of cancer mortality among atomic bomb survivors and patients with ankylosing spondylitis given x-ray therapy, *Radiation Effects Research Foundation*, Technical Report 4-84, Hiroshima.
11. Howell J.S., Marchant J., Orr J.W., The induction of ovarian tumours in mice with 9-10 dimethyl 1:2-benzanthracene, *Br J Cancer*, 8: 635-646, 1954.
12. Doll R., Gray R., Hafner B. et al., Mortality in relation to smoking: 22 year's observation on female British doctors, *Br Med J*, 1: 967-971, 1980.
13. Starenkyj D., *L'enfant et sa nutrition*, p. 66-68, Orion, Québec, 1988.
14. Walker W.A., Watkins J.B., *Nutrition in Pediatrics*, «Inborn Errors of Metabolism», p. 413, Little, Brown and Company, Boston/Toronto, 1985.
15. Chen V.T., Mattison D.R., Feigenbaum L. et al., Reduction in oocyte number following prenatal exposure to a diet high in galactose, *Science*, 214: 1145, 1981.
16. Swartz W.J., Mattison D.R., Galactose inhibition of ovulation in mice, *Fertil Steril*, 49: 522-526, 1988.
17. Kaufman F.R., Kogut M.D., Donnell G.N. et al., Hypergonadotropic hypogonadism in female patients with galactosemia, *N Engl J Med*, 304: 994, 1989.
18. Starenkyj D., *Le mal du sucre*, p. 154, Orion, Québec, 1990.
19. Cramer D.W., Epidemiologic Aspects of Early Menopause and Ovarian Cancer, *Annals of New York Academy of Sciences*, 363-375, 1991.
20. Starenkyj D., *Mon «petit» docteur*, p. 123-143, Orion, Québec, 1991.
21. Cramer D.W., Lactase persistence and milk consumption as determinants of ovarian cancer risk, *Am J Epidemiol*, In press.
22. *Milk Facts*, Milk Industry Foundation, Washington, D.C., 1987.

23. Cramer D.W., Epidemiologic Aspects of Early Menopause and Ovarian Cancer, *Annals of New York Academy of Sciences*, 363-375, 1991.
24. Walker W.A., Watkins J.B., *Nutrition in Pediatrics*, «Inborn Errors of Metabolism», p. 413, Little, Brown and Company, Boston/ Toronto, 1985.
25. Snowdon D.A., Animal product consumption and mortality because of all causes combined, coronary heart disease, stroke, diabetes, and cancer in Seventh-day Adventists, *Am J Clin Nutr* 48, 739-48, 1988.
26. Starenkyj D., *Les cinq dimensions de la sexualité féminine*, p. 45, Orion, Québec, 1992.
27. Sivanesaratnam V., Fertility Control and the Risk of Gynecological Malignancies, *Obstetrical and Gynecological Survey*, Vol. 46, No. 3, 131-137, 1991.
28. Knight, Martin, Iglesias, Smith, *Medical Encyclopedia*, 1956.
29. Starenkyj D., *L'adolescent et sa nutrition*, «Les MTS», p. 163, Orion, Québec, 1989.
30. Denard-Toulet A., *La ménopause effacée*, Robert Laffont, p. 255, 1975.
31. Klopfenstein C., *La Bible et la santé*, p. 153, La pensée universelle, Paris, 1977.
32. Parazzini F., Hildesheim A., Ferraroni M., La Vecchia C., Brinton L.A., Relative and Attributable Risk for Cervical Cancer: A Comparative Study in the United States and Italy, *International Journal of Epidemiology*, Vol. 19, No. 3, 539-545, 1990.
33. Zabin L.S., The association between smoking and sexual behaviour among teens in U.S. contraceptive clinics, *Am J Public Health*, 74: 261-263, 1984.
34. Exode 20: 14.
35. Denard-Toulet A., *La ménopause effacée*, Robert Laffont, p. 238, 1975.
36. Pagana K.D., Pagana T.J., *L'infirmière et les examens paracliniques*, Edisem/Maloine, Paris, p. 244, 1985.
37. *Thérapeutique médicale*, édité par Jean Fabre, Flammarion Médecine Sciences, p. 1026, 1978.
38. Editorial, Cancer Risk and Estrogen Use in the Menopause, *The New England Journal of Medecine*, Vol. 293, No. 23, 1199-1200, Dec. 4, 1975.
39. Dangers in Eternal Youth, *Lancet*, 2: 1135, 1975.
40. Lobo R.A., Whitehead M., Too much of a good thing? Use of progestogens in the menopause: an international consensus statement, *Fertility and Sterility*, Vol. 51, No. 2, Feb. 1989.
41. Proudfit C.M., Estrogens and Menopause, *JAMA*, Vol. 236, No. 8, Aug. 23, 1976.
42. Ettinger B., Golditch I.M., Friedman G., Gynecologic consequences of long-term unopposed estrogen replacement therapy, *Maturitas*, 10: 271-282, 1988.
43. Denard-Toulet A., *La ménopause effacée*, p. 244, 247.
44. Kessler L.G., Feuer E.J., Brown M.L., Projections of the Breast Cancer Burden to U.S. Women: 1990-2000, *Preventive Medecine*, 20: 170-182, 1991.
45. Denard-Toulet A., *La ménopause effacée*, p. 242, 243.

46. Fredericks C., *Breast Cancer: A Nutritional Approach*, p. IX, 1977.
47. Burrows H., *Biological Actions of Sex Hormones*, Second Ed., Cambridge at the University Press, 1949.
48. Starenkyj D., *Le bébé et sa nutrition*, Orion, Québec, 1990.
49. Editorial, Cancer Risk and Estrogen Use in the Menopause, *The New England Journal of Medecine*, Vol. 293, No. 23, 1199-1200, Dec. 4, 1975.
50. *UICC News*, September 1985.
51. Tao Su-Chang, Yu Mimi C., Ronald K. Ross, Kuang-Wei Xu, Risk Factors for Breast Cancer in Chinese Women of Beijing, *Int J Cancer*, 42: 495-498, 1988.
52. Starenkyj D., *L'enfant et sa nutrition*, «La puberté précoce», p. 131-137, Orion, Québec, 1988.
53. Kono S., Sunagawa Y., Higa H., Sunagawa H., Age of Menopause in Japanese women: trends and recent changes, *Maturitas*, 12: 43-49, 1990.
54. Kato I., Tominaga S., Suzuki T., Factors Related to Late Menopause and Early Menarche as Risk Factors for Breast Cancer, *Jpn J Cancer Res* (Gann), 79, 165-172, February 1988.
55. I Timothée 2: 15.
56. Kampert J.B., Whittemore A.S., Paffenbarger R.S., Combined Effect of Childbearing, Menstrual Events, and Body Size on Age-Specific Breast Cancer Risk, *American Journal of Epidemiology*, Vol. 128, No. 5, 962-977, 1988.
57. Shaefer O., Hildes J.A., Medd L.M., Cameron D.G., The changing pattern of neoplastic disease in Canadian Eskimos, *Can Med Assoc J*, 112: 1399-1404, 1975.
58. Lund E., Childbearing in Marriage and Mortality from Breast Cancer in Norway, *International Journal of Epidemiology*, Vol. 19, No. 3, 527-531, 1990.
59. Starenkyj D., *Les cinq dimensions de la sexualité féminine*, p. 32, 33, Orion, Québec, 1992.
60. Lemon H.M., Genetic Predisposition to Carcinoma of the Breast *Journal of Surgical Oncology*, 255-273, 1972.
61. Depo-Provera and breast cancer, *New Zealand Medical Journal*, 16-17, 23 January 1991.
62. Brinton L.A., Menopause and the Risk on Breast Cancer, *Annals of New York Academy of Sciences*, 357-363, 1990.
63. Minton J.P., Fœckling M.K., Webster D.J.T., Matthews R.H., Caffeine, cyclic nucleotides, and breast disease, *Surgery 86*, 105-109, 1979.
64. Minton J.P., Abou-Issa H., Reiches N., Roseman J.M., Clinical and biochemical studies on methylxanthine related fibrocystic breast disease, *Surgery*, 90: 299-304, 1981.
65. Wolfrom D., Welsch C.W., Caffeine and the Development of Normal, Benign and Carcinomatous Human Breast Tissues: A Relationship? *Journal of Medecine*, Vol. 21, No. 5, 225-250, 1990.
66. Starenkyj D., *Le mal du sucre*, p. 19, Orion, Québec, 1990.
67. Starenkyj D., *Le bonheur du végétarisme*, p. 305-309, Orion, Québec, 1990.
68. Alcohol Consumption and Breast Cancer, *Nutrition Reviews*, Vol. 46, No. 1, 9-10, January 1988.

69. Begg C.B., Walker A.M., Wessen B., et al., Alcohol consumption and breast cancer, (Letter), *Lancet*, 1:293-294, 1983.
70. Nasca P.C., Baptiste M.S., Field N.A., et al., An Epidemiological Case-Control Study of Breast Cancer and Alcohol Consumption, *International Journal of Epidemiology*, Vol. 19, No. 3, 532-538, 1990.
71. Willett W.C., Stampfer M.J., Colditz G.A., et al., Moderate alcohol consumption and the risk on breast cancer, *N Engl J Med*, 316: 1174-1180, 1987.
72. Harvey E.B., Schairer C., Brinton L.A., et al., Alcohol consumption and breast cancer, *JNCI*, 78: 657-661, 1987.
73. Brinton L.A., Schairer C., Stanford J.L., Hoover R.N., Cigarette Smoking and Breast Cancer, *American Journal of Epidemiology*, Vol. 123, No. 4, 614-622, 1986.
74. Petrakis N.L., Gruenke L.O., Beelen T.C., et al., Nicotine in breast fluid of nonlactating women, *Science*, 199: 303-305, 1978.
75. Chu S.Y., Stroup N.E., Wingo P.A., et al., Cigarette Smoking and the Risk of Breast Cancer, *American Journal of Epidemiology*, Vol. 131, No. 2, 244-253, 1990.
76. Olsen J., Cigarette Smoking, Tea and Coffee Drinking, and Subfecundity, *American Journal of Epidemiology*, Vol. 133, No. 7, 734-739, 1991.
77. Richardson S., Gerber M., Nutrition et Cancer du Sein, *Path Biol*, 39, No. 1, 74-75, 1991.
78. Rohan T.E., Bain C.J., Diet in the Etiology of Breast Cancer, *Epidemiologic Reviews*, Vol. 9, 120-145, 1987.
79. Carroll K.K., Dietary fats and cancer, *Am J Clin Nutr*, 53: 1064S-7S, 1991.
80. Cohen L.A., Thompson D.O., Maeura Y., Choi K., Blank M.E., Rose D.P., Dietary fat and mammary cancer. I. Promoting effects of different fats on N-nitrosomethylurea-induced rat mammary tumorigenesis, *J Natl Cancer Inst*, 77: 33-42, 1986.
81. Goldin B.R., Adlercreutz H., Sherwood L., et al., The relationship between estrogen levels and diets of Caucasian American and Oriental immigrant women, *Am J Clin Nutr*, 44, 945-53, 1986.
82. Goldin B.R., Adlercreutz H., Sherwood L., Cjorbach M.d., Estrogen Excretion Patterns and Plasma Levels in Vegetarian and Omnivorous Women, *The New England Journal of Medecine*, Vol. 307, No. 25, 1542-1547, Dec. 16, 1982.
83. Starenkyj D., *Mon «petit» docteur*, Orion, Québec, 1991.
84. Hill P., Garbaczewski L., Helman P., et al., Diet, lifestyle, and menstrual activity, *Am J Clin Nutr*, 33: 1192-1198, June 1980.
85. Hill P., Garbaczewski L., Koppeschaar H., et al., Peptide and steroid hormones in subjects at different risk for diet-related diseases, *Am J Clin Nutr*, 48: 782-786, 1988.
86. Barbosa J.C., Shultz T.D., Filley S.J., Nieman D.C., The relationship among adiposity, diet and hormone concentrations in vegetarian and nonvegetarian postmenopausal women, *Am J Clin Nutr*, 51: 798-803, 1990.
87. Hagerty M.A., Howie B.J., Tan S., Shultz T.D., Effect of low- and high-fat intakes on the hormonal milieu of premenopausal women, *Am J Clin Nutr*, 47: 653-659, 1988.

88. Vermeulen A., Verdonck L., Sex Hormone Concentrations In Post-Menopausal Women, Relation to Obesity, Fat Mass, Age and Years Post-Menopause, *Clinical Endocrinology*, 9: 59-66, 1978.
89. Kopelman P.G., Pilkington T.R.E., White N., Jeffcoate S.L., Abnormal Sex Steroid Secretion and Binding in Massively Obese Women, *Clinical Endocrinology*, 12: 363-369, 1980.
90. Hershcopf R.J., Bradlow H.L., Obesity, diet, endogenous estrogens, and the risk of hormone-sensitive cancer, *Am J Clin Nutr*, 45: 283-289, 1987.
91. Goldin B.R., The Metabolism of the Intestinal Microflora and its Relationship to Dietary Fat, Colon and Breast Cancer, *Dietary Fats and Cancer*, 655-685, 1986.
92. Adlercreutz H., Martin F., Järvenpää P., Fotsis T., Steroid Absorption and Enterohepatic Recycling, *Contraception*, Vol. 20, No. 3, 201-219, September 1979.
93. Padmanabhan P.N., Role of bile acids and neutral sterols in carcinogenesis, *Am J Clin Nutr*, 48: 768-774, 1988.
94. Ephésiens 5: 22-33, Deutéronome 6: 5-9, 2 Thessaloniciens 3: 6-15.
95. Starenkyj D., *La vie en abondance*, Orion, Québec, 1990.
96. Butrum R.R., Clifford C.K., Lanza E., NCL dietary guidelines: rationale, *Am J Clin Nutr*, 48: 888-95, 1988.
97. Boyar A.P., Rose D.P., Wynder E.L., Recommendations for the prevention of chronic disease: the application for breast disease, *Am J Clin Nutr*, 48: 896-900, 1988.
98. Boyar A.P., Rose D.P., Loughridge J.R., et al., Response to a Diet Low in Total Fat in Women With Postmenopausal Breast Cancer: A Pilot Study, *Nutr Cancer*, 11: 93-99, 1988.
99. Light L., Lanza E., Greenwald P., Progress in Diet and Cancer Research, *Menopause: Evaluation, Treatment and Health Concerns*, 89-99, 1989.

9

Le cœur a ses raisons.

Au début des années 60, plusieurs chercheurs dont le Dr Wilson, l'inventeur et le promoteur de la pilule de la jeunesse, ont affirmé en avançant des preuves qu'ils voulaient convaincantes, que les œstrogènes offraient aux femmes une protection ultime contre toutes les sortes de sénescence ou presque... Ils basaient leurs arguments sur des études cliniques de l'ostéoporose et sur une certaine évidence épidémiologique indiquant que chez les femmes, les œstrogènes pouvaient retarder l'augmentation «naturelle» avec l'âge de la maladie cardio-vasculaire.

Au début des années 70, on exprimait déjà des doutes sur les effets cardio-protecteurs des œstrogènes: Les résultats d'études cliniques sur l'administration d'œstrogènes à des *hommes* dans le but de prévenir la répétition de leurs troubles cardio-vasculaires avaient démontré que ceux-ci leur avaient fait plus de tort que de bien. Stamler avait rapporté la survenue spontanée d'un cancer des *deux* seins chez un homme sur 500 ainsi traités alors que des hommes recevant des œstrogènes pour enrayer le cancer de la prostate avaient eu un taux d'artériosclérose trois fois plus élevé que les patients non traités[1]. Par ailleurs, déjà à cette époque, on ne peut plus nier que les contraceptifs œstro-progestatifs augmentent la fréquence des accidents vasculaires chez les jeunes femmes. Ainsi, au milieu des années 70, certaines voix s'élèvent pour demander l'abandon pur et simple d'une telle idée, à savoir que les œstrogènes pourraient être le facteur qui protègerait la femme contre la maladie cardio-vasculaire. D'autant plus que l'on sait déjà que l'ajout de progestérone aux œstrogènes dans le but d'éviter le cancer de l'endomètre, annule complètement leurs soi-disant effets bénéfiques sur le cholestérol.

Dans un article publié dans le *Lancet* du 6 avril 1991, le Dr Vandenbroucke questionne[2]: Il faut se demander pourquoi aujourd'hui on tient encore, malgré tout, à séduire les femmes avec la perspective que les œstrogènes de la ménopause vont leur permettre de conserver l'apparent avantage qu'elles ont sur les hommes, avant la ménopause. En effet, dans la littérature américaine, on note avec assurance que la femme menstruée de ce pays a un faible taux de problèmes cardio-vasculaires, phénomène que l'on n'arrive pas à établir chez les femmes d'autres sociétés. Chez les Bantous, les Japonais ou les Italiens, par exemple, on note que les femmes fertiles et fécondes ont un taux de maladie cardiaque égal à celui des hommes[1].

Pourtant, la littérature scientifique nord-américaine tient à souligner que la mortalité par la maladie cardio-vasculaire chez les femmes jeunes, est faible, beaucoup plus faible que chez les hommes du même âge, alors qu'elle est forte chez les femmes âgées, et voilà! c'en est assez pour incriminer la ménopause. Une femme jeune est menstruée, une femme vieille ne l'est plus. N'a-t-on pas là la preuve que le milieu hormonal de la femme pré-ménopausée est bénéfique alors que le milieu hormonal de la femme post-ménopausée ne l'est plus? La théorie de la carence en œstrogènes une fois la ménopause établie, s'accroche à ce fait et, balayant d'un revers de la main tous les scrupules que l'on pourrait avoir en pensant à l'accroissement des cancers de l'utérus et du sein, elle fait miroiter des calculs optimistes qui avancent que la prescription hormonale à des femmes ménopausées pendant 10 à 30 ans de leur vie, permet de réduire les risques de maladies cardio-vasculaires de 45 p. 100[3]!

Essayons de faire un tour rapide de la question. Dans une mise au point présentée en 1991 au cours d'un symposium sur la ménopause, intitulée «La ménopause et la crise cardiaque[4]», on apprend:

— qu'il est impossible d'établir qu'à la ménopause, il y a un accroissement brusque et marqué de la maladie cardiaque chez les femmes. En fait, jusqu'à présent, on n'a pas pu déclarer que la ménopause en soi constituait un risque quelconque de quoi que ce soit chez la femme, et surtout pas un risque pour la maladie cardio-vasculaire. Alors que 95 p. 100 des femmes sont ménopausées à 55 ans, moins de 1 p. 100 d'entre elles souffrent à ce moment-là de problèmes cardio-vasculaires. Ce n'est qu'après l'âge de 70 ans, alors que la femme est ménopausée depuis 15 ou 20 ans que la maladie cardiaque affecte 1 femme sur 100. 75 p. 100 de tous les problèmes cardio-vasculaires surviennent chez des femmes qui ont plus de 65 ans et ils augmentent avec les décennies: 70 et 80 ans[4];

— que les facteurs de risque pour les troubles cardio-vasculaires sont autant pour la femme que pour l'homme: l'âge, la cigarette, l'alcool, le café, le stress et l'obésité. Aux États-Unis, «parmi les femmes d'âge moyen, la bonne moitié des maladies cardiaques est causée par l'usage du tabac[4]»;

— que les femmes qui subissent une ménopause chirurgicale, soit par une ovariectomie ou une hystérectomie, constituent des sujets à risque élevé. Elles sont les premières victimes de la maladie cardiaque prématurée et leurs risques d'en être affectées augmentent de 70 p. 100. On observe qu'elles ont un taux plus élevé de calcification de l'aorte abdominale et un taux plus élevé d'athérosclérose. On croit que l'absence d'utérus les prive de sa production de prostacycline, un puissant vasodilatateur, mais on croit aussi que cette chirurgie précipite le déficit des ovaires qui peut survenir jusqu'à quatre ans plus tôt que chez les femmes qui ont conservé leur utérus intact. On rapporte que les femmes hystérectomiées souffrent très fréquemment d'une carence en œstrogènes, cette opération entraînant une réduction de l'apport sanguin aux ovaires. Il faut rappeler ici que les femmes qui ont une ligature des trompes ont très souvent les mêmes symptômes que celles qui ont subi une hystérectomie: 4 femmes sur 7 présentent une diminution de leurs taux sanguins d'œstrogènes. On est de plus en plus obligé de reconnaître que l'utérus fournit une importante contribution endocrinologique à la fonction des ovaires. On est aussi forcé d'avouer que ces opérations, perçues par les femmes comme des mutilations, entraînent chez celles-ci un stress souvent intense qu'elles cherchent à combattre en fumant, buvant de l'alcool et prenant du café... des habitudes très dangereuses pour le cœur et les vaisseaux sanguins[4];

— la ménopause naturelle en elle-même n'entraîne pas une augmentation immédiate des risques de maladie cardiaque, et si elle devait le faire, l'augmentation ne serait que de 10 p. 100 et cela ne se manifesterait que dans la 7e et la 8e décennie de la vie[4,5].

Quel est alors le raisonnement derrière la prescription d'œstrogènes en vue de prévenir les troubles cardio-vasculaires chez les femmes ménopausées? Le concept bio-médical de la ménopause croit que celle-ci est une endocrinopathie liée à la carence en œstrogènes. Il croit aussi que les œstrogènes sont protecteurs du cœur et des vaisseaux parce qu'ils permettent une amélioration du profil lipidique chez la femme. Voilà plusieurs années que l'excès de cholestérol dans le sang est considéré comme étant à la base des problèmes cardio-vasculaires, celui-ci étant entre autres, une cause du durcissement des artères. Les graisses ou lipides du sang sont composés de lipoprotéines, séparées en *lipoprotéines de haute densité* ou HDL, riches en protéines et plus pauvres en lipides, en *lipoprotéines de basse densité* ou LDL, en *lipoprotéines de très basse densité* ou VLDL et en *chylomicrons*, riches en lipides et pauvres en protéines. Or la prise d'œstrogènes permet une élévation des lipoprotéines de haute densité appelées en langage populaire «bon cholestérol», et un abaissement des lipoprotéines de basse densité appelées dans le même langage «mauvais cholestérol».

À quoi un éditorialiste médical a demandé: Que connaissons-nous des mécanismes pharmacologiques par lesquels les œstrogènes seraient protecteurs de la maladie cardiaque? Si cet effet est obtenu seulement par une amélioration du profil lipidique, une attaque plus directe sur les lipides semblerait plus logique... Ne devrions-nous pas exiger des expériences colossales et bien contrôlées avant que nous laissions s'échapper de la bouteille le génie de la prescription préventive universelle et que nous encouragions des dizaines de millions de femmes à se soumettre à une hormonothérapie substitutive de la ménopause pendant 10, 20 ou 30 ans de leur vie[2]?

Ces questions sont lourdes, bien formulées, directement posées et c'est aux femmes d'y répondre. Alors que des hommes souffrant de troubles cardio-vasculaires et traités aux œstrogènes se mettent à avoir des complications (thrombose, athérosclérose, tumeurs), pourquoi les femmes seraient si extraordinairement protégées?

Les femmes occidentales et peut-être plus encore les femmes américaines que les femmes européennes connaissent une «ovulation constante» et des menstruations régulières pendant plus de 30 ans de leur vie. Pour le concept biomédical, ce phénomène unique au monde — les femmes d'ailleurs connaissant des grossesses et des allaitements constants pendant près de 30 ans de leur vie —, est idéal. Il est la norme d'une femme normale, «féminine», désirable. Cette femme menstruée jouit d'une immunité relative à la maladie cardiaque et selon certaines statistiques, ses risques sont beaucoup plus faibles que ceux de l'homme au même âge. Le but de l'hormonothérapie substitutive de la ménopause est de maintenir cette apparente immunité et cet avantage de la femme par rapport à l'homme, avantage fourni, avance-t-on, par ses menstruations régulières car «le sang menstruel offrirait un mécanisme pour l'élimination de facteurs qui participent au processus athérosclérotique[6].» Après deux siècles d'oubli, nous voilà à nouveau confrontées à la théorie du «sang impur» et des «menstruations purificatrices», théorie qui veut maintenant que pour la femme, la protection cardio-vasculaire passe par des menstruations régulières prolongées jusque dans sa vieillesse grâce au miracle hormonal...

Dans les années 60, alors que la propagande en faveur des œstrogènes pour les problèmes cardio-vasculaires des femmes battait son plein, l'American Heart Association mettait sur pied un programme de prévention de la crise cardiaque *pour les hommes*: Ceux-ci devaient se mettre à faire plus d'exercice, *à cesser de fumer*, à manger moins de bœuf et d'œufs et à consommer de la margarine et du poisson. Les résultats de cette campagne axée sur la modification du style de vie des hommes ont été extrêmement encourageants. Entre 1963 et 1981, on a enregistré chez les hommes de 35 à 44 ans une diminution de 44,8 p. 100 de la mortalité due à la crise cardiaque et de 38 p. 100 chez les hommes de 55 à 64 ans[7]. L'American Heart Association devait fournir le commentaire officiel suivant à ces chiffres: Nous avons bien là la preuve que l'athérosclérose est principalement le résultat d'un style de vie propre aux sociétés de consommation et que *la modification de cet environnement est le moyen rationnel de prévenir la maladie cardiaque*[8]. (C'est nous qui soulignons.)

En 1989, un médecin américain spécialiste de la ménopause devait affirmer: Il n'y a aucune raison pour laquelle les femmes, elles aussi, ne pourraient pas bénéficier d'une modification de leur style de vie. Qu'en dites-vous? Hélas! entre les années 60 et 90, alors que les hommes apprenaient à vivre moins de stress en abondonnant galamment aux femmes leurs positions de responsabilité tant au travail qu'à la maison, alors qu'ils devenaient de plus en plus abstinents de tabac et même d'alcool, alors que le végétarisme les attirait et que chaque jour ils prenaient le temps d'aller se promener dehors au pas de course, les femmes elles, se mettaient à fumer et à boire de plus en plus, de plus en plus tôt, dévorées par un stress intense, le stress du carriérisme, le stress de réussir au risque de ne pas être...

Les deux causes majeures des troubles cardio-vasculaires liées au style de vie sont le stress et le tabac[9] car tous les deux provoquent le durcissement des artères et leur envahissement par des dépôts de cholestérol. Chez les hommes faire de l'exercice, ce qui permet de diminuer ou de dériver le stress, et cesser de fumer constituent des moyens de prévention et de guérison jugés miraculeux. Chez les femmes, prendre des hormones est la solution jugée indispensable car, déclare le concept biomédical de la ménopause, à moins qu'une femme ménopausée ne soit obèse, la quantité d'œstrogènes sécrétée dans la circulation n'est pas suffisante pour maintenir les taux pré-ménopausiques physiologiques d'œstrogènes circulants. Or, ce sont ces taux-là qui la protègent elle, des troubles cardio-vasculaires et, je cite, «c'est pour cette raison que presque toutes les femmes post-ménopausées, excepté celles qui sont obèses, souffrent à un degré ou à un autre d'une carence en œstrogènes pendant au moins un tiers de leur vie. Cette carence œstrogénique affecte négativement de nombreux organes et systèmes de son corps. Pour prévenir ces effets secondaires fâcheux, presque toutes les femmes post-ménopausées devraient recevoir des hormones exogènes pour maintenir les taux physiologiques d'œstrogènes circulants qui existaient avant la ménopause[10].»

Or le système, toujours d'après le concept biomédical de la ménopause, le plus affecté est le système cardio-vasculaire et c'est sur lui que l'hormonothérapie substitutive de la ménopause a son «effet bénéfique majeur[10]». À ce moment de la vie d'une femme, les œstrogènes de la ménopause, contrairement à la pilule contraceptive, affirme-t-il, n'ont plus aucun effet maléfique: Ils ne causent pas une augmentation de la thrombose veineuse, de la thrombophlébite ou de l'embolie pulmonaire. On ne trouve même plus de raison suffisante pour ne pas prescrire une telle bénédiction aux femmes qui font de l'hypertension artérielle[10].

De telles affirmations privent la femme d'aujourd'hui d'une information précieuse, utile et efficace qui a permis aux hommes d'altérer leur style de vie et de réduire de près de 45 p. 100 leurs risques et leur taux de mortalité par la maladie cardio-vasculaire et cela en moins de 20 ans! Elles les privent très particulièrement d'une information inoffensive, totalement dépourvue d'effets secondaires dangereux pour leur imposer une arme à deux tranchants car, comme le signale un manuel de gynécologie qui fait autorité aux États-Unis, il est possible qu'il y ait moins de maladies cardio-vasculaires et hypertensives parmi les femmes *castrées*, mais l'incidence des tumeurs en tous les points du corps est augmentée[11]. Pensons-y: De source officielle, les hormones augmentent les risques de cancer de l'utérus et du sein chez les femmes de 35 à 55 ans, mais est-ce possible? elles diminueraient les risques de maladies cardio-vasculaires chez les femmes de 65 à 85 ans!

Un tel raisonnement défie la logique humaine. N'y-a-t-il pas un meilleur moyen de prolonger la vie des femmes âgées que d'hypothéquer, au moment le plus productif de leur vie, la vie de jeunes femmes qui pourraient exercer avec dynamisme, enthousiasme et bravoure leurs métiers de mères de famille, d'éducatrices ou de médecins, métiers féminins par excellence dont notre monde a un urgent besoin. Aux États-Unis moins de 3 p. 100 des gynécologues-obstétriciens et moins de 8,7 p. 100 de tous les médecins sont des femmes[12]...

Mais... le cœur a ses raisons. Et qu'il soit un cœur d'homme ou un cœur de femme, il ne peut battre longtemps et en silence que si on lui accorde les soins globaux nécessaires. Avec 20 ans de retard, il est grand temps d'envisager un programme *féminin* de prévention des maladies cardiovasculaires.

La carbothérapie* et votre cœur

Rappelons-nous que les œstrogènes, mais pas les progestatifs, seraient protecteurs de la maladie cardiaque parce qu'ils amélioreraient le profil lipidique de la femme: Ils permettraient une augmentation de 10 à 20 p. 100[13] du bon cholestérol (HDL) et une diminution du mauvais cholestérol (LDL) et cela après 6 à 12 mois[14] d'un traitement utilisant environ 20 fois plus d'œstrogènes que dans la pilule contraceptive mini-dosée[10].

On peut ainsi dire que les œstrogènes de la ménopause sont utilisés comme un médicament normolipémiant. Pourtant, il existe déjà plusieurs médicaments dont l'effet spécifique est d'abaisser les taux de cholestérol sanguins. Ils ont cependant été plutôt boudés par les hommes parce qu'ils ont des effets secondaires indésirables. Le clofibrate, par exemple, cause des nausées, la perte des cheveux, l'impuissance et l'hypertrophie des seins, entre autres, et la résine cholestyramine entraîne des carences en vitamines A, D, E et K. Ces médicaments, loin d'être considérés comme une panacée, sont présentés comme étant tout simplement des adjuvants au régime alimentaire et autres mesures pour abaisser les concentrations élevées des lipides dans le sang chez les patients à risque élevé de maladie coronarienne[15].

En 1978, Friedman, comme je le rapporte dans mon livre *Mon «petit» docteur*[16], découvrait l'action extraordinaire du charbon activé en poudre sur les triglycérides et le cholestérol sanguins. Il devait publier à ce sujet trois articles médicaux (en 1978, 1979 et 1980) et donner la preuve que le charbon activé en poudre mélangé à de l'eau froide et pris en quatre doses quotidiennes de 8,8 g (environ 1 c. à s.)

---

* Carbothérapie: mot frappé par l'auteur, du latin *carbonis*, charbon. La littérature médicale américaine parle de «charcoal therapy»; la littérature médicale allemande parle de «Adsorption Therapie». Voir du même auteur le livre *Mon «petit» docteur*, Orion, Québec, 1991.

après chaque repas et au coucher, abaissait d'une manière significative — en dehors de toute modification du régime — les triglycérides (67 p. 100 en moyenne) et le cholestérol (36 p. 100) et cela, *sans aucun effet secondaire malheureux.* La carbothérapie, c'est ainsi que j'ai nommé l'usage régulier du charbon activé en poudre, devait assez rapidement retenir l'attention de certains médecins et devenir un moyen sûr et efficace de traiter rapidement des cas graves d'hyperlipidémie (taux excessif de gras dans le sang).

En 1989, des chercheurs européens rappelaient une fois de plus l'action hypocholestérolémiante du charbon activé en poudre et cela en un temps record : en 2 semaines, ils avaient obtenu une réduction de 27 p. 100 des taux de cholestérol sanguins avec seulement 24 g de charbon activé divisés en 3 doses quotidiennes, soit 3 fois 8 g[17].

Ça, c'est infiniment mieux que ce que les œstrogènes promettent! La carbothérapie, une thérapie proprement féminine car elle agit avec douceur mais en profondeur, peut sauver votre vie.

L'exercice et votre cœur

Vous rappelez-vous de l'engouement pour le jogging? Il devait débuter dans les années 60 et amener des milliers d'hommes à trottiner en vêtements de détente le long des rues ou sur les terrains variés des villes, tôt le matin avant le bureau ou le soir tout de suite après, et parfois même en plein midi. Course à pied, à allure modérée, *sans esprit de compétition*, le jogging devait amincir de nombreuses tailles, préserver plusieurs cœurs et transformer la mentalité masculine. Ces hommes avaient compris qu'il fallait qu'ils prennent leur santé en main s'ils voulaient continuer à vivre dignement et ils ont vécu pour récolter les bons fruits d'une telle approche. Évidemment, il est plus facile de prendre une pilule d'œstrogènes que de faire de l'exercice, mais en optant pour ce choix-là, les femmes démontrent combien, encore aujourd'hui, malgré toutes les apparences, elles sont facilement séduites par les affirmations de ceux qui leur promettent qu'elles seront non pas saines et fortes, mais jeunes et belles...

Pourtant, les études sont là pour le prouver : Les femmes actives, les femmes qui bougent souffrent beaucoup moins de troubles cardio-vasculaires et lorsque ceux-ci se manifestent, ils sont beaucoup moins graves et surviennent à un âge plus avancé que chez les femmes qui sont sédentaires. L'inactivité physique est un facteur d'hypertension, d'obésité, de diabète et d'excès de cholestérol sanguin, qui sont tous des facteurs de risque de la maladie coronarienne[18].

Paffenbarger et ses collaborateurs ont observé que lorsque des femmes se mettaient à faire 15 kilomètres ou plus de marche à pied par semaine, leurs risques de mourir d'une crise de cœur étaient abaissés de 21 p. 100[19] alors qu'une autre étude a démontré que des activités de loisirs calmes comme le jardinage, la nage et la gymnastique étaient associées à une réduction de 63 p. 100 de la mortalité suite à une maladie coronarienne[20]. Regarder la télévision, par contre, constitue un facteur de risque car elle force à la sédentarité, entraîne le grignotage de produits riches en sucres et en graisses et engendre énormément de stress par les images aggressives qu'elle vomit sans arrêt.

L'activité physique permet l'élévation du bon cholestérol (HDL) chez les femmes post-ménopausées. Marcher en groupe, en portant sur le dos un poids de 3 à 6 kg, sur une distance de 5 à 7 kilomètres, trois fois par semaine, peut accomplir pour la femme d'âge moyen et plus avancé, des miracles de régénération mentale et physique. On observe la stabilisation et l'amélioration du diabète de la maturité. La glycémie devient normale et il y a moins de décharges d'insuline. Il y a une perte progressive et naturelle de poids. On enregistre un regain de bonne humeur et d'optimisme. En fait, marcher tout simplement, tout en bavardant efface progressivement et en douceur, les facteurs de risque de la maladie cardiaque : l'excès de cholestérol, l'hypertension, le diabète et l'obésité[18].

Permettez-moi de partager avec vous un souvenir d'enfance. Je me rappelle avec nostalgie de ce temps où toutes les bonnes mères et les bonnes grand-mères se devaient de promener chaque après-midi leurs enfants ou leurs petits-enfants au parc. Elles y rencontraient d'autres mamans, se mettaient à bavarder et une ou deux heures s'écoulaient loin des obligations et des tracas domestiques. Puis c'était le moment de rentrer. Ces femmes avaient fait leur devoir envers leurs petits et, on ne peut le nier, elles s'étaient en même temps fait du bien. Elles avaient fait de l'exercice, pris de l'air et du soleil et s'étaient détendues... Comme quoi, chaque fois que l'on se penche sur les besoins des autres pour les combler, on n'est jamais perdant.

L'alimentation et votre cœur

Dans les années 60 et 70, les hommes qui faisaient du jogging étaient aussi des hommes qui mettaient de la margarine sur leur pain et qui exigeaient de l'huile de maïs pour la cuisson de leurs aliments, la publicité proclamant les effets bénéfiques des huiles végétales dites polyinsaturées sur le cœur et les vaisseaux.

Depuis, on a appris que ce qui est protecteur du cœur n'est pas tant un régime pauvre en graisses saturées et riche en huiles insaturées mais plutôt un régime pauvre en graisses et pauvre en huiles, soit un régime dont les lipides ne composent pas plus de 20 p. 100 des calories. Nous avons déjà décrit ce régime dans le chapitre précédent et exposé combien il est indispensable non seulement pour prévenir les troubles coronariens mais aussi les tumeurs en divers points et sites du corps. Réduire l'apport total en graisses totales dans le régime est impérieux, mais comment y parvenir? Le besoin de gras pour certaines femmes constitue une toxicomanie comme le besoin de sucre ou le besoin de tabac. Plus on y touche, plus on a envie d'y toucher.

Ce phénomène est particulièrement tragique et inévitable depuis que les femmes, vers le début des années 50, ont été littéralement terrorisées par l'interdiction des «3P»: pas de pain, pas de pâtes, pas de pommes de terre! Le verdict a été répété à l'infini à des millions de femmes qui se sont mises à mourir de faim... et à grossir... Elles ont cessé de manger deux ou trois bons repas par jour à base d'hydrates de carbone complexes et, c'était inévitable, elles ont commencé à grignoter toute la journée des aliments jugés totalement à tort comme étant «maigres»: des viandes, des fromages et yaourts et des sucreries, très riches en protéines, en graisses et en sucres. Ces aliments trop pauvres en vitamines B ont entraîné chez elles une grande nervosité qu'elles ont cherché à calmer en ayant recours au tabac, au café et à l'alcool, ce dernier étant souvent consommé avec l'idée fallacieuse qu'il «dissout» les graisses et allège l'estomac barbouillé.

Paradoxalement, les hommes n'ont jamais reçu une telle interdiction, bien au contraire. Par le biais du sport, la course et la bicyclette notamment, ils ont appris à manger encore plus de pain, de pâtes et de pommes de terre pour avoir une bonne endurance, et à couper la viande et les desserts pour éviter les coups de pompe et l'épuisement en plein cœur de l'action.

Deux menus, deux assiettes... Quand les hommes et les femmes ne mangent plus la même chose, il y a de quoi s'inquiéter, car bientôt ils ne peuvent plus faire la même chose et il s'installe entre eux un fossé difficile à franchir. On ne se comprend plus. On s'en veut. On se soupçonne et on se sépare...

Il n'y a donc qu'une seule solution au problème alimentaire des troubles coronariens féminins: Les femmes doivent se mettre à manger deux ou trois bons repas par jour, chaque repas étant centré sur des céréales non raffinées bien cuites agrémentées de légumes ou de fruits frais bien préparés, et accompagnées de pain complet à satiété. Lorsque l'estomac est calé avec du pain, des pâtes et des pommes de terre, il n'a que peu de place pour des aliments riches en sucres et en graisses qui sont les seuls vilains qui font grossir et qui élèvent les taux de gras dans le sang. Ainsi, tout tombe en place sans problème ni tourment[21].

Si un tel régime peut remplir des hommes de force, de courage et de confiance, il est impossible qu'il fasse du tort aux femmes... Qu'en dites-vous?

Le stress et votre cœur

Dans les années 60, années fatidiques semble-t-il, notre société a cherché à remettre en cause les rapports traditionnels homme/femme. Elle s'est vouée à vouloir construire sans fondations. Concrètement la combinaison de la révolution sexuelle et du mouvement de la libération de la femme, a libéré l'homme mais non la femme qui, selon la déclaration du professeur Monique Morval, «n'a jamais été dans de pires conditions[22].»

Pourquoi? Certes, les femmes ont accès à plus d'emplois et l'écart entre les salaires commence bien tranquillement à être comblé, mais les conditions de travail continuent à être exténuantes et hostiles à leur vie d'épouse et de mère. Une femme avec des enfants restant toujours et avant tout une mère, elle est obligée de cumuler *deux* emplois à temps plein et d'être constamment déchirée entre les exigences de l'un et de l'autre. Plus on parle «d'égalité», plus la fonction maternelle de la femme est méprisée, passée sous silence au point qu'elle soit forcée de la vivre presque clandestinement. Or la mise au monde d'un enfant et son maternage* qui doit obligatoirement s'étaler pendant au minimum les deux à trois premières années de sa vie est, comme l'ont affirmé tous les sociologues de tous les temps, «une fonction sociale primordiale, la plus importante de toutes». (Sans enfants, c'est la fin de notre monde et avec des enfants qui ont de la colère au cœur parce qu'ils ont le sentiment d'avoir été abandonnés, c'est la fin de notre civilisation...)

Le très grand nombre de divorces, les séparations et le concubinage voué à l'échec, ont produit un phénomène nouveau: la famille mono-parentale avec pour chef, une femme, dans 9 cas sur 10. Or, la très grande majorité des familles mono-parentales vivent sous le seuil de la pauvreté.

Les femmes sont plus indépendantes financièrement mais elles sont maintenant obligées de prendre plus de charges économiques envers leur famille parce que les hommes ont diminué, quand ils n'ont pas tout simplement retiré, leur support... Après une séparation, selon des données officielles, une femme a un standard de vie diminué de 73 p. 100 alors que celui de son conjoint augmente de 42 p. 100[23].

Les hommes ont l'impression qu'ils n'ont plus à assumer à eux tout seuls la plus grande part des responsabilités de la vie commune et ils forcent ainsi les femmes à endosser des charges additionnelles. Coincées, prises au piège parce qu'elles ont l'impression qu'elles peuvent les prendre, les femmes craquent sous le poids de responsabilités qui, il y a moins d'un siècle, n'étaient pas les leurs.

---

* Starenkyj D., *Les cinq dimensions de la sexualité féminine*, «Le maternage biologique», p. 133-151, Orion, Québec, 1992.

Les femmes d'antan n'ont jamais porté les responsabilités qui, aujourd'hui, incombent aux femmes modernes. Leurs hommes avaient l'obligation morale et sociale d'être responsables de leur famille, de gagner le pain quotidien et d'être de bons exemples pour leurs enfants. Ces femmes étaient jalouses de leur rôle de mère, et si la vie d'alors n'était malgré tout, pas plus rose, ni plus gaie, ni plus facile qu'aujourd'hui, à toutes leurs misères, ces femmes n'imaginaient pas ajouter celle d'avoir à s'en vouloir et à se mépriser parce qu'elles n'avaient pas fait leur devoir envers leurs enfants ou qu'elles avaient abandonné leur poste à la tête de leur foyer. Non, ce stress-là, elles ne le connaissaient pas et ne voulaient même pas l'envisager.

Aujourd'hui, l'irresponsabilité chez les hommes et le surmenage chez les femmes constituent des causes majeures des troubles cardio-vasculaires. Pour attaquer ce problème, il faut décider de plonger ses regards en plein milieu de son cœur. Un stress qui tue, un véritable stress, est le stress qu'inflige la lutte que l'on mène quotidiennement pour tranquilliser une conscience qui nous rappelle constamment que notre conduite et nos pensées ne sont pas en harmonie avec notre connaissance et notre expérience. À ce genre de stress, il n'y a qu'une solution : Cesser de contempler un passé qu'on ne peut pas changer, et accepter de changer afin que l'avenir soit meilleur. Certainement que vous y songez déjà sérieusement, mais la pensée que peut-être vous n'y arriverez jamais vous hante... À cela aussi, il y a une solution : Cessez d'imaginer que vous devez entreprendre ce nouveau voyage seule. Non, saisissez l'aide de Celui qui, depuis votre conception, a votre bonheur à cœur. Dieu l'a promis :

«Je vous donnerai un cœur nouveau, et je mettrai en vous un esprit nouveau; j'ôterai de votre corps le cœur de pierre et je vous donnerai un cœur de chair[24].»

Ce programme féminin de prévention des troubles cardio-vasculaires ainsi suivi, débouchera automatiquement sur l'abandon du tabac (les fumeuses courent 5 fois plus de risques que les non-fumeuses d'avoir des problèmes de cœur[25]), de l'alcool qui n'est bon ni pour le cœur, ni pour le cerveau, ni pour le sein[26] et du café[27,28] qui, *même décaféiné*, élève les taux du mauvais cholestérol (LDL) et est responsable d'une augmentation de 10 à 12 p. 100 de la maladie coronarienne[29].

Qu'on le veuille ou non, le cœur a ses raisons et la raison féminine doit maintenant reconnaître que celles-ci ne se trouvent pas dans des pilules d'œstrogènes mais dans un style de vie caractérisé par une alimentation riche en pain complet, dépourvu de stimulants toxiques, agrémenté d'exercice quotidien et béni par une conscience en paix. « Un cœur calme est la vie du corps, mais l'envie est la carie des os[30]. »

1. *Novak's Textbook of Gynecology*, p. 716, 718, 1981.
2. Vandenbrouche J.P., Postmenopausal oestrogen and cardio-protection, *Lancet*, Vol. 337, 833-834, April 6, 1991.
3. Beard M., Kottke T.E., Annegers J.F., Ballard D.J., The Rochester Coronary Heart Disease Project: Effect of Cigarette Smoking, Hypertension, Diabetes, and Steroidal Estrogen Use on Coronary Heart Disease Among 40- to 59-Year-Old Women, 1960 Through 1982, *Mayo Clin Pro*, 64: 1471-1480, 1989.
4. Stampfer M.J., Colditz G.A., Willett W.C., Menopause and Heart Disease, *Annals of New York Academy of Sciences*, 193-203, 1991.
5. Perlman J., Wolf P., Finucane F., Madans J., Menopause and the Epidemiology of Cardiovascular Disease in Women, *Menopause: Evaluation, Treatment and Health Concerns*, 283-312, 1989.
6. La Vecchia C., Decarli A., Franceschi S., Gentile A., Negri E., Parazzini F., Menstrual and reproductive factors and the risk of myocardial infarction in women under fifty-five years of age, *Am J Obstet Gynecol* 157, 1108-1112, 1987.
7. Notelovitz M., Estrogen in Postmenopausal Women, An Opposing View, *The Journal of Family Practice*, Vol. 29, No. 4, 410-415, 1989.
8. Walker W.J., Changing US lifestyle and declining vascular mortality — a retrospective, *N Engl J Med*, 308: 649-651, 1983.
9. *Novak's Textbook of Gynecology*, p. 715, 1981.
10. Mishell D.R., Is Routine Use of Estrogen Indicated in Post-menopausal Women? An Affirmative View, *The Journal of Family Practice*, Vol. 29, No. 4, 406-415, 1989.
11. *Novak's Textbook of Gynecology*, p. 716, 1981.
12. Seaman B., Seaman G., *Women and the Crisis in Sex Hormones*, p. 108, Rawson, 1977.
13. Colquhoun D., Management of hypercholesterolaemia in postmenopausal women, *The Medical Journal of Australia*, Vol. 151, 299-300, Sept. 4, 1989.
14. Gambrell R.D., Progestogens and lipids, *Maturitas*, 10: 175-179, 1988.
15. *Compendium des Produits et Spécialités Pharmaceutiques*, 1981.
16. Starenkyj D., *Mon «petit» docteur*, p. 184, 185, Orion, Québec, 1991.
17. Neuvonen P.J., Kuusisto P., Manninen V., Vapaatalo H., Miettinen T.A., The mechanism of the hypocholesterolaemic effect of activated charcoal, *European Journal of Clinical Investigation*, 19: 251-254, 1989.
18. Notelovitz M., Exercice and Health Maintenance in Menopausal Women, *Annals of New York Academy of Sciences*, 204-218, 1991.
19. Paffenbarger R.S., Hyde R.T., Wing A.L. et al., A natural history of athleticism of cardiovascular health, *JAMA*, 252: 491-496, 1984.
20. Leon A.S., Connett J., Jacobs D.R., Rauramaa R., Leisure-time physical activity levels and risk of coronary heart disease and death, *JAMA*, 258: 2388-2395, 1987.
21. Starenkyj D., *Mangeons pour vivre* et *Le mal du sucre*, cassettes-audio, Orion.
22. *La Presse*, Montréal, Jeudi 13 octobre 1988.
23. Barnes R.G., *Le parent seul*, Orion, Québec, 1987.

24. Ézéchiel 36: 26.
25. Editorial, Smoking, Estrogen and Prevention of Heart Disease in Women, *Mayo Clin Proc*, 64: 1553-1557, 1989.
26. Lieber C.S., The Influence of Alcohol on Nutritional Status, *Nutrition Reviews*, Vol. 46, No. 7, 241-254, July 1988.
27. Pietinen P., Aro A., Twomilehto J., Uusitalo U., Korhonen H., Consumption of Boiled Coffee is Correlated with Serum Cholesterol in Finland, *International Journal of Epidemiology*, Vol. 19, No. 3, 586-590, 1990.
28. Schwarz B., Bischof H.-P., Kunze M., Coffee and Cardiovascular Risk: Epidemiological Findings in Austria, *International Journal of Epidemiology*, 19: 894-898, 1990.
29. *American Journal of Clinical Nutrition* 54, September 1991.
30. Proverbes 14: 30.

10

L'ostéoporose, c'est du luxe!

En 1984, le *Time Magazine* rapportait à ses lecteurs les résultats d'une importante étude débutée en 1973 et financée par l'Institut américain de recherches sur le cœur, les poumons et le sang. Douze centres médicaux des États-Unis et du Canada y avaient participé et quelques 400 000 hommes âgés de 35 à 59 ans et dont le taux de cholestérol sanguin dépassait 2,65 g par litre (la moyenne occidentale se situe entre 2,10 et 2,20 g par litre) avaient été examinés. Si je vous parle de cela, c'est parce que l'article en question mentionnait le fait suivant: «Les femmes, moins exposées aux maladies cardiaques, n'ont pas été incorporées à cette étude...» La maladie cardiaque, maladie noble des hommes nobles, c'est-à-dire, travailleurs acharnés et donc grands stressés et donc fumeurs à la chaîne (on le comprend et l'on est plein d'indulgence), doit rester la maladie masculine par excellence, sauf, évidemment quand en brandissant son spectre, on peut contraindre les femmes ménopausées à prendre des œstrogènes pour la prévenir chez elles.

Par contre, l'ostéoporose, maladie de décrépitude, de décadence et d'invalidité, est devenue une maladie féminine, la maladie tragique entre toutes des femmes ménopausées. Ah! quelle vision d'horreur que ces dessins de silhouettes de femmes de 40, 50, 60 et 70 ans souffrant d'une façon de plus en plus prononcée d'ostéoporose: Déformations au niveau de la colonne vertébrale avec tassement des vertèbres donnant lieu à une cyphose (le fameux dos rond ou bosse de bison) et à une scoliose (le dos creux), déformations du bassin, des côtes et des membres, surtout des jambes qui entraînent une démarche affreuse (comme celle d'un canard) et là, il n'y a plus moyen de même penser à être élégante... et puis il y a les fractures multiples et fréquentes, surtout celles des poignets et de la hanche qui vont forcer la femme à une dépendance presque totale et donc à la perte de sa liberté si chèrement acquise.

Les statistiques actuelles sur ce problème qui est en train de prendre de l'expansion aux États-Unis et en Angleterre, sont de nature à vous faire paniquer: 35 à 50 p. 100 des femmes de 65 ans et plus souffrent de fractures de l'avant-bras, des corps vertébraux ou du col du fémur; parmi les femmes qui atteindront 90 ans, 32 p. 100 d'entre elles auront eu une fracture de la hanche et 16 p. 100 en mourront dans les trois mois qui suivront; un tel problème coûte aux États-Unis entre 4 et 6 milliards de dollars chaque année, mais évidemment, il est impossible de mesurer ou de calculer le prix de «la morbidité qui découle de la douleur, de l'incapacité, de la dépression, de l'isolement et de l'internement qui sont la conséquence d'une fracture grave[1].»

N'est-il donc pas honteux, n'est-il pas ridicule, n'est-il pas déraisonnable de devenir malbâtie, difforme, bossue et contrefaite à l'excès, quand la solution est à la portée de la main et consiste tout simplement en des pilules d'œstrogènes prescrites dès la survenue d'une ménopause chirurgicale ou naturelle? Car, selon le concept biomédical de la ménopause, l'ostéoporose dite post-ménopausique, est bien entendu une autre conséquence tragique de la carence en œstrogènes qui s'installe obligatoirement à cette époque fatidique de la vie d'une femme.

Heureusement, il existe un autre son de cloche. Par exemple, dans le *Novak's Textbook of Gynecology*, on nous rapporte que s'il est impossible de nier que l'administration d'œstrogènes seuls entraîne un soulagement souvent dramatique des douleurs osseuses que cause l'ostéoporose, il est également impossible d'établir par des radiographies que c'est parce qu'il y a eu une amélioration de la densité des os grâce à leur reminéralisation. Des études longitudinales de la minéralisation du tissu osseux en fonction de l'âge ont démontré que chez *tous les sujets*, il y avait, à partir de la quarantaine, un certain degré de déminéralisation qui se stabilisait vers la soixantaine. Or, seule un minorité d'individus présentera des signes cliniques et radiologiques d'ostéoporose évolutive. De plus, c'est indéniable, les hommes font aussi de l'ostéoporose, eux aussi peuvent rapetisser avec l'âge, avoir le dos rond et les jambes arquées et subir de mauvaises fractures qui les transformeront tout autant que les femmes en invalides. C'est pourquoi Krokowski, un médecin gynécologue, est convaincu qu'il n'y a pas de rapport entre les œstrogènes et l'ostéoporose et il suggère que le terme «ostéoporose post-ménopausique» soit abandonné[2].

D'autres chercheurs rappellent que toute immobilisation prolongée ou même transitoire, pour quelque raison que ce soit d'un membre ou du corps entier, entraîne automatiquement de l'ostéoporose. Ainsi on connaît bien l'ostéoporose des astronautes par exemple, obligés maintenant non de prendre des œstrogènes ou du calcium supplémentaire mais tout simplement d'avoir des périodes d'exercices physiques régulières pendant leurs voyages spaciaux.

Qu'est-ce que l'ostéoporose?

La plupart des gens ne pensent pas à leurs os et moins encore au fait qu'ils sont des organes biologiquement actifs, constamment en train de remodeler leur structure. Ce remaniement est la conséquence de l'activité de deux genres de cellules: les ostéoclastes qui dissolvent les vieux minéraux de l'os et les ostéoblastes qui permettent les dépôts de nouveaux minéraux. Évidemment la dynamique entre l'activité de ces deux genres de cellules doit être bien synchronisée car si un jour les ostéoclastes liquident plus de minéraux que les ostéoblastes n'en remplacent, on aura une perte progressive de la force de l'os. À la longue, l'os peut s'affaiblir au point qu'une simple activité routinière provoque une fracture.

On constate que dans notre société occidentale un homme sur six et une femme sur trois souffrent d'ostéoporose après l'âge de 65 ans[3]. Les os les plus affectés par ce problème sont la hanche et le poignet qui vont subir des fractures et les vertèbres qui se tassent. L'ostéoporose est généralement silencieuse et elle n'entraîne pas de douleurs mais elle peut causer chez certains individus de la sensibilité dans les côtes ou dans le dos quand l'individu tousse ou fait un effort physique particulier.

Les hommes ont 30 p. 100 de plus de masse osseuse que les femmes et les Noirs, hommes et femmes, ont 10 p. 100 de plus de masse osseuse que les Blancs. Ce fait explique pourquoi les hommes et les Noirs souffrent beaucoup moins d'ostéoporose que les femmes[4].

Pour tous, hommes et femmes, Blancs et Noirs, la masse osseuse atteint son maximum vers l'âge de 35 ans, après quoi, tous, hommes et femmes, se mettent à perdre de leur masse osseuse au rythme moyen de 0,6 à 1,2 p. 100 par année, rythme qui peut malheureusement être accéléré sous certaines conditions que nous allons étudier[5]. En effet, l'intervalle qui va s'étendre entre la perte de la masse osseuse et la survenue de fractures causées par l'ostéoporose dépend de deux facteurs: la force ou la grosseur des os à 35 ans et le rythme accéléré ou ralenti de la perte de la masse osseuse.

Les facteurs suivants propres au style de vie occidental, jouent sur deux fronts: Ils empêchent l'établissement d'une masse osseuse optimale et ils accélèrent la déminéralisation du squelette.

Le tabac et la femme

C'est un phénomène dont de nombreuses associations et sociétés médicales et para-médicales se réjouissent: Les hommes fument de moins en moins et abandonnent de plus en plus la cigarette avec une facilité beaucoup plus grande que les femmes! Aujourd'hui, le marché que la publicité envahit est celui des femmes et plus particulièrement des jeunes adolescentes à qui l'on présente la cigarette comme un symbole de minceur, de beauté et de succès. La plupart des slogans utilisés exploitent l'émancipation de la femme en l'invitant à se libérer de ses vieux tabous et préjugés et à adopter la cigarette présentée comme l'emblème de la femme à la page et même avant-gardiste.

C'est ainsi que le taux de mortalité féminine par cancer du poumon a augmenté de 800 p. 100 depuis 1930 et de 313 p. 100 depuis 1950. Dans les années 80, ce cancer est devenu le plus meurtrier des cancers chez les femmes, *avant* le cancer du sein!

La fréquence du cancer de la bouche chez les femmes est à la hausse. Aux États-Unis, on signale une progression de 84 p. 100 entre 1950 et 1980. Réfléchissons-y deux fois quand un beau, jeune et mince mannequin nous sourira pour nous inviter à fumer...

On remarque un accroissement du cancer de la vessie chez les femmes de 56 p. 100 alors que le taux de mortalité féminine par cancer du pancréas augmente constamment et se rapproche de celui des hommes. Le plus triste dans ces chiffres, c'est que leur progression ne montre, pour le moment, guère de signes d'essoufflement mais se poursuit d'année en année. Aujourd'hui, les jeunes commencent à fumer plus tôt qu'il y a 25 ans et pour la première fois de l'histoire, les adolescentes fument plus que les adolescents.

Après avoir été pendant des années, des fumeuses passives*, les femmes se ruent vers la cigarette pour devenir rapidement des fumeuses très accrochées qui ont le sentiment qu'elles ont besoin, parce qu'elles ont à conquérir de haute lutte leur place sur le marché du travail, de ce moyen rapide de se détendre et de s'affirmer.

Un article qui se veut un résumé de toutes les connaissances actuelles sur l'ostéoporose «post-ménopausique» affirme: «Comparées aux femmes non-fumeuses, les femmes qui fument ont une masse osseuse plus faible et courent des risques accrus de subir des fractures en divers points de leur squelette. Les fumeuses sont plus maigres, connaissent une ménopause plus précoce et ont des concentrations sanguines d'œstrogènes plus basses que les non-fumeuses[7].»

---

* On craint maintenant que l'exposition *involontaire* à la fumée de cigarette cause plus de morts par le cancer que tout autre polluant. Les épouses non-fumeuses de maris fumeurs ont deux à trois fois l'incidence normale des diverses maladies reliées au tabagisme, incluant le cancer du poumon. Les enfants qui vivent avec un ou deux parents qui fument font plus d'infections respiratoires et manquent plus de journées d'école à cause de la maladie. Le fœtus, fumeur involontaire par excellence, exposé à la nicotine qui ralentit la circulation et au monoxyde de carbone qui paralyse les globules rouges, est une victime qui naît avec un poids inférieur à la normale et une plus grande susceptibilité à la maladie[6].

Plusieurs articles médicaux publiés très récemment ont fait le point sur le tabac et les œstrogènes et ils ont établi d'une façon absolue que le tabac détruit en fumée la vie sexuelle d'une femme et cela dans toutes ses dimensions. Oui, nous avons aujourd'hui la preuve que fumer *n'est pas* une activité féminine et que c'est la cigarette et non la cessation des règles qui est responsable de bien des misères que l'on veut imputer à la ménopause. En fait, on sait maintenant que c'est le tabac fumé *et respiré passivement*[8] (on peut fumer par personne interposée dès qu'il y a du tabac dans l'air) qui est la cause d'une baisse pathologique des taux d'œstrogènes chez la femme fertile et chez la femme ménopausée[9].

La femme fertile qui fume a, tout au long de son cycle ovarien, des taux d'œstrogènes plus faibles que la femme qui ne fume pas; et la femme post-ménopausée qui fume et qui reçoit une hormonothérapie substitutive de la ménopause, a elle aussi, *malgré les œstrogènes exogènes reçus*, des taux plus faibles d'œstrogènes dans son sang[10].

Il est indispensable à ce point que nous décortiquions ce problème. Fumer altère d'une façon absolue et irréfutable les organes reproducteurs de la femme, en partie par un effet toxique direct sur les ovaires et en partie par la diminution de la production d'œstrogènes que cette habitude provoque. Fumer altère la biosynthèse des œstrogènes au point que des femmes jeunes excrètent *seulement un tiers* des œstrogènes habituellement sécrétés par les femmes non-fumeuses au cours de la phase lutéale du cycle menstruel (2ème phase du cycle soumise à l'action de la progestérone). Chez les fumeuses, la 1ère phase du cycle (phase folliculaire) est plus longue et les taux d'œstrogènes à l'ovulation sont plus bas que chez les non-fumeuses[9].

C'est ainsi que la vie fertile d'une femme qui fume activement ou passivement, il faut insister sur ce dernier point, est attaquée et souvent tragiquement, par cette habitude terriblement asservissante: infertilité, stérilité, anomalies congénitales associées au tabagisme maternel plus les malformations congénitales d'origine masculine car le sperme des hommes qui fument présente un taux plus élevé de spermatozoïdes anormaux, avortements spontanés, prématurité, retard de croissance intra-utérine, faible poids à la naissance[9].

Si certaines études tendent à établir que les fumeuses courent moins de risque d'avoir le cancer de l'utérus[11], de souffrir d'endométriose[12] et d'avoir des fibromes[13], ces problèmes étant fortement influencés par *l'excès* d'œstrogènes, on sait, sans l'ombre d'un doute, que les fumeuses sont à risque pour une ménopause précoce (le tabac est toxique pour les ovaires[14]), les problèmes coronariens et les fractures dues à l'ostéoporose. Or la femme ménopausée qui fume et qui reçoit des œstrogènes, n'arrive pas, malgré la thérapie suivie, à maintenir les taux d'œstrogènes d'une femme ménopausée qui ne fume pas.

Ainsi en 1985 puis à nouveau en 1988, Jensen et Christiansen démontraient que le tabagisme modifiait en les abaissant, les taux d'œstrogènes chez les femmes ménopausées soumises à une thérapie aux œstrogènes dans le but de prévenir les problèmes coronariens et l'ostéoporose, et *empêchait* l'arrêt de la perte de la densité des os et l'amélioration du profil lipidique. En fait, fumer non seulement provoque l'ostéoporose (le tabac constricte les vaisseaux sanguins et entrave ainsi l'apport aux os des minéraux) et les troubles coronariens (fumer élève envers et contre tout les taux de «mauvais» cholestérol dans le sang) mais encore et en plus, fumer rend impossible le traitement de ces maladies par l'administration d'œstrogènes par voie orale. Dans la conclusion de leur rapport ces médecins recommandaient que les femmes ménopausées à risque pour l'ostéoporose et les troubles coronariens et qui fument, reçoivent leurs œstrogènes par voie cutanée (implants). Ils soulignent cependant que par cette voie-là qui peut entraîner une irritation cutanée au site d'application, des migraines et des saignements irréguliers persistants, la femme sera soumise à une concentration d'œstrogènes trois fois plus forte qu'une femme ménopausée non-fumeuse[15]. Il y a là de quoi inquiéter une femme normalement informée sur les dangers des œstrogènes.

Sans contredit, le tabac a un effet anti-œstrogénique marqué au point de modifier même les résultats d'une hormonothérapie substitutive de la ménopause par voie orale, celle-ci n'arrivant pas à modifier le profil lipidique ni à arrêter la perte de la densité osseuse de la fumeuse.

C'est pourquoi, même si une fumeuse veut se soumettre à la prise d'œstrogènes pour «prévenir» ou arrêter l'ostéoporose, pour que ceux-ci puissent être efficaces, il faudra tout d'abord qu'elle cesse de fumer. Mais... lorsqu'une femme cesse de fumer, elle ne constitue plus un sujet à risque pour l'ostéoporose ni pour les troubles coronariens et ceci, qu'elle soit ménopausée ou non!

Fumer, quoique la publicité fasse ou dise, n'est pas un symbole de féminité libérée ou autre. La biochimie nous le prouve amplement quand elle démontre que la nicotine, la cotinine et les autres alcaloïdes du tabac comme l'anabasine, sont de puissants inhibiteurs de l'aromatase, un système enzymatique nécessaire, obligatoire, indispensable pour la conversion des androgènes (androstendione et testostérone) en œstrone et œstradiol (des œstrogènes[16]).

De plus, le tabac a un effet stimulant sur les surrénales et leur production d'androgènes. La femme qui fume se trouve donc soumise à des taux élevés d'androgènes, des hormones mâles que son corps n'arrive pas à convertir en œstrogènes. Ce phénomène réalise ainsi une virilisation chronique de la femme aux répercussions physiques et psychologiques importantes, alors, qu'ironie ultime, il provoque chez l'homme, des taux endogènes élevés d'œstrogènes[17]...

La ruée des femmes vers la cigarette a commencé aux environs de la Deuxième Guerre mondiale, à une époque où les dangers du tabac étaient bien moins connus. Aujourd'hui, personne ne cherche plus à nier les liens évidents de la cigarette avec l'emphysème, la bronchite et les maladies cardio-vasculaires. On a fait croire aux femmes que fumer les mettait sur un pied d'égalité avec les hommes. C'était vrai: Les femmes qui fument ont de plus en plus autant de cancers, de maladies respiratoires et de crises cardiaques que les hommes qui fument et, c'est indéniable, elles subissent réellement une virilisation chronique. Mais... c'était aussi faux, car les femmes, qu'elles le veuillent ou non, ont encore un double rôle à assumer, celui d'épouse et de mère, et elles ont ainsi toujours plus à perdre que les hommes chaque fois qu'elles cherchent à imiter leur style de vie. Aujourd'hui comme hier, les femmes qui fument sont toujours encore les seules à subir des fausses couches, à avoir des enfants morts-nés, des bébés plus petits et plus sujets à avoir des ennuis de santé pendant leur première année de vie, ennuis dont elles assumeront probablement la totalité des frais: nuits blanches, journées de travail perdues, longues heures d'attente chez le médecin ou à l'hôpital, épuisement, angoisse et irritabilité extrême face à l'enfant qui souffre, pleure et qu'elles n'arrivent pas à soulager. Le tabagisme maternel risque également d'avoir un effet néfaste à long terme sur le développement physique et intellectuel (troubles de l'apprentissage scolaire[18]) de l'enfant et qui en aura le souci? Bien sûr, la femme, la mère. Et au bout de cette vie enfumée, il y a encore le spectre de l'ostéoporose, de la perte de son intégrité physique, de l'invalidité, de l'infirmité, de la relégation sociale... Assurément, les femmes ne peuvent pas se permettre de fumer.

Le tabac est donc, sans aucun doute possible, un facteur à risque sérieux de l'ostéoporose, *mais il est modifiable*, et il est vraiment dommage que ce fait soit minimisé quand il n'est pas tout simplement passé sous silence[19].

La sédentarité et l'inactivité

Cela fait des décennies que l'on connaît les effets bénéfiques de l'exercice et les effets nocifs de l'immobilité sur la densité des os. On peut se demander pourquoi, jusqu'à tout récemment, cette connaissance n'a pas été mise à profit pour justifier l'exercice comme un traitement et un moyen préventif efficaces de l'ostéoporose.

Le repos total au lit entraîne des pertes rapides et importantes des minéraux des os, jusqu'à 1,2 p. 100 par semaine, pertes qui ne peuvent être freinées que par la station debout maintenue pendant 2 à 4 heures par jour. Rester debout bien qu'immobile pendant ces quelques heures, s'est avéré plus efficace pour réduire la perte en calcium des os que la prise de suppléments calciques ou d'œstrogènes[20].

Les athlètes, en tant que groupe, ont une masse osseuse plus grande que les personnes sédentaires. Selon le sport pratiqué, ce sont leurs jambes ou leurs bras ou leur colonne vertébrale qui sont les plus minéralisés. Par contre, les nageurs qui évoluent dans un milieu où la gravité n'exerce pas de poids sur leur squelette ont moins de masse osseuse que les coureurs, les cyclistes ou les joueurs de tennis. Chez ces derniers, le bras qui tient la raquette est plus minéralisé que l'autre et l'humérus (l'os long qui constitue le bras de l'épaule au coude) l'est plus que le radius et le cubitus (les os de l'avant-bras[20]).

Augmenter l'activité physique d'un jeune, d'une personne d'âge moyen ou d'un vieillard va automatiquement non seulement arrêter la déminéralisation de son squelette mais aussi augmenter sa masse osseuse. Des études de femmes post-ménopausées ont prouvé que leur masse osseuse peut être augmentée assez rapidement par un programme d'exercices simples: En 1981, Smith a démontré que des femmes sédentaires de 69 à 95 ans avaient perdu une moyenne de 3,29 p. 100 de leurs minéraux dans leurs os sur une période de 36 mois alors que celles qui avaient suivi un programme d'exercices, avaient augmenté leur densité osseuse de 2,29 p. 100[21]. En 1985, Lindsay et Dempster ont établi que la masse osseuse des femmes post-ménopausées hospitalisées pour des soins prolongés, pouvait être accrue. À la suite d'un programme d'exercices échelonné sur trois ans, ces patientes ont eu une augmentation de leur masse osseuse de 4,2 p. 100 alors que les patientes qui n'avaient pas participé à ce programme ont perdu 2 p. 100 de leurs minéraux osseux[22]. En 1988, des chercheurs ont prouvé que trois séances d'exercices faciles (marche, jogging et montée des escaliers), pendant 50 à 60 minutes, trois fois par semaine, pendant 9 mois, ont permis d'augmenter le contenu minéral des vertèbres lombaires de femmes post-ménopausées sédentaires de 5,2 p. 100. Le groupe témoin au cours de la même période a perdu 1,4 p. 100 de sa masse osseuse[23].

Ainsi, il n'y a à cela aucun doute possible, la sédentarité au cours de l'enfance, de l'adolescence et de l'âge adulte empêche l'obtention d'une masse osseuse maximale et la sédentarité une fois la ménopause passée, accélère la perte de la masse osseuse. Seul l'exercice régulier, quotidien, routinier, habituel permet de conserver un squelette en bon état[24] et cela parce que l'exercice augmente la circulation sanguine dans les os et donc favorise un apport accru en minéraux; parce qu'il permet un équilibre hormonal qui favorise la santé des os; parce qu'il fortifie les os et stimule leur croissance. L'ennemi principal du squelette des femmes n'est pas la carence en œstrogènes mais plutôt la télévision et le désintérêt que celles-ci ont développé pour les travaux domestiques et qui, dès leur plus tendre enfance, les maintiennent dans un état d'inactivité artificiel.

Contrairement aux œstrogènes, l'exercice physique diminue les risques de tous les cancers de la femme, il améliore le diabète et contrôle le poids[25]. Pensez à vos os quand vous passez l'aspirateur, faites la vaisselle, repassez les chemises de votre mari, lavez les planchers, frottez vos vitres et dites-vous que toutes ses allées et venues, ces heures passées debout, ces montées et ces descentes d'escalier sont un investissement beauté et jeunesse. Plus, cela vous vaudra sans aucun doute possible des compliments de votre mari et de vos enfants contents et rassurés de vous sentir présente et contribuera à augmenter votre estime personnelle.

Une heure de ménage par jour est certainement, sur tous les plans, plus avantageux que plusieurs heures passées au salon de beauté ou dans le bureau du médecin. Et voici une dernière bonne nouvelle à ce sujet : À tout âge, commencer à faire de l'exercice est efficace et rentable[26]. N'hésitez donc pas à commencer tout doucement, dès aujourd'hui, votre grand ménage!

La consommation d'alcool et vos os

L'alcoolisme est un facteur à risque de l'ostéoporose et des fractures de la hanche chez les femmes[27]. Cela peut être dû à un effet direct de l'alcool sur les os car on sait que cette substance est toxique pour les cellules osseuses[28]. Quand on donne de l'alcool à des rats, les taux sanguins de calcium diminuent rapidement et ils n'arrivent pas à se relever tant qu'il y a consommation d'alcool et cela même si on leur administre l'hormone parathyroïdienne (parathormone) dont le rôle est d'augmenter le calcium dans le sang.

La consommation d'alcool entraîne aussi des carences multiples, de la maigreur, une activité physique réduite, une tendance à tomber, un tabagisme et un caféisme accrus qui sont tous des facteurs à haut risque de l'ostéoporose[28]. La consommation de 300 mg de caféine entraîne une fuite importante de calcium. Elle empêche la formation d'une masse osseuse optimale dans la jeunesse et accélère sa perte après la ménopause. Une tasse de café contient 80 mg de caféine. La consommation moyenne de caféine aux États-Unis est de 200 mg par jour mais de nombreuses femmes ingèrent jusqu'à 700 mg de caféine par jour et cela tout au long de leur vie adulte[29].

Des études portant sur les risques pour les hommes de faire de l'ostéoporose, ont démontré qu'un buveur social voyait doubler ses risques d'avoir une fracture des os entre 60 et 69 ans. Quand l'usage de l'alcool est accompagné de l'habitude de fumer les risques triplent. Chez les hommes de 70 ans et plus qui boivent mais ne fument pas, les risques sont de 6,5 fois plus et chez ceux qui boivent et qui fument, ils sont de 20 fois plus que chez les abstinents[30]. Des autopsies de cadavres de jeunes alcooliques révèlent que ceux-ci ont des os moins gros que des hommes non alcooliques du même âge.

Chaque fois qu'une femme est tentée de toucher à l'alcool, elle doit se rappeler qu'au départ, elle a déjà 30 p. 100 de moins de masse osseuse qu'un homme. Les pertes seront donc beaucoup plus profondes chez elles et se manifesteront beaucoup plus tôt dans sa vie.

Il est important ici de signaler que l'usage du tabac, de l'alcool et du café ne favorise pas la santé et qu'il entraîne la prise de nombreux médicaments qui eux aussi, causent la fuite du calcium dans les urines, altère la matrice des os et précipite l'ostéoporose. Ces médicaments sont : les corticostéroïdes, la tétracycline, l'isoniazide, les antiacides à base de sels d'aluminium, le furosémide, les anticonvulsants, l'hormone thyroïdienne et l'héparine[31].

L'excès de protéines et vos os

Une étude qui a porté sur des femmes végétariennes depuis 20 ans a révélé que celles-ci à 80 ans n'avaient perdu que 18 p. 100 de leur masse osseuse alors que les femmes omnivores étudiées en avaient perdu 35 p. 100[32].

La viande est une riche source de protéines, de graisses saturées et de phosphore, des nutriments dont l'excès empêche la minéralisation optimale des os et accélère leur déminéralisation.

Le phosphore, lorsqu'il ne se trouve pas dans un rapport idéal avec le calcium, ce rapport idéal étant deux fois plus de calcium que de phosphore, inhibe la capacité du corps d'absorber le calcium alimentaire. Un régime qui comporte de grandes quantités de viande et de *boissons gazeuses* est un régime qui ne favorise pas l'absorption du calcium car ces aliments contiennent 15 à 45 fois plus de phosphore que de calcium[33].

Les Occidentaux qui consomment beaucoup de viande ont moins de masse osseuse que les végétariens d'ici ou d'ailleurs[34]. En réalité, des hommes végétariens de 70 ans ont une masse osseuse égale à la masse osseuse d'hommes omnivores de 11 à 20 ans plus jeunes qu'eux[35].

Les Américains omnivores par exemple, consomment près de deux fois plus de protéines que la quantité déjà maximale recommandée par les organismes qui s'occupent de nutrition aux États-Unis, soit 95 g par jour au lieu de 43 g. Or plus un individu consomme de protéines moins il retient le calcium et même un très grand apport en calcium n'arrive pas à compenser pour la fuite de ce minéral dans les urines[36].

Alors que l'OMS recommande un apport en calcium de 400 à 500 mg par jour, les Américains insistent sur un apport de 800 mg par jour qui doit augmenter à 1 000 et même 1 500 mg pour les femmes de 40 ans et plus. Or comme l'ont amplement démontré de très nombreuses études, lorsqu'un individu consomme 95 g de protéines animales par jour parce qu'il fait des produits et sous-produits animaux la base de son régime (viande, lait, fromage, œufs), 800 mg et même 1 400 mg de calcium par jour n'arrivent pas à combler ou à équilibrer les pertes en calcium causées par 95 g de protéines animales[37]! Et, réalité grave, il n'y a pas moyen de se leurrer: Une telle quantité de calcium n'arrive absolument pas non plus à neutraliser les effets du tabac, de l'alcool, du manque d'exercice et de l'usage des médicaments. C'est définitif, aujourd'hui, la médecine ose le déclarer: 1 500 mg de calcium par jour ne préviennent ni ne guérissent l'ostéoporose[38].

Les femmes doivent comprendre que pour rester droites, elles n'ont pas besoin de plus de calcium mais très simplement de *moins de protéines*, au moins deux fois moins! La base de l'alimentation humaine n'est pas la viande, les œufs et les produits laitiers, ces produits de luxe qui rendent gros et gras, mais le pain, les pâtes et les pommes de terre, des hydrates de carbone complexes, dépourvus de gras, riches en minéraux et normaux en protéines. De nombreuses femmes désireuses de maigrir, suivent des régimes riches en protéines (protéines liquides, poudres de protéines, viande trois fois par jour), attaquent leur squelette et jettent elles-mêmes en elles-mêmes les premiers jalons de l'ostéoporose. Pour avoir un poids normal, il n'y a que deux choses à faire: bouger chaque jour et manger du pain complet à chaque repas. Ce régime est vieux comme le monde et tout autour du monde, il a amplement fait ses preuves.

Peut-on bouger trop?

Un moyen efficace d'augmenter la masse osseuse pendant la jeunesse et de diminuer la perte osseuse pendant la vieillesse est la sollicitation mécanique des os grâce à l'exercice. La course et la marche favorisent ainsi un accroissement de la masse osseuse dans les os les plus sollicités par ces formes d'exercice physique, la colonne vertébrale et les fémurs dans les jambes. Par contre, on a observé que de nombreuses femmes — mais non les hommes — qui font *trop* d'exercice ont une faible masse osseuse dans la colonne vertébrale. De très jeunes femmes, oui, très sportives, peuvent avoir une masse osseuse aussi faible que des femmes deux fois plus vieilles qu'elles. Elles ont alors très facilement des fractures multiples à la moindre chute ou au moindre coup; elles souffrent d'un affaissement de la colonne vertébrale au niveau des vertèbres du cou qui leur donne une «bosse de chameau» ou un «cou de bison» et de la cage thoracique qui entraîne chez elles une détresse respiratoire parfois intense; et elles ressentent assez souvent des douleurs parfois bien vives. En fait, ces femmes actives, dynamiques, pleines de fougue et d'ardeur font de l'ostéoporose! Est-ce possible?

Les femmes qui suivent un entraînement intensif manifestent très fréquemment des altérations de leur cycle menstruel et connaissent même un arrêt prolongé de leurs règles. L'aménorrhée a toujours été considérée comme un effet secondaire plutôt bénin et, il faut l'avouer, même heureux de l'entraînement à l'endurance des athlètes féminins[39]. Ce n'est que récemment que l'on a découvert que l'aménorrhée ou l'absence de règles chez une femme jeune qui n'est pas enceinte ou qui n'allaite pas est toujours associée chez elle à une diminution de la densité osseuse dans la colonne lombaire (bas du dos[40]). Or cette aménorrhée affecte 50 p. 100 des coureuses de compétition, 44 p. 100 des danseuses de ballet, 25 p. 100 des coureuses qui ne font pas de compétition et 12 p. 100 des nageuses et des cyclistes[41]. Elle affecte aussi de plus en plus de femmes sur le marché du travail qui exercent des métiers d'hommes dans l'armée, la police, les chantiers de construction, etc.

La cause précise de cette aménorrhée n'a pas encore été totalement élucidée mais on croit de plus en plus qu'elle est la conséquence d'une carence de nourriture, ces femmes ne mangeant pas suffisamment pour combler les besoins d'une activité aussi intense. On observe chez elles des marottes alimentaires (régimes extrémistes généralement riches en protéines et presque totalement dépourvus d'hydrates de carbone complexes), une maigreur exagérée et un faible taux d'œstrogènes circulants. Ces femmes jeunes peuvent avoir jusqu'à 20 p. 100 de moins de masse osseuse que les sujets témoins[42].

L'anorexie mentale caractérisée par la perte ou la diminution de l'appétit est courante chez les adolescentes et les jeunes femmes de notre société qui ont peur de grossir et qui sont obsédées par le désir d'être minces. L'anorexie mentale chez les adolescentes est presque toujours associée à une aménorrhée et à un retard de la formation osseuse d'au moins deux ans sur leur âge chronologique[43]. Cette perte osseuse est proportionnée à la durée de l'anorexie. Heureusement, elle s'améliore dès qu'il y a gain de poids et se rattrape complètement dès la guérison complète.

Les chercheurs qui se penchent sur ce problème n'ont pas pu établir que la perte osseuse ou l'arrêt de la construction osseuse était *directement* causée par une carence en œstrogènes bien que les taux d'œstrogènes chez les femmes qui font de l'aménorrhée ne sont que un tiers de ceux qu'ont les femmes qui sont menstruées[44].

Le problème osseux serait bien plutôt dû à une carence en calories ou énergie (hydrates de carbone et graisses) qui entraîne chez ces individus un état de dénutrition bien proche de la famine. Or c'est cet état de dénutrition, cette carence chronique en calories parce qu'on ne mange jamais assez, qui est responsable de la carence en œstrogènes qui est responsable de l'arrêt des règles qui est responsable d'un changement dans le métabolisme des os, le métabolisme du calcium étant alors perturbé ou l'activité des ostéoblastes entravée. Je dois le répéter à nouveau : Il faut manger pour vivre !

Une femme ne peut pas vivre une vie normale de femme normale si elle ne mange pas avec appétit et cœur une nourriture équilibrée et abondante et cela, régulièrement, quotidiennement. Une étude a démontré que les femmes qui n'avaient pas leurs règles, cette absence de règles pouvant se prolonger pendant près de dix ans chez certaines sportives, mangeaient environ 25 p. 100 de moins de calories que les femmes qui conservaient leurs règles[44]. De plus, non seulement ces femmes mangent moins, mais dans leur obsession de rester maigres, elles s'infligent des périodes prolongées d'exercices rigoureux, intenses et épuisants. En général, en dehors de leurs séances d'entraînement elles ne font pas grand chose : elles dorment et se reposent, n'ayant pas la force de faire autre chose.

Fait à souligner : Si ces femmes apparemment très vigoureuses manquent de calories, elles ne sont pas carencées en calcium comme l'ont démontré plusieurs chercheurs. En comparant des sportives qui avaient leurs règles à des sportives qui n'en avaient pas, on a pu établir que les deux groupes consommaient au-delà de 800 mg de calcium par jour. Ainsi le faible contenu en minéraux dans le bas de la colonne vertébrale des femmes qui n'avaient pas leurs règles, ne peut être mis au compte d'un apport insuffisant en calcium[44]. Par contre, leur faible taux d'œstrogènes pourrait entraîner une perte accrue de calcium dans les urines et une absorption intestinale diminuée. Il faut aussi insister sur le fait que ces femmes qui, par peur de grossir, mettent de côté le pain, les céréales, les pâtes et les pommes de terre, consomment énormément de protéines (viande, fromage, yaourt, tofu, noix, graines) car elles ont le sentiment que ces aliments sont « maigres ». Or, vous le savez déjà, l'excès de protéines en l'absence de l'effet protecteur des hydrates de carbone complexes entraîne une fuite massive du calcium dans les urines et conduit directement à la déminéralisation.

L'absence de règles chez une femme en âge de procréer qui n'est pas enceinte ou qui n'allaite pas, est un phénomène grave aux conséquences graves. Il entraîne dans un tout premier temps une réduction substantielle du contenu minéral des os et cela de nombreuses années *avant* la ménopause. La cause directe de ce désordre est une insuffisance chronique de nourriture, souvent doublée d'un excès d'exercice qui approfondit les effets pernicieux de l'insuffisance de l'apport alimentaire. En termes très simples : Non seulement on ne consomme pas assez mais, en plus, on dépense trop. Le bilan ne peut pas être autrement que profondément négatif.

L'ostéoporose est donc intimement liée à deux aberrations féminines de notre culture : L'obligation pour une femme d'être super-mince pour être considérée comme belle et celle d'être super-active pour paraître libérée! Les résultats pernicieux de ces fausses philosophies ne se font pas attendre et les femmes qui sont victimes de cette «doctrine» n'ont pas besoin d'être ménopausées pour être courbées, percluses, fourbues et fichues.

La castration et l'ostéoporose

Les femmes qui ont une ménopause précoce et celles qui subissent une ovariectomie, donc une ménopause chirurgicale, avant l'âge de 45 ans, sont des sujets à risque pour l'ostéoporose. Évidemment, le concept biomédical de la ménopause affirme que cela est dû à la carence brutale en œstrogènes d'autant plus que la prise d'œstrogènes à ce moment-là, arrête la dégradation du squelette, dégradation qui cependant reprend de plus belle dès la cessation de la thérapie hormonale[45]. D'autres penseurs posent d'autres questions : Les facteurs qui ont causé la ménopause précoce et l'obligation de faire une ovariectomie ne sont-ils pas aussi les facteurs qui causent l'ostéoporose? En effet, l'usage du tabac, de l'alcool, du café et des régimes excessifs pour maigrir, ne sont-ils pas, entre autres, une cause directe de la ménopause précoce et/ou du cancer des ovaires, par exemple?

Les traitements de l'ostéoporose

Nous venons de faire un petit tour d'horizon des facteurs à risque de l'ostéoporose. Il est impossible, quand on considère ces facteurs bien documentés de continuer à croire que l'ostéoporose est causée par la ménopause, par une carence en œstrogènes, les hormones de la féminité. L'ostéoporose, lorsqu'elle survient chez des astronautes, chez des allités, chez des sédentaires, chez des hommes, chez des fumeurs, chez des fumeuses, chez des alcooliques qui ont moins de 40 ans, chez des jeunes sportives et chez des adolescentes anorexiques qui ont moins de 20 ans, chez des omnivores, n'est certainement pas causée par la ménopause, un événement strictement féminin, totalement physiologique et donc normal. Non, ce n'est pas la soi-disant carence en œstrogènes de la ménopause qui cause cette dégradation du squelette humain mais bien plutôt les excès du style de vie occidental : excès de drogues, excès d'inactivité, excès de sports et de loisirs, excès de protéines.

Comment traiterons-nous cette autre maladie de notre civilisation ? Les thérapies actuelles semblent imposer l'usage des œstrogènes, des méga-doses de calcium, du fluor, de la calcitonine. Quelle est l'efficacité de ces traitements qui se veulent préventifs ? Quels sont leurs effets secondaires ?

L'hormonothérapie

L'usage des œstrogènes pour le traitement de l'ostéoporose post-ménopausique est très controversé mais, comme le déclare un auteur, il est efficace[46]. Il arrête la perte osseuse rapide qui s'observe après une castration. Selon certaines études de cas, les femmes post-ménopausées qui suivent une hormonothérapie substitutive de la ménopause ont un squelette plus dense et subissent moins de fractures que les femmes qui ne prennent pas d'œstrogènes[47]. L'effet des œstrogènes sur les os étant proportionnel à la dose administrée, le plus grand effet protecteur se remarque chez les femmes qui reçoivent les plus fortes doses d'œstrogènes[48].

Ce qui est déroutant dans tout cela c'est que si l'on a pu démontrer que l'administration d'œstrogènes pouvait ralentir la déminéralisation des os et diminuer le nombre de fractures, on n'a pas encore pu établir que les œstrogènes avaient la capacité de reminéraliser les os ou de faire rétrocéder le processus ostéoporotique[49]. C'est pourquoi, théoriquement, selon le concept biomédical de la ménopause, le traitement aux œstrogènes devrait être institué aussitôt que possible une fois la ménopause installée et se continuer «jusqu'à la fin de la vie[50]». Il faudrait pour cela que les bénéfices globaux de cette thérapie soient plus grands que les coûts et les risques réels qui sont associés à ce traitement. «Les avantages des œstrogènes post-ménopausiques ne priment pas les risques des œstrogènes pour toutes les femmes[50]. » Ces risques, nous les avons déjà exposés. Il faut reparler des risques d'avoir un cancer de l'endomètre, risques qui sont de 4,5 à 13,9 fois plus grands pour les utilisatrices des hormones que pour les non-utilisatrices. Jusqu'à tout récemment l'on essayait de rassurer les femmes en leur disant que ce cancer causé par les hormones exogènes était moins dangereux qu'un cancer «spontané» de l'endomètre et qu'il entraînait moins de mortalité. Une étude contrôlée de cas a établi que les femmes qui avaient pris des œstrogènes pendant plus d'un an couraient 5,2 fois plus de risque d'avoir une tumeur localisée et 3,1 fois plus de risque d'avoir une tumeur extra-utérine et ces risques persistaient pendant 10 ans après l'arrêt de la thérapie. Les femmes qui prennent des œstrogènes dans le but de traiter l'ostéoporose — thérapie à fortes doses et de longue durée — doivent donc se soumettre à des biopsies de l'endomètre tous les ans et même tous les six mois[51]. Et puis, qu'on l'accepte ou non, les œstrogènes aggravent l'hypertension et augmentent les risques d'avoir des pierres sur le foie (cholélithiase).

Ainsi les œstrogènes agissent. Comment? «Le mécanisme de l'action des œstrogènes sur le squelette (on n'a pas pu découvrir, malgré des recherches minutieuses, des récepteurs d'œstrogènes dans les os ou sur les os) demeure pour le moment une des plus grandes énigmes dans ce domaine[52]. » C'est pourquoi, lors d'une conférence sur l'ostéoporose, les participants, à l'unanimité, ont fait la déclaration suivante: «Bien que les œstrogènes semblent avoir un effet prophylactique réel sur l'ostéoporose postménopausique, tant que l'on n'aura pas plus d'informations sur leurs risques et leurs avantages, les médecins et les patients pourraient préférer réserver les œstrogènes (avec ou sans progestérone) pour des conditions qui sont à risque très élevé pour l'ostéoporose comme la survenue d'une ménopause précoce. Les généralisations qui recommandent des œstrogènes pour toutes les femmes à risque ou non pour l'ostéoporose devraient être considérées avec scepticisme[53]. »

La supplémentation calcique

La peur de l'ostéoporose est en train de friser l'hystérie aux États-Unis et alors que de plus en plus de femmes hésitent à prendre des œstrogènes, elles sont heureuses de penser que la solution à ce problème si disgracieux et invalidant pourrait se trouver dans un simple minéral. Elles se sont donc mises avec avidité à boire du lait et à prendre des pilules de calcium. De 1982 à 1988, les revenus de la vente des suppléments de calcium ont grimpé de 18 millions de dollars à plus de 240 millions[54]! L'industrie alimentaire, de son côté, s'est mise à fortifier une foule de produits avec du calcium : Le jus d'orange, ce joyau de la nature, est maintenant «supérieur» alors que le lait est devenu la quintessence d'une nutrition «féminine» à souhait!

Évidemment tout ce branle-bas, une fois de plus, a été suscité sans que l'on ait pris le temps de demander l'opinion des experts en matière de nutrition. On claironne haut et fort que «les femmes en bonne santé de plus de 50 ans ont besoin quotidiennement de 1 200 à 1 500 mg de calcium pour maintenir un bilan calcique positif». On passe sous silence les études bien contrôlées qui ont démontré qu'un supplément calcique de 2 000 mg par jour donné à des femmes post-ménopausées qui consommaient déjà entre 430 et 2 350 mg de calcium dans leur alimentation quotidienne, n'a pas été efficace pour prévenir la perte osseuse qui se produit après la ménopause[55]. On ne signale pas qu'il n'existe «aucune évidence concrète» permettant d'établir qu'une forte dose de calcium peut et va réduire la perte osseuse de la post-ménopause[56]. On tait tout d'un coup les effets secondaires d'une telle quantité de calcium : risques de lithiase rénale (pierres sur les reins), de calcinose (présence de dépôts de calcium dans les tissus mous), déficience en magnésium, un excès de calcium entraînant une perte de ce minéral essentiel pour la santé du cœur et des vaisseaux sanguins. Les signes d'une carence en magnésium causée par un apport excessif en calcium sont : des spasmes musculaires spontanés, des tremblements, des convulsions, des battements de cœur irréguliers, des changements de la personnalité (grande faiblesse, fatigue chronique) et de l'hypertension[57].

Le Dr D. Mark Hegsted, du Département de l'Agriculture aux États-Unis, a été l'un des promoteurs des «Objectifs diététiques» présentés devant le Sénat américain par la commission McGovern en 1977. Son nom est honoré et il est considéré comme l'un des plus grands et des plus sérieux nutritionnistes au monde.

Alors qu'il était à la Havard Medical School, en 1986, il a publié un article intitulé «Le calcium et l'ostéoporose» dans lequel il pose des questions sérieuses qui exigent que nous nous y arrêtions. En 1986, la Consensus Conference on Osteoporosis avait recommandé officiellement que les femmes ménopausées consomment entre 1 000 et 1 500 mg de calcium par jour[58]. Comment y parvenir sans boire un litre de lait par jour ou sans prendre des suppléments, mesures que nos connaissances actuelles sur le cholestérol par exemple et sur les dangers de l'excès de calcium pour le cœur, ne nous permettent pas de considérer à la légère? Un taux aussi élevé de calcium doublé de l'usage d'antiacides peut provoquer une hypercalcémie (taux excessif de calcium dans le sang) qui se manifestera par des nausées, des vomissements, la perte de l'appétit, le besoin fréquent d'uriner, la déshydratation, de la faiblesse musculaire, un coma pouvant déboucher sur la mort. En présence d'une pancréatite, d'ulcères gastro-duodénaux, de la formation de calculs rénaux et même de fractures pathologiques, on peut toujours observer une hypercalcémie[59] (excès de calcium).

Comment ignorer les recherches qui ont établi que jusqu'à présent nous ne possédons *aucune* information fournissant la preuve qu'un apport élevé en calcium pourrait d'une manière ou d'une autre, prévenir l'ostéoporose? Par contre, les informations que nous possédons indiquent clairement que les fractures de la hanche sont plus fréquentes dans les populations où l'on consomme régulièrement des produits laitiers et où l'apport en calcium est élevé. «Y-a-t-il une possibilité quelconque que nous ayons là un rapport de cause à effet?»

Comment expliquer que les mères noires en Afrique du Sud, par exemple, ingèrent entre 200 et 300 mg de calcium par jour au maximum, soit 4 à 5 fois moins que les 800 à 1 200 mg de calcium recommandés aux États-Unis pour la grossesse et l'allaitement, et qu'elles maintiennent un squelette en bon état, malgré de nombreuses grossesses et des allaitements prolongés? Pourquoi ne pas élucider le fait qu'à la ménopause, ces mamans noires font infiniment moins d'ostéoporose que des mamans blanches qui ont eu peu d'enfants et les ont à peine allaités? En effet, les mères noires ont dix fois moins de fractures de la hanche que les mères blanches. N'est-il donc pas surprenant que l'on conseille aux femmes blanches, dans le but de réduire ou de retarder la perte de leur masse osseuse après la ménopause, l'ingestion de 800 mg de calcium supplémentaire alors que tout au long de leur vie, elles ont déjà consommé des taux très élevés de ce minéral?

Le Dr Hegsted pose un autre problème. La très grande majorité des investigateurs dans ce domaine ont établi que plus un régime est riche en protéines, plus il entraîne une fuite de calcium dans les urines. Les données épidémiologiques établissent que les fractures de la hanche sont très fréquentes là où l'on consomme beaucoup de protéines. Pourtant, on continue à littéralement endoctriner les femmes pour qu'elles boivent du lait et mangent du fromage, des produits, certes, riches en calcium mais il ne faut pas le cacher, très riches également en protéines et en graisses. Les femmes américaines consomment déjà plus de protéines que nécessaires (il faut seulement entre 30 et 50 g de protéines par jour alors que la consommation américaine moyenne est de 100 g par jour), comment peut-on alors leur conseiller d'augmenter leur apport en produits laitiers sans aussi, au moins, leur conseiller de diminuer leur ingestion de viande?

De plus , on sait maintenant que le calcium dans notre corps est bien contrôlé et protégé grâce au calcitriol (1 α, 25 dihydroxycholécalciférol) qui favorise l'absorption intestinale du calcium. Lorsqu'un individu consomme peu de calcium, il a des taux élevés de calcitriol qui augmentent l'absorption du calcium. Lorsqu'il consomme beaucoup de calcium, ces taux élevés de calcium entraînent une diminution de la formation du calcitriol et ce calcium ingéré en grandes quantités est alors mal absorbé. Ceci explique pourquoi il est si rare de rencontrer une véritable déficience en calcium dans ces parties du monde où, selon les standards américains, on consomme si peu de calcium. Dans ces pays dits pauvres, au cours de la croissance, de la grossesse et de la lactation, les besoins accrus en calcium sont tout simplement comblés par une augmentation du calcitriol qui permet une utilisation et une absorption maximale du calcium alimentaire. Ainsi, les individus qui sont habitués à consommer beaucoup de calcium sont des individus qui, obligatoirement, utilisent mal le calcium ingéré. Sinon, pensez-y, les populations qui consomment beaucoup de calcium devraient avoir de très gros et très forts squelettes ou souffrir d'intoxication calcique chronique et les populations qui consomment peu de calcium (certaines populations n'ingèrent pas plus de 50 mg de calcium par jour[60]) devraient être incapables de constituer un squelette. Or, ce n'est pas le cas, car même ces populations qui consomment moins de 100 mg de calcium par jour, ont une ossature normale et très saine.

Poussons plus loin l'étude des faits. S'il est vrai que toute femme ménopausée a besoin de plus de 800 mg de calcium par jour, l'ostéoporose devrait être un phénomène qui sévit dans le monde entier, excepté aux États-Unis, au Canada, en Australie et en Nouvelle-Zélande, des pays gros consommateurs de produits laitiers. C'est exactement le contraire qui se produit et il faut envisager le fait qu'un apport élevé en calcium tout au long de la vie, apport élevé qui oblige à la suppression des taux normaux de calcitriol et donc à une mauvaise utilisation du calcium alimentaire, altère à la longue la capacité du corps d'utiliser et de conserver le calcium adéquatement. Il ne faut pas négliger non plus le fait qu'un régime riche en protéines impose un très grand fardeau aux reins et que ceux-ci perdent alors leur capacité de régulariser les taux de calcitriol.

Le Dr Hegsted termine son étude[61] en rappelant que l'ostéoporose, comme plusieurs autres graves maladies chroniques, est principalement une maladie des sociétés occidentales riches. Ainsi il est inutile de brouiller les cartes. Ce sont les sociétés qui consomment le plus de protéines, de calcium et de graisses qui sont les plus affligées par cette maladie de décrépitude. Pour certains auteurs, l'ostéoporose est obligatoire chaque fois qu'un régime est trop abondant en protéines et cela même en présence de quantités plus qu'adéquates de calcium[62]. Avec les faits que nous possédons (études épidémiologiques et cliniques), il est impossible, aujourd'hui, d'établir que l'ostéoporose est une maladie liée à une carence en calcium. Pour obtenir une masse osseuse adéquate, l'être humain a besoin d'un apport en calcium quotidien de 250 à 300 mg par jour[63]. C'est pourquoi l'OMS (Organisation mondiale pour la santé) a fixé les besoins en calcium quotidiens entre 400 et 500 mg. Seuls les Américains insistent sur un apport en calcium de 800 mg par jour, apport qui doit grimper à 1 500 et 2 000 mg chez la femme ménopausée.

Certes, nous pouvons dire avec le Dr Hegsted qu'il serait plutôt gênant de «découvrir» un jour que la phobie du calcium que connaît la société américaine actuellement est tout simplement inutile. Il serait infiniment plus grave de découvrir que les recommandations qui tendent à être adoptées par tous les pays occidentaux, et qui encouragent une grande consommation de lait, sont en réalité nuisibles pour la santé des femmes... Il n'y a qu'à penser, juste en passant, aux problèmes causés aux femmes par le lactose et le galactose (ménopause précoce, cancer des ovaires), à l'incapacité de très nombreux individus de digérer le lait au fur et à mesure qu'ils grandissent puis vieillissent, aux allergies très fréquentes, aux problèmes causés par le cholestérol et le sodium abondants dans les produits laitiers (troubles coronariens, hypertension), aux pertes importantes en zinc, un oligo-élément indispensable pour une immunité forte, une belle peau, des cheveux brillants et un esprit sain[64,65,66], pertes entraînées par une consommation quotidienne de seulement 200 ml de lait et 50 g de fromage et accentuées lorsque ces produits sont pris en dehors des repas[67,68].

Il est temps que l'on reconnaisse que ce n'est pas une carence en calcium qui expose les femmes à l'ostéoporose une fois la ménopause passée mais que c'est plutôt leur usage de drogues sociales comme le tabac, le café, le thé, l'alcool et les boissons gazeuses à base de caféine, leur consommation excessive de viande et de sucre, un produit reconnu pour être hautement décalcifiant[69], et leur style de vie sédentaire ou épuisant...

Du fluor pour les os?

Le fluor est un élément qui exerce d'importants effets sur le métabolisme des os. Selon certaines études, les populations qui boivent de l'eau fluorée, auraient une densité osseuse plus grande que les populations qui boivent une eau pure. Par contre, les études animales faites à ce sujet sont loin d'être concluantes et démontreraient des formations osseuses anormales car le fluor a une influence directe sur les systèmes enzymatiques des cellules osseuses.

Pourtant le fluor entraîne dans la majorité des cas, au cours du premier semestre du traitement, une diminution importante des douleurs osseuses et au bout de deux ans, on peut observer que le fluor a stimulé la formation osseuse par les ostéoblastes[70]. Malheureusement les effets secondaires de ce traitement sont nombreux et graves car le fluor est très facilement et rapidement toxique même à de faibles doses. Les effets secondaires chez 38 p. 100 des patientes traitées au fluor ont été, selon une étude, des douleurs aux articulations et des enflures, des symptômes gastro-intestinaux avec nausées et vomissements sévères, une anémie par perte de sang occulte, du rhumatisme[71].

La calcitonine

La calcitonine considérée pendant un temps comme une hormone miraculeuse dans le traitement de l'ostéoporose, est extraite du saumon. Elle doit être donnée en injections et son prix est élevé[70]. Pour le moment, elle n'a pas réussi à ralier l'opinion médicale et il n'existe pas d'études scientifiques établissant son efficacité ni son inocuité dans le traitement de l'ostéoporose dite post-ménopausique[71].

Prévenons l'ostéoporose

I. Pas de tabac, pas d'alcool

Vous venez, j'en suis sûre, de le comprendre: Une femme, une vraie femme, une femme qui est heureuse d'être femme et qui désire rester femme, ne peut pas se permettre de fumer ni de boire. Ce sont là *réellement* des vices masculins et une femme n'a pas le squelette assez gros pour en supporter les effets pernicieux. En effet, alors qu'un homme qui fume et boit commence à manifester une perte osseuse à 60 ans, une femme qui fume et boit se courbe et se déforme dès l'âge de 40 ans.

II. Ni trop, ni trop peu d'exercice

Une vraie femme ne peut pas non plus s'enorgueillir d'agir comme un homme sur le marché du travail. Dès qu'une femme s'engage dans une activité qui perturbe son cycle menstruel (il s'allonge, le flux sanguin se raréfie ou il disparaît carrément), elle a là une indication sans équivoque possible qu'elle est en train de subir un stress physique, émotionnel ou psychologique qui va la ravager et la transformer en invalide[72].

Les activités qui la placent dans une position de compétition ou de rivalité et qui exigent d'elle, pour qu'elle réussisse, de longues heures d'entraînement ou de travail supplémentaire, surtout si elle a moins de 30 ans et n'a pas encore eu d'enfant, l'usent prématurément[73].

En fait, la femme dont l'activité physique, mentale ou professionnelle, perturbe ou annule le cycle menstruel, travaille et agit aux dépens de sa jeunesse, de sa beauté, de sa santé et sacrifie à une idéologie qui ignore la physiologie (le mythe de l'égalité homme/femme), son avenir féminin. Il est ridicule et malheureux pour une femme de mépriser le fait qu'un homme a une masse musculaire deux fois plus importante, un cœur deux fois plus lourd, une capacité respiratoire, un volume sanguin et une masse osseuse beaucoup plus grands qu'elle. Certes, l'homme n'a pas reçu toute cette structure physique à la force si puissante pour que la femme à 20 ans commence à se défigurer la silhouette avec un dos qui s'arrondit alors que lui, pour conserver sa forme, est obligé de faire de stériles poids et haltères...!

Entre la télévision, forme suprême d'oisiveté, de passivité et d'inactivité, et la piste de course ou la police ou l'armée ou n'importe quel poste de direction ou de responsabilité qui lui ronge les nerfs et la pousse à boire et à fumer pour survivre au stress de la compétition, la femme a certainement beaucoup à faire pour se tenir en forme, être occupée et mieux, être utile. Je dis souvent à ma fille: «Ne perds pas de temps avec ce que les autres peuvent faire aussi bien ou mieux que toi mais attache-toi à faire ce que toi seule, parce que tu es toi, peut faire.»

Dites-moi: Qui mieux que vous peut être la mère de vos enfants? Qui mieux que vous peut être l'épouse de votre mari? Et puis, c'est sûr, vous avez reçu au moins un talent unique dont votre famille ou votre société ont absolument besoin pour prospérer et devenir meilleures. Certes, c'est une question de foi. Une femme doit croire qu'elle est indispensable et qu'elle a un rôle unique à jouer pour pouvoir trouver sa place dans notre monde. Mais ce n'est qu'à ce prix-là qu'elle pourra agir sans stress et sans dégradation, car sa conscience lui dira chaque jour qu'elle a choisi la bonne part, sans déplacer ni mépriser personne.

Ainsi, s'il est possible pour une femme de ne pas bouger assez, le problème actuel de bien des femmes est qu'elles bougent trop. Or dès qu'une femme qui est féconde, cesse d'avoir ses règles, elle permet en elle-même le déclenchement d'un processus qui 20 ou 30 ans avant le temps, entraîne la déminéralisation de son squelette et l'expose à des difformités et à des fractures multiples.

Par contre, des études très récentes ont démontré que des coureuses de marathon qui conservaient leurs règles pouvaient quand même subir une perte osseuse, particulièrement au niveau des vertèbres du cou, prélude à «la bosse de bison» de plus en plus courante chez des femmes de plus en plus jeunes; alors que des jeunes filles anorexiques et faisant de l'aménorrhée mais qui restaient actives avaient plus de masse osseuse que des jeunes filles anorexiques qui faisaient de l'aménorrhée et qui étaient inactives[74]. Ces études sont une mise en garde contre la conception biomédicale de la ménopause qui veut que ce soit le taux d'œstrogènes de la femme qui soit responsable de la bonne minéralisation de son squelette. Non, la bonne minéralisation du squelette de la femme est lié à un niveau d'activité adéquat et qui ne l'amène pas à dépenser physiquement ou nerveusement plus qu'elle ne mange.

Or une femme ne peut pas manger autant qu'un homme car le taux de son métabolisme de base est de 5 à 10 p. 100 inférieur à celui de l'homme. Ce n'est qu'enceinte ou allaitant que le métabolisme de la femme adulte s'élève et cette augmentation est reliée au développement musculaire de l'utérus, du placenta et du fœtus, à l'augmentation de l'effort cardiaque, à l'accélération du rythme respiratoire, à l'activité des glandes mammaires et à la production du lait. Le même phénomène s'observe pendant les menstruations[75]. Consommant obligatoirement et tout au long de sa vie, constamment, de 500 à 800 calories de moins qu'un homme, une femme ne peut évidemment pas fournir le même travail.

Les femmes d'antan le savaient bien et c'est pourquoi elles tenaient à leur rôle et à leur domaine laissant sans ennui aux hommes leur rôle et leur domaine, tout en exigeant d'eux, sans remords, qu'ils aient de la galanterie envers elles. Elles ne permettaient pas aux hommes d'oublier qu'ils étaient plus forts qu'elles ou qu'elles étaient plus faibles qu'eux et qu'ils avaient donc, obligatoirement, à assumer de plus grandes charges et responsabilités qu'elles. Elles étaient prêtes à les aider dans leurs travaux mais elles n'acceptaient pas d'en porter tout le fardeau au risque de s'user prématurément, ce qui était le lot des femmes seules ou veuves...

Pour prévenir l'ostéoporose, les femmes d'aujourd'hui doivent commencer par reconnaître et accepter leurs limites. Elles sont femmes et non hommes et malgré tout ce que certaines philosophies veulent proclamer, la femme n'est pas «égale» à l'homme. Pour commencer, elle a 30 p. 100 de moins de masse osseuse que lui. L'ignorer peut la condamner à vivre les ⅔ de sa vie en invalide.

III. Un régime riche en végétaux

Un groupe de chercheurs du Centre de recherches en nutrition du United States Department of Agriculture, a étudié l'effet du bore sur le métabolisme des minéraux, de l'œstrogène et de la testostérone chez les femmes post-ménopausées[76].

La crainte de l'ostéoporose, ce problème osseux si courant chez les femmes américaines, a stimulé énormément d'intérêt dans le calcium. Cependant ces chercheurs sont inquiets car bien que les évidences que l'on possède actuellement indiquent clairement que des doses massives de calcium ne préviennent pas la déminéralisation chez les femmes post-ménopausées, on recommande quand même des quantités de calcium difficiles à obtenir dans le régime seulement, soit 1 500 à 2 000 mg par jour.

Ces recommandations leur semblent totalement impropres car on sait qu'un apport élevé en calcium peut entraîner des désordres en affectant le métabolisme d'autres nutriments. Oui, ces recommandations si élevées les surprennent énormément car on ne peut quand même pas taire le fait que les populations qui ont un très faible taux d'ostéoporose sont précisément ces populations qui consomment relativement peu de calcium.

Ces chercheurs ont donc décidé de se détourner du calcium, de la vitamine D_3 (cholécalciférol) et du fluor pour investiguer les effets du bore qui, selon des études animales, a des effets marqués sur le métabolisme du calcium.

C'est en 1910 que pour la première fois, on a reconnu que le bore était un élément qui avait une importance physiologique pour les plantes. En 1945, on a découvert qu'ajouté à leur régime, le bore prolongeait le taux de survie et conservait les réserves de graisses et de glycogène de rats carencés en potassium.

En 1981, soit 70 ans après que l'on ait suggéré que le bore pouvait être essentiel pour les plantes, on a pu établir que le bore était essentiel pour les poussins qui ne recevaient pas suffisamment de vitamine D_3. À partir de cette expérience, on devait découvrir que le bore est un élément salutaire en période de stress. En effet, le besoin du corps en bore ne semble pas crucial, ou semble très faible lorsqu'un animal ne subit aucun stress nutritionnel ou métabolique. Par contre, dès qu'un animal doit faire face à une situation de stress qui affecte négativement son statut hormonal ou cellulaire, il a un besoin accru de bore[77].

C'est en se basant sur cette découverte que Nielsen, un pionnier dans la recherche sur le bore, a cherché à établir si les humains exhibaient, eux aussi, un besoin accru en bore au cours de certaines périodes de leur vie. Il a pensé aux femmes et à la ménopause, cet événement biologique qui entraîne une modification dans la production des œstrogènes, ces hormones cessant alors d'être fabriquées par les ovaires pour être produites par les glandes surrénales et les graisses.

Nielsen a donc mis sur pied une expérience dont les sujets étaient des femmes âgées de 48 à 82 ans et vivant dans une unité de recherche métabolique. Elles ont reçu pendant 119 jours une alimentation pauvre en bore (0,25 mg par jour), soit une alimentation à base de bœuf, de porc, de riz blanc, de pain blanc et de lait, mais faible en fruits et en légumes frais.

Après cette période, la prise d'un supplément de bore (3.0 mg par jour) permit d'observer au bout de huit jours, une réduction soudaine et marquée de l'élimination du calcium et du magnésium dans les urines et une élévation soudaine et marquée des concentrations sériques de l'œstradiol et de la testostérone. On a ainsi pu établir que le bore était un oligo-élément essentiel de la nutrition humaine et qu'à la ménopause, un apport adéquat permettait la prévention des pertes urinaires de calcium, phosphore et magnésium et le maintien d'un statut hormonal adéquat, conditions essentielles pour prévenir l'ostéoporose.

Des études plus poussées ont permis de découvrir que la carence en bore aggravait les signes d'une déficience en vitamine D_3 et était responsable d'un développement osseux anormal et d'une mauvaise croissance ainsi que d'un abaissement critique des hormones sexuelles présentes dans le sang. Aujourd'hui, dans l'état actuel de nos connaissances, le bore est reconnu comme un élément indispensable de la nutrition humaine capable de provoquer chez les femmes post-ménopausées des changements marqués qui concordent avec la prévention de l'ostéoporose, cette affreuse dégradation du système osseux.

Où trouver du bore? Le bore est un élément présent en abondance dans *les végétaux* mais presqu'inexistant dans les produits animaux comme la viande et le poisson. Un régime riche en fruits et en légumes consommés généreusement à chaque repas, peut fournir de 1,5 à 3 mg de bore par jour[78].

La recherche scientifique en nutrition humaine a ainsi démontré, au début des années 90, que ce qui prévenait efficacement et sûrement l'ostéoporose n'était pas le lait mais les fruits et les légumes, ces aliments souvent dédaignés.

Si les fruits et les légumes sont riches en bore, ils sont aussi une source appréciable de calcium. Vous n'avez donc rien à craindre. Plus une alimentation fournit en abondance des végétaux, plus elle est équilibrée. Pour des os forts et une colonne vertébrale droite, pensez donc végétaux!

Quelques sources végétales de calcium[79]

1 tasse de brocoli	132 mg
1 tasse de fèves de soja	131 mg
1 tasse de haricots blancs	100 mg
1 tasse de raisins secs	100 mg
1 tasse d'abricots secs	100 mg
½ tasse de noix de Brésil	180 mg
½ tasse d'amandes	166 mg
½ tasse de graines de tournesol	120 mg
½ tasse de graines de sésame entières	1 160 mg
1 c. à s. de mélasse noire dite verte	137 mg

Pour clore cette section, je vous encourage à faire une réflexion de bons sens: Au moment où l'enfant connaît le rythme de croissance le plus rapide de sa vie, la nature ne lui destine que 80 mg de calcium par tasse de lait maternel. Pourquoi à l'âge adulte aurait-il tout d'un coup besoin du taux élevé de calcium qui se trouve dans le lait de vache, soit 288 mg par tasse? Les nutritionnistes ont toujours considéré que le lait d'une espèce, mieux et plus que tout autre chose, indiquait quels étaient ses véritables besoins nutritionnels. Pourquoi l'oublier à la ménopause?

IV. Une détoxication du plomb

Le plomb est un métal lourd dont on connaît les effets dévastateurs depuis l'Antiquité[80,81]. Le plomb ingéré ou respiré est déposé dans les os mais là, il n'est pas inactif. Sous certaines conditions physiologiques de stress, il peut retourner dans le sang où son arrivée massive va provoquer des désordres graves.

En 1988, trois chercheurs ont avancé l'hypothèse que l'ostéoporose pouvait être un effet secondaire méconnu de l'intoxication chronique au plomb[83] que notre société, tout comme la société romaine bien avant elle, connaît à son tour. On sait aujourd'hui que le plomb inhibe l'activation de la vitamine D, l'absorption du calcium alimentaire et plusieurs mécanismes régulateurs de la fonction des cellules des os. On a pu observer que lorsque des chiens ont des taux de plomb de 50 à 80 mg par 100 ml de sang, l'activité des ostéoclastes qui dissolvent les vieux minéraux et celle des ostéoblastes qui permettent les dépôts de nouveaux minéraux est ralentie, alors que des enfants qui subissent une intoxication faible mais chronique au plomb accusent des retards de croissance marqués qui ont des répercussions sur leur squelette. On a aussi remarqué que cette intoxication provoque de l'hypertension.

L'intoxication au plomb chez les femmes post-ménopausées est en grande partie directement reliée à l'usage du tabac. Fumer 20 cigarettes par jour provoque l'ingestion quotidienne de 14 microgrammes de plomb... alors que l'ajout de plomb à l'essence expose chaque jour les individus qui respirent l'air des centres urbains ou qui vivent le long des grandes routes, à l'ingestion de 17 microgrammes de plomb. Quand on parle de pollution, il faudrait commencer aussi près de nous que possible, car s'il est presqu'impossible d'arrêter la circulation automobile, il est infiniment plus facile d'arrêter de fumer.

Si l'ostéoporose est réellement un effet secondaire de l'intoxication au plomb que provoque l'habitude de fumer, il est indispensable de cesser de fumer, mais aussi de détoxiquer le corps du plomb accumulé.

Le charbon activé en poudre est un adsorbant avide et du plomb et de la nicotine au point qu'il soit difficile de continuer à fumer lorsque l'on prend du charbon, celui-ci annulant totalement l'effet de stimulation et de dépendance que cause la nicotine, la drogue du tabac[83].

Ainsi vous avouerez avec moi que l'ostéoporose dite post-ménopausique, plutôt que d'être une maladie de carence en œstrogènes ou en calcium, est une maladie d'excès, une maladie de luxe!: luxe de fumer, luxe de manger beaucoup trop de viande, luxe de l'oisiveté, luxe de boire de l'alcool et des boissons gazeuses, luxe de pouvoir se prendre pour un homme et d'agir comme un homme.

Et dans tout cela, qu'a à faire la ménopause? Vous le voyez bien, pas plus qu'elle ne démolit le cœur, elle ne désagrège le squelette. Il est temps que les femmes refusent de se cacher derrière ce bouc émissaire qui fait d'elles des sujets méprisés et les maintient dans un état de mièvrerie inacceptable. Ce qui use le cœur des femmes et ramollit leurs os, ce sont exactement les mêmes choses qui usent le cœur des hommes et ramollissent leurs os. Et j'ose le répéter: La ménopause, phénomène normal, n'a rien à voir là-dedans.

1. Rodysill K.J., Postmenopausal Osteoporosis — Intervention and Prophylaxis. A Review, *J Chron Dis*, Vol. 40, No. 8, 743-760, 1987.
2. *Novak's Textbook of Gynecology*, p. 715, 1981.
3. Gordon G.S., Prevention of Bone Loss and Fractures in Women, *Maturitas*, 6, No. 3, 225-242, 1984.
4. Parfitt A.M., Definition of Osteoporosis: Age-related Loss of Bone and Its Relationship to Increased Fracture Risk, *Osteoporosis*, 15-19, Bethesda, Md: National Institutes of Health, 1984.
5. Ibid.
6. Chandler W.U., Banishing Tobacco, *The Futurist*, 9-15, May-June 1986.
7. Rodysill K.J., Postmenopausal Osteoporosis — Intervention and Prophylaxis. A Review, *J Chron Dis*, Vol. 40, No. 8, 743-760, 1987.
8. Rubin D.H., Leventhal M.J., Krasilnikoff A.P., Weile B., Berget A., Effect of passive smoking on birth weight, *Lancet*, ii: 415-417, 1986.
9. Shulman A., Ellenbogen A., Maymon R., Bahary C., Smoking out the œstrogens, *Human Reproduction*, Vol. 5, No. 3, 231-233, 1990.
10. Lam S.Y., Baker H.W.G., Seeman E., Pepperell R.J., Gynaecological disorders and risk factors in premenopausal women predisposing to osteoporosis. A review, *British Journal of Obstetrics and Gynaecology*, Vol. 95, 963-972, Oct. 1988.
11. Baron A.J., Smoking and œstrogen-related disease, *Am J Epidemiol*, 119: 9-22, 1984.
12. Cramer W.D., et al., The relation of endometriosis to menstrual characteristics, smoking and exercice, *J Am Med Assoc*, 225: 1904-1908, 1986.
13. Ross K.R., et al., Risk factors for uterine fibroids: reduced risk associated with oral contraceptives, *Br Med J*, 293: 359-362, 1986.
14. Mattison R.D., Thorgeirsson S.S., Smoking and industrial pollution and their effects on menopause and ovarian cancer, *Lancet*, i: 187-188, 1978.
15. Jensen J., Christiansen C., Effects of smoking on serum lipoproteins and bone mineral content during postmenopausal hormone replacement therapy, *Am J Obstet Gynecol*, 159: 820-825, 1988.
16. Zeller W.J., Berger M.R., Nicotine and estrogen metabolism, *J Cancer Res Clin Oncol*, 115: 601-603, 1989.
17. Khaw K.-T., Chir M.B.B., Tazuke S., Barrett-Connor E., Cigarette Smoking And Levels Of Adrenal Androgens In Postmenopausal Women, *New Engl J Med*, Vol. 318, No. 26, 1705-1709, June 30, 1988.
18. Starenkyj D., *L'enfant et sa nutrition*, «L'enfant hyperactif», p. 121, Orion, Québec, 1988.
19. Lam S.Y., et al., Gynaecological disorders and risk factors in premenopausal women predisposing to osteoporosis. A review, *British Journal of Obstetrics and Gynaecology*, Vol. 95, 963-972, Oct. 1988.
20. Smith E., Smith P.E., Gilligan C., Diet, Exercice and Chronic Disease Patterns in Older Adults, *Nutrition Reviews*, Vol. 46, No. 2, 52-61, February 1988.

21. Smith E.L., Reddan W., Smith P.E., Physical activity and calcium modalities for bone mineral increase in aged women, *Medecine and Science in Sports and Exercice*, 13: 60-64, 1981.
22. Lindsay R.D., Dempster W., Osteoporosis: Current Concepts, *Bulletin of the New York Academy of Medecine*, 61, No. 4, 307-322, 1985.
23. Dalsky G.P., Stocke K.S., Ehsani A.A., et al.: Weight bearing exercice training and lumbar bone mineral content in postmenopausal women, *Ann Intern Med*, 108: 824-828, 1988.
24. Gannon L., The Potential Role of Exercice in the Alleviation of Menstrual Disorders and Menopausal Symptoms: A Theoretical Synthesis of Recent Research, *Women and Health*, Vol. 14(2), 1988.
25. Notelovitz M., Estrogen in Postmenopausal Women, *The Journal of Family Practice*, Vol. 29, No. 4, 410-415, 1989.
26. Notelovitz M., Exercice and Health Maintenance in Menopausal Women, *Annals New York Academy of Sciences*, 210, 1991.
27. Bikle D.D., Genant H.K., Cann C., Recker R., Halloran B.P., Stewler G.J., Bone disease in alcohol abuse, *Ann Intern Med*, 103: 42-48, 1985.
28. Lam S.Y., et al., Gynaecological disorders and risk factors in premenopausal women predisposing to osteoporosis. A review, *British Journal of Obstetrics and Gynaecology*, Vol. 95, 963-972, Oct. 1988.
29. Dietary Caffeine And Calcium Excretion, *Nutrition Reviews*, Vol. 46, No. 6, 232-234, June 1988.
30. Seeman E., Melton III L.J., O'Fallon W.M., Riggs B.L., Risk Factors for Spinal Osteoporosis in Men, *American Journal of Medecine*, 75, No. 6, 977-983, 1983.
31. Rodysill K.J., Postmenopausal Osteoporosis, *J Chron Dis*, Vol. 49, No. 8, 743-760, 1987.
32. Marsh A.G., Sanchez T.V., et al., Vegetarian lifestyle and bone mineral density, *Am J Clin Nutr*, 48: 837-841, 1988.
33. Winick M., Osteoporosis, *Nutrition and Health*, 6, No. 1, 6, 1984.
34. Marsh A.G., Sanchez T.V., Chaffee F.L., et al., Bone Mineral Mass in Adult Lacto-Ovovegetarian and Omnivorous Males, *The American Journal of Clinical Nutrition*, 37, No. 3, 453-456, 1983.
35. Ellis F.R., Holesh S., Ellis J.W., Incidence of Osteoporosis in Vegetarians and Omnivores, *Am J Clin Nutr*, 25, No. 6, 555-558, 1972.
36. Zemel M.B., Calcium utilization: effect of varying level and source of dietary protein, *Am J Clin Nutr*, 48: 880-883, 1988.
37. Allen L.H., Protein-induced Calciuria: A Long-Term Study, *Am J Clin Nutr*, 32, No. 4, 741-749, 1979.
38. Riis B., Thomsen K., Christiansen C., Does Calcium Supplementation Prevent Postmenopausal Bone Loss? A Double-blind, Controlled Clinical Study, *The New England Journal of Medecine*, 316, No. 4, 173-177, 1987.
39. Starenkyj D., *L'adolescent et sa nutrition*, L'adolescent sportif, p. 203-252, Orion, Québec, 1989.
40. Notelovitz M., Exercice and Health Maintenance in Menopausal Women, *Annals New York Academy of Sciences*, 214, 1991.
41. Nelson M.E., Fisher E.C., et al., Diet and bone status in amenorrheic runners, *Am J Clin Nutr*, 43: 910-916, 1986.

42. Cann C.E., Martin M.C., Genant H.K., Jaffe R.B., Duration of amenorrhea affects rate of bone loss in women runners: Implication for therapy, *Med Sci Sports Exerc*, 17: 214, 1985.

43. Ayers J.W.T., Gidwani G.P., Schmidt H.M.V., Gross M., Osteopenia in hypoestrogenic young women with anorexia nervosa, *Fertil Steril*, 41: 224-228, 1984.

44. Nelson M.E., Fisher E.C., et al., Diet and bone status in amenorrheic runners, *Am J Clin Nutr*, 43: 910-916, 1986.

45. Lindsay R., The Menopause: Sex Steroids and Osteoporosis, *Clinical Obstetrics and Gynecology*, Vol. 30, No. 4, 847-859, December 1987.

46. Rodysill K.J., Postmenopausal Osteoporosis, *J Chron Dis*, Vol. 40, No. 8, 743-760, 1987.

47. Ettinger B., Genant H.K., Cann L.E., Long-term estrogen replacement therapy prevents bone loss and fractures, *Ann Intern Med*, 102: 319-324, 1985.

48. Horsman A., Jones M., Francis R., et al., Effect of estrogen dose in postmenopausal bone loss, *N Engl J Med*, 309: 1405-1407, 1983.

49. Lindsay R., The Menopause: Sex Steroids and Osteoporosis, *Clinical Obstetrics and Gynecology*, Vol. 30, No. 4, 847-859, Dec. 1987.

50. Rodysill K.J., Postmenopausal Osteoporosis, *J Chron Dis*, Vol. 40, No. 8, 743-760, 1987.

51. Shapiro S., Kelley J.P., Rosenberg L., et al., Risk of localized and widespread endometrical cancer in relation to recent and discontinued use of conjugated estrogens, *N Engl J Med*, 313: 969-972, 1985.

52. Lindsay R., The Menopause: Sex Steroids and Osteoporosis, *Clinical Obstetrics and Gynecology*, Vol. 30, No. 4, 847-859, Dec. 1987.

53. Osteoporosis: National Institutes of Health Concensus Conference, *JAMA*, 252: 799-802, 1984.

54. Breu G., The Calcium Controversy: An Expert Warns That Supplements Are Not the Cure-all for Dowager's Hump, *People Weekly*, 27, No. 15, 69-71, 1987.

55. Riis B., Thomsen K., Christiansen C., Does Calcium Supplementation Prevent Postmenopausal Bone Loss?, *The New England Journal of Medecine*, Vol. 316, No. 4, 173-177, 1987.

56. Lindsay R., The Menopause: Sex Steroids and Osteoporosis, *Clinical Obstetrics and Gynecology*, Vol. 30, No. 4, 847-859, Dec. 1987.

57. Starenkyj D., *Le bébé et sa nutrition*, p. 79-81, Orion, Québec, 1990.

58. Spencer H., Kramer L., NIH consensus conference: Osteoporosis. Factors contributing to osteoporosis, *J Nutr*, 116: 316-319, 1986.

59. Pagana K.D., Pagana T.J., *L'infirmière et les examens paracliniques*, p. 197, Edisem/Maloine, 1985.

60. Walker A.R.P., Walker B.F., Recommended Dietary Allowances and Third World Populations, *The American Journal of Clinical Nutrition*, 34, No. 10, 2319-2321, 1981.

61. Hegsted D.M., Calcium and Osteoporosis, *J Nutr*, 116: 2316-2319, 1986.

62. Allen L.H., Oddoye E.A., Margen S., Protein-induced hypercalciuria: a longer term study, *Am J Clin Nutr*, 32: 741-749, 1979.

63. Smith E.L., Smith P.E., Gilligan C., Diet, Exercice and Chronic Disease Patterns in Older Adults, *Nutrition Reviews*, Vol. 46, No. 2, 52-61, February 1988.

64. Starenkyj D., *Le bébé et sa nutrition*, p. 190-192, Orion, Québec, 1990.
65. Starenkyj D., *L'enfant et sa nutrition*, p. 101, 102, Orion, Québec, 1988.
66. Starenkyj D., *L'adolescent et sa nutrition*, p. 171-173, Orion, Québec, 1989.
67. Wood R.J., Hanssen D.A., Effect of Milk and Lactose on Zinc Absorption in Lactose-Intolerant Post-menopausal Women, *J Nutr*, 118: 982-986, 1988.
68. Wood R.J., Jia Ju Zheng, Milk Consumption and Zinc Retention in Postmenopausal Women, *J Nutr*, 120: 398-403, 1990.
69. *Archives of Oral Biology*, 26: 393-397, 1981.
70. *Thérapeutique Médicale*, édité par Jean Fabre, Flammarion Médecine Sciences, p. 846, 1978.
71. Rodysill K.J., Postmenopausal Osteoporosis, *J Chron Dis*, Vol. 40, No. 8, 743-760, 1987.
72. Gannon L., The Potential Role of Exercice..., *Women and Health*, Vol. 14(2), 105-127, 1988.
73. Baker E.R., Mathur R.S., Kirk R.F., Williamson H.O., Female runners and secondary amenorrhea: Correlation with age, parity, mileage, and plasma hormonal and sex-hormone-binding globulin F concentrations, *Fertility and Sterility*, 36: 183-187, 1981.
74. Notelovitz M., Exercice and Health Maintenance in Menopausal Women, *Annals New York Academy of Sciences*, 214, 1991.
75. Krause M.V., Hunscher M.A., *Nutrition et diétothérapie*, p. 23, Les Éditions HRW Ltée, Montréal, 1978.
76. Nielsen F.H., Hunt C.D., Mullen L.M., Hunt J., Effect of dietary boron on mineral, estrogen, and testosterone metabolism in postmenopausal women, *FASEB J*, 1, 394-397, 1987.
77. Nielsen F.H., Nutritional Significance of the Ultratrace Elements, *Nutrition Reviews*, Vol. 46, No. 10, 337-341, October 1988.
78. Nielsen F.H., Other elements: Sb, Ba, B, Br, Cs, Gc, Rb, Ag, Sr, Sn, Ti, Zr, Be, Bi, Ga, Au, In, Nb, Sc, Te, Tl, W, — Mertz W., ed., *Trace elements in human and animal nutrition*, Vol. 2, New York: Academic; 415-463, 1986.
79. Starenkyj D., *Le bébé et sa nutrition*, p. 188 et p. 82, Orion, Québec, 1990.
80. Starenkyj D., *L'enfant et sa nutrition*, p. 91-95, Orion, Québec, 1988.
81. Starenkyj D., *L'allergie au soleil*, p. 51-53, Orion, Québec, 1986.
82. Silbergeld E.K., Schwartz J., Mahaffey K., Lead and Osteoporosis: Mobilization of Lead from bone in Postmenopausal Women, *Environmental Research*, 47, 79-84, 1988.
83. Starenkyj D., *Mon «petit» docteur*, Orion, Québec, 1991.

11

La dépression féminine

Le concept de la ménopause qui affirme que celle-ci est une «maladie de carence», déclare également avec tout autant d'arrogance que la grossesse et l'allaitement sont, je cite et c'est inouï, des «désordres de l'ovulation» (ovulatory disorders[1]). Pour ce concept, n'est normale, dans tout le cycle ovarien, que l'ovulation... bien que pour éviter ses désordres soit la grossesse et l'allaitement, il faille qu'elle soit manipulée et entravée par la prise d'œstrogènes contraceptifs tout au long de la vie fertile de la femme.

Par contre à la ménopause, au moment où universellement l'ovulation cesse, ce concept se met à plaider en faveur de son taux d'œstrogènes maximal et à le décrire comme étant le seul capable d'assurer à la femme de 50 ans une véritable et exquise féminité pour les trente années qui lui restent encore à vivre... La prescription hormonale de la ménopause — hormones «naturelles» données à des taux «physiologiques», soit 4 à 15 fois moins élevés que les œstrogènes de «la pilule[2]» — va alors, à merveille, annuler les 17 à 26 symptômes (ces chiffres varient selon les auteurs) du syndrome ménopausique, dont la dépression. En effet, la dépression, toujours selon ce concept de la ménopause, est une autre conséquence directe de la cessation des règles, cette cessation étant la manifestation ouverte que la femme est en train de vivre «une véritable maladie endocrinienne d'origine ovarienne», «un état pathologique», «un véritable désordre métabolique exigeant qu'on le reconnaisse comme tel et qu'on le traite[3]». En tous les cas, qu'on le désire ou non, après avoir lu de telles déclarations toutes officielles et des plus graves, il est difficile, si on les prend le moindrement au sérieux, de ne pas tomber en dépression ou pour le moins d'avoir le vague à l'âme ou le haut-le-cœur pendant quelque temps...!

Rappelons-nous que c'est au XIXe siècle, alors que le symptôme le plus décourageant de la ménopause était «les hémorragies déplétives» que la médecine s'est mise à classifier cet événement non plus comme une maladie «du sang» mais comme une maladie «des nerfs». Phénomène nouveau, on peut lire dans un manuel de gynécologie du temps (1851) que la femme, à la ménopause, devient «une vieille femme souffrant d'une dégradation progressive de sa beauté physique» et que cette «décadence de sa constitution» entraîne obligatoirement chez elle «un sentiment de mélancolie[4]».

En 1857, Tilt publiait l'unique livre anglais sur le retour d'âge féminin[5], ouvrage dans lequel il proclame l'origine «nerveuse» des troubles du climatère. Il y affirme que cette époque est caractérisée par des problèmes d'origine «ganglionique», des «affections cérébro-spinales» et des troubles du comportement qu'il désigne sous le terme général d'«hystérie». Il croit fermement que chaque catégorie de problèmes est reliée aux autres, voyant dans l'«irritabilité» des ovaires une cause commune à toutes ces manifestations pénibles de la ménopause.

Le traitement qu'il propose est tout à fait original: Dans le but de contrôler l'«excitation», il est indispensable d'utiliser des *sédatifs*. Il recommande donc la prescription d'opium (en lavement) et de cannabis mais aussi, dans les éditions ultérieures de son livre, de drogues plus modernes comme les bromures et l'hydrate de chloral, introduits les uns en 1864 et l'autre en 1869. Tilt est convaincu du bienfondé de son traitement et son argument semble irréfutable: Si «la faculté (entendons par là, la médecine) ne soulage pas la souffrance des femmes, elles vont instinctivement rechercher les stimulants, les pauvres se tournant vers le porter et le gin et les riches vers le vin et le brandy.» Pour Tilt, il est préférable de calmer une femme vieillissante avec de l'opium et du cannabis plutôt que de la laisser s'exciter encore plus avec de l'alcool et devenir bruyante et indécente.

Cependant, bien que fasciné par les «deux petits corps ovales» de la femme, le Dr Tilt est convaincu qu'il y a entre les ovaires et le cerveau, une connexion nerveuse. C'est pourquoi il ne peut s'empêcher de signaler que les bouleversements qui se produisent dans l'environnement de la femme climatérique peuvent retentir sur ses ovaires, son utérus et bien entendu, son humeur. Il décrit ainsi avec beaucoup de lyrisme ces événements qui «un à un coupe les cordes qui ancrent la femme à la vie. À 50 ans, ses parents sont retournés à la poussière, ses enfants ont déserté le toit parental et des doutes l'envahissent: avec ses charmes fanés va-t-elle pouvoir retenir la possession de l'affection de son mari?...»

Le livre de Tilt, *The change of life in health and disease. A practical treatise on the nervous and other affections incidental to women at the decline of life,* a connu de nombreuses rééditions et réimpressions en anglais et une traduction en français (1883-1885) qui lui a permis d'atteindre le sommet de sa gloire et d'imposer au monde médical un traitement de la ménopause presqu'exclusivement centré sur l'usage de sédatifs et accessoirement, sur la nécessité d'offrir à la femme ménopausée de la sympathie et d'exercer envers elle la suggestion. Après tout, il ne faut pas oublier qu'elle souffre d'une maladie «des nerfs».

Lorsqu'en 1920, Emil Novak publie un livre intitulé *Menstruations and its Disorders*[6] dans lequel il place un chapitre sur les psychopathologies de la ménopause, il se fait l'écho d'Edward John Tilt quand il affirme que «la majorité des femmes pendant cette période de leur vie, ont des symptômes psychiques. Elles sont geignardes, irritables, moroses et déprimées.» Ce médecin gynécologue-obstétricien très célèbre aux États-Unis déclare alors que «les diverses psychoses de la ménopause constituent un important groupe de problèmes mentaux. De nombreuses femmes souffrent de folie véritable accompagnée de mélancolie, de paranoïa et d'états maniaques.»

Au cours des années 60, le Dr Wilson, l'inventeur de la pilule de la jeunesse, devait quelque peu arrêter ce train de pensée et soulager des millions de femmes en déclarant dans son livre *Feminine Forever* que la dépression de la ménopause était tout simplement une autre conséquence tragique de la carence en œstrogènes qui s'installe à cette époque de la vie de la femme. Une femme se sentait-elle triste, découragée, avec une envie de pleurer pour tout et pour rien? Elle n'avait qu'à chercher une prescription hormonale chez son gynécologue et elle était sûre d'obtenir ainsi très rapidement «un tonique mental». Cette théorie a fait fureur car elle avait l'avantage de déculpabiliser les femmes qui pouvaient maintenant mettre sur le compte de leurs ovaires défaillants l'anxiété ressentie, et de dégager le médecin du devoir d'investiguer les causes de la détresse de leurs patientes. Les hormones étaient véritablement un remède miraculeux et pour les médecins et pour les femmes ménopausées!

Cette théorie a cependant été assez rapidement mise au défi par plusieurs auteurs qui ont affirmé que l'effet bénéfique ressenti à la prise d'hormones au cours de la ménopause était purement et simplement un puissant effet placebo, un des effets secondaires le plus documenté des œstrogènes de la contraception étant de produire une dépression moyennement profonde ou très profonde avec tendances suicidaires chez 30 p. 100 de leurs utilisatrices[7]!

D'autres auteurs ont posé d'autres objections. Ils exigent qu'on leur explique pourquoi la ménopause ou la cessation des règles devrait être «un syndrome» suffisamment grave pour provoquer une dépression alors que le déclenchement des menstruations au cours de l'adolescence, un autre événement universel accompagné lui aussi de nombreux symptômes physiques et psychiques, est considéré comme sain et «normal[8]». De plus, il est impossible de nier que bien que toutes les femmes du monde entier passent par la ménopause, toutes à ce moment-là, ne passent pas par une dépression. Les femmes d'antan et les femmes d'ailleurs, comme nous l'avons vu, bien au contraire, ressentent à la cessation des règles de la joie, de la fierté et un sentiment d'anticipation car elles vont avoir plus d'indépendance, plus d'autorité et plus de respect encore qu'avant.

La remarque d'un psychanalyste femme, Ruth Lax, qui déclarait en 1982: «La littérature psychanalyste sur la ménopause est principalement centrée autour de la mélancolie d'involution qu'elle déclenche. Presque chaque femme ménopausée passe par une phase de dépression[9]», nous fournit une certaine réponse. Elle démontre, même de la part des femmes, un préjugé très enraciné envers les femmes.

Pourtant cette remarque, sans aucun doute possible, est radicalement fausse pour les femmes ménopausées méditerranéennes, africaines et asiatiques et si l'on se penche sur de nombreuses études épidémiologiques américaines, anglaises ou suédoises par exemple, on doit affirmer qu'elle est aussi fausse pour un grand nombre de femmes occidentales car on n'a pas pu établir que les femmes *à la ménopause* et *à cause de la ménopause* souffraient *tout d'un coup* d'un plus grand taux de dépression qu'à toute autre période de leur vie[10]. Il est donc tendancieux de maintenir que la dite carence en œstrogènes de la ménopause est la cause de la dépression des femmes de 40 à 60 ans.

En 1980, le *Novak's Textbook of Gynecology* qui depuis le début du siècle, à travers de nombreuses rééditions et révisions, n'a cessé de modeler la pensée et la pratique gynécologique américaine, annule la déclaration fracassante faite par son auteur original en 1920. On y lit : « Il y a encore trop de femmes qui redoutent la ménopause car elles croient que celle-ci entraîne avec elle un risque de folie. Il n'est pas rare que vers le milieu de leur vie, tant les hommes que les femmes se mettent à avoir des psychoses, la plupart du temps du type dégénératif ou involutif; mais c'est l'âge et non la ménopause *en soi* qui en est responsable. Les légères dépressions qu'une certaine proportion de femmes ménopausées ressentent, et plus particulièrement celles qui souffrent de graves bouffées de chaleur et celles qui sont accablées de travaux et de soucis domestiques, ne doivent pas être prises pour de véritables psychoses d'involution[11]. »

Ainsi en cette dernière décennie de notre siècle, mettons les choses au clair : La cessation des règles n'est pas une cause de dépression et la ménopause n'est pas une cause de folie. Pourtant nous ne pouvons pas nier que les femmes de notre société ressentent énormément de dépression et souffrent souvent tout au long de leur vie de lassitude, de découragement et de fatigabilité accompagnés fréquemment d'une anxiété plus ou moins marquée. Pourquoi?

Mc Kinlay, Mc Kinlay et Brambila[10] se sont penchés sur ce problème et ils ont tenté de répondre à cette question. Pour eux, la dépression féminine est un énorme problème qui constitue un défi majeur pour la santé publique. Marquée par une perte de la capacité d'aimer, des sentiments de non-valeur et de désespoir, un retard psychomoteur (on fonctionne au ralenti), la perte de l'appétit et des troubles du sommeil, la dépression est un pivot dans toute explication du comportement humain.

En voulant analyser plus précisément la dépression qui alourdit la vie des femmes de 40 et 50 ans, ces chercheurs ont tout d'abord découvert et établi deux faits irréfutables que les femmes doivent garder à l'esprit:

— Premièrement, ce sont les femmes qui ont subi une ménopause chirurgicale à la suite d'une hystérectomie ou/et d'une ovariectomie qui ressentent et éprouvent le plus de dépression, soit deux fois plus que les femmes encore menstruées ou ménopausées naturellement. Aujourd'hui, on reconnaît que les femmes qui subissent ces opérations qui mettent fin à leur vie fertile, constituent un groupe de femmes en soi particulier. Elles sont en plus mauvaise santé que les autres et ont fait, jusqu'à leur opération, un plus grand usage des soins médicaux à leur disposition. En effet, elles ont en général subi de multiples curetages de l'utérus après dilatation du col utérin dans le but de soulager leurs menstruations trop abondantes et irrégulières. Or on sait que le stress émotionnel peut entraîner des altérations pathologiques du cycle menstruel et que les personnes déprimées sont plus sujettes à subir des opérations que les autres. Il semblerait donc que la dépression soit non seulement une conséquence de la ménopause chirurgicale mais aussi une cause: une femme subissant beaucoup de stress étant sujette à plus de troubles mentaux et donc à des dérèglements de son cycle qui vont exiger des interventions médicales répétées, puis, dans le but d'en finir, une chirurgie radicale qui la précipitera d'une heure à l'autre dans la ménopause et aggravera sa dépression.

— Deuxièmement, il est impossible d'établir que ce sont les changements hormonaux qui se produisent au cours de la pré-ménopause, de la péri-ménopause et de la post-ménopause naturelle qui entraînent une augmentation significative de la dépression chez les femmes. En d'autres termes, il est totalement faux de croire qu'une femme pré-ménopausée est bien moins déprimée qu'une femme post-ménopausée ou qu'une femme post-ménopausée est plus déprimée qu'une femme pré-ménopausée. Non, la dépression n'est absolument pas la conséquence immédiate ni à long terme d'une baisse de la production des œstrogènes par les ovaires.

Ces deux faits étant bien établis, les auteurs de cette recherche effectuée sur une cohorte de 2 500 femmes pré-ménopausées, ont pu démontrer que ce qui augmente ou cause la dépression chez les femmes occidentales de 40 à 60 ans est très concrètement et logiquement les multiples soucis et les multiples rôles qu'elles subissent et doivent assumer au sein de leur vie familiale et sociale. Lorsque l'on met de côté les femmes hystérectomiées, le groupe de femmes les plus affectées par la dépression sont les femmes divorcées, séparées ou veuves qui ont moins de douze années de scolarité, les femmes n'ayant jamais été mariées étant les moins déprimées.

Malgré tous les slogans cinglants visant à les «libérer» de leur mari, de leurs enfants et de leurs parents et à les attacher à elles-mêmes et à leur travail, les femmes sont encore énormément affectées chaque fois que ces relations se détériorent. La dépression féminine est donc liée aux circonstances sociales et familiales de la vie des femmes d'aujourd'hui, aux événements qui surviennent à l'âge moyen de la vie mais sans que cela n'ait aucune relation avec la ménopause, avec la cessation des règles. Que l'on pense seulement à leurs soucis et à leurs tracas :

— 74 p. 100 d'entre elles travaillent pour un salaire en dehors de chez elles. Soyons réalistes : le marché du travail, même s'il permet d'échapper aux problèmes familiaux, n'est pas un paradis et là, elles ont à subir les pressions de la jalousie et de la mesquinerie de leurs compagnes et compagnons de travail, la tyrannie ou les exigences de leur patron ou patronne, les incongruités de leur clientèle, le tout sans souvent pouvoir protester ni dire un mot de peur d'être rapidement remplacées ou déplacées ;

— leurs enfants qu'elles n'ont pas eu le temps d'aimer ni d'éduquer comme elles auraient voulu le faire, devenus adolescents mènent souvent près d'elles ou loin d'elles des vies dissolues, refusent d'étudier et les assaillent de leur haine et de leur mépris qui sont de la colère maquillée ;

— leurs maris qui ont rarement été la première priorité de leur vie, leur travail, leurs enfants et leurs envies personnelles ayant la plupart du temps passé avant eux dans leurs préoccupations, sont eux-mêmes en dépression ou absents, ayant déserté de corps ou d'esprit leur foyer;

— leurs parents avec lesquels elles n'ont pas eu le loisir d'avoir de relations chaudes et amicales sont devenus vieux et par un jeu subtil de renversement des rôles, de remords et de chantage, elles se sentent maintenant obligées de s'occuper d'eux et passent de longues heures à rechercher leur approbation et à redouter leurs maladies et leur mort.

En réalité, il faut avouer que les femmes ayant accepté de ne plus être définies comme des épouses et des mères mais comme des individus «à part entière» sans référence à leurs attaches familiales, ayant négligé d'exiger que leurs maris leur accordent leur protection affectueuse, ayant divisé leur vie en sections «travail», «maison» et «loisirs» très rigides, sont obligées d'assumer *seules*, sans soutien moral ni ressources humaines, un nombre de rôles de plus en plus lourds, pénibles et ingrats. Être la mère d'enfants délinquants, l'épouse d'un mari déprimé, l'employée d'un patron exigeant ne peut qu'entraîner énormément de stress et la perte tragique de l'estime de soi.

Dans leur désir d'indépendance à outrance, beaucoup de femmes actuelles en sont venues à ne plus être au contrôle de leur vie et à ne plus pouvoir en retirer la moindre fierté : C'est le restaurant du coin qui nourrit leurs maris; la garderie d'à côté qui éduque leurs enfants, la voisine d'en face qui fait leur ménage, l'hospice d'en arrière qui soigne leurs parents... mais quand les choses vont mal, c'est elles qui sont blamées et qui doivent se démener pour corriger des situations impossibles.

Ainsi, dans notre société, la réalité de la femme de 45 à 65 ans est marquée par des expériences principalement négatives : la survenue d'une maladie grave chez son conjoint ou chez ses parents; la mort (ou la désertion) de son conjoint ou de ses parents; la dépression de son conjoint et sa mise à la retraite; sa propre retraite; l'instabilité de son emploi; la charge d'un parent âgé et invalide; le départ des enfants ou... leur retour après de nombreux détours plus malheureux les uns que les autres; la perte du soutien moral d'amies ou de parents proches à la suite de la maladie, de la mort ou d'un déplacement géographique. Or ces expériences négatives sont rarement compensées par des expériences positives comme le bon mariage de ses enfants, l'arrivée de petits-enfants, la liberté, maintenant que les enfants ont quitté le nid, de poursuivre des activités longtemps différées à cause du manque de temps et une amélioration de la qualité de l'entente conjugale parce qu'on a plus de temps...

Certaines statistiques indiquent que 23 p. 100 des femmes qui n'ont qu'une éducation secondaire et qui sont séparées, divorcées ou veuves sont déprimées alors que seulement 5,7 p. 100 des femmes encore mariées qui ont quelques années d'études collégiales, le sont. Les femmes avouent (25 p. 100) qu'elles se font énormément de soucis pour leurs maris et pour leurs enfants. Or plus une femme se fait de souci pour son mari, ses enfants ou ses parents, plus elle risque d'être déprimée et sa dépression va s'exprimer par une détérioration de sa santé (indigestion, insomnie, incapacité de se concentrer), la recherche anxieuse de conseils judicieux et miraculeux auprès de ses compagnes de travail, ses voisines ou ses amies et l'usage abusif de tranquillisants. Le travail rémunéré, bien qu'il puisse être une source de stress, permet cependant l'atténuation du stress familial car pendant les huit heures qu'elle est ailleurs, la femme n'y pense pas trop... alors que la femme qui reste dans une maison vide, parce qu'elle a le temps de ruminer ses inquiétudes, risque d'être plus déprimée.

C'est ainsi que Mc Kinlay et Mc Kinlay ont affirmé à la suite de leur étude que la ménopause n'est absolument pas une cause de dépression. Plus de 70 p. 100 des femmes sont heureuses, soulagées ou indifférentes à la cessation de leurs menstruations et celle-ci n'a aucun effet négatif sur leur santé physique ou mentale. Ce n'est que lorsque la cessation des règles est la conséquence d'une chirurgie mutilante comme l'hystérectomie ou l'ovariectomie qu'elle devient brusquement une cause de dépression souvent profonde.

Par contre, selon ces chercheurs, l'obligation pour les femmes d'assumer seules de mutiples rôles sociaux mal définis et le stress et l'inquiétude qu'ils leur causent parce qu'elles n'arrivent pas à les remplir adéquatement, sont les véritables causes de la dépression féminine entre 40 et 60 ans. La souffrance physique et mentale ressentie par les femmes ménopausées occidentales est la conséquence, non d'une carence ovarienne, mais de circonstances sociales et le résultat d'un stress psychosocial auquel elles n'arrivent pas à échapper étant donné leur style et leur philosophie de vie[10].

On doit donc affirmer sans détour que les femmes de 40 à 60 ans dans notre société, aujourd'hui, subissent énormément de stress et font énormément de stress. Or le stress défini comme une agression, a deux visages fondamentaux : il peut être aigu ou chronique.

Le stress aigu et le stress chronique sont biochimiquement et émotionnellement distincts, le stress aigu entraînant de l'anxiété alors que le stress chronique est cause de dépression. L'anxiété et la dépression sont deux formes courantes de réponses émotionnelles aux facteurs stressants de la vie, réponses qui, à leur tour, exercent un effet de stress sur l'organisme. Cet effet se mesure en particulier par des changements importants dans la production des hormones cortico-surrénales et sexuelles. Ainsi au cours d'un stress aigu, les surrénales se mettent à produire une surabondance d'hormones et en particulier de cortisol, alors qu'au cours d'un stress chronique cette production diminue et atteint un très bas niveau...

Des études animales indiquent qu'un stress aigu peut déclencher une ovulation mais qu'un stress chronique inhibe les cycles œstraux, entraîne l'atrophie des gonades (ovaires, testicules) et une diminution de l'activité sexuelle tant chez les mâles que chez les femelles. Des études humaines ont fourni l'évidence que le stress aigu que cause un viol par exemple, peut provoquer l'ovulation alors qu'un stress chronique cause l'infertilité chez les femmes et l'impuissance chez les hommes. Pendant le stress aigu des combats militaires, les taux de testostérone s'élèvent d'une manière importante chez les soldats pour diminuer d'une manière tout aussi importante pendant le stress chronique de la captivité.

Tous les symptômes que l'on attribue en Occident au syndrome ménopausique sont aussi des symptômes de stress. Nommons : les palpitations, les bouffées de chaleur, les sueurs et la perte du désir sexuel. Ces réactions sont souvent accompagnées d'un état de malaise (dysphorie) qui s'exprime par de l'anxiété, de la dépression, de l'appréhension ou de la léthargie. Il n'est pas surprenant d'apprendre que ce sont les femmes ménopausées qui éprouvent de grands stress, qui souffrent le plus de chaleurs et de sueurs. Il n'est pas surprenant non plus de constater que ces symptômes de stress considérés comme étant de sûrs symptômes de la ménopause, ne surviennent pas exclusivement chez les femmes ménopausées mais qu'ils peuvent aussi survenir chez des femmes plus jeunes entre 35 et 44 ans qui ont subi, par exemple, la perte d'un être cher ou d'un proche parent.

Au cours d'un stress aigu, qu'elle soit ménopausée ou non, une femme éprouvera de la tension, des chaleurs et des sueurs alors qu'au cours d'un stress chronique, elle souffrira d'insomnie, de léthargie, d'un manque de concentration et de la perte du désir sexuel. Ces phénomènes seront automatiquement accompagnés de déséquilibres hormonaux : baisse du taux de cortisol, baisse du taux d'œstrogènes qui seront d'autant plus profondes que le stress est plus grand[12].

Un stress particulièrement nocif pour la femme est celui que produit en elle le sentiment de ne pas être au contrôle d'une situation, d'être sans ressource, sans appui, réduite à l'impuissance. Cette forme de stress entraîne une chute importante du cortisol et des œstrogènes et elle se manifeste très fréquemment par des douleurs ressenties lors de la relation sexuelle (dyspaneurie) qui entraînent automatiquement le désintérêt sexuel[12]. Selon que ce sentiment est transitoire ou constant, ce stress pourra être aigu ou chronique.

Pour la femme moderne, ce stress est plutôt chronique. La tendance de notre société d'effacer les rôles traditionnels de l'homme et de la femme, de les rendre interchangeables, de leur ôter tout caractère spécifique a énormément nui à la femme qui assez rapidement s'est retrouvée sans territoire, sans domaine propre, l'homme semblant pouvoir exercer autant de compétence qu'elle dans la cuisine, le ménage et l'éducation des enfants alors qu'elle cherche à acquérir au prix d'un stress nouveau autant de compétence que lui dans ses domaines à lui.

En fait, la femme moderne peut facilement souffrir d'une piètre estime de soi, source fondamentale du stress chronique qui est la cause de la dépression avec ses symptômes débilitants : fatigue, activité physique et mentale réduite, douleurs lors des relations sexuelles, irritabilité, difficultés accrues de prendre des décisions, capacité réduite de planifier de simples taches et de les mener à bien (comme de faire son ménage ou ses achats), insomnie, pertes de mémoire. Ces nouvelles formes sociales des rapports homme/femme, ont formidablement coincé la femme dans un état propice à la dépression, parce que chaque fois qu'une femme se place sur un territoire où les hommes prédominent, elle se met dans un état de compétition. Elle doit alors obligatoirement s'efforcer de ne pas perdre le contrôle de la situation au risque de perdre toute estime d'elle-même.

Pourtant, une femme, parce qu'elle est femme a un rôle à jouer qu'un homme parce qu'il est homme ne peut pas jouer et vice-versa. Son rôle est sexuellement défini et donc fixe, inamovible. Bien entendu quand l'homme et la femme dans une société donnée ont *tous les deux* un territoire bien défini, ils ont *tous les deux* accès dans leur domaine à des postes de responsabilité exigeant de l'expérience et de la compétence, et *tous les deux* ils peuvent exercer une autorité qui ne leur sera pas contestée et qui pourra être reconnue, honorée et admirée grâce au bon jugement qu'ils exercent *l'un et l'autre* dans leur spécialité[13]. En fait, l'homme et la femme sont *tous les deux*, chacun dans leur genre, grâce à leur identité sexuelle unique, des experts qui par le mariage unissent leur capacité, leur science, leur art, leurs qualités spécifiques pour fonder une unité exceptionnelle, exclusive, irremplaçable, transcendante: le couple, prélude à la famille.

Lorsqu'elle sait qu'elle est le complément d'un homme, son vis-à-vis, sa meilleure moitié, disait-on autrefois, la femme développe automatiquement des sentiments de compétence et de maîtrise de la situation car elle a un rôle indispensable à jouer dans la vie de *son* homme, dans la vie de *ses* enfants, dans la vie de *sa* maison. Elle devient la reine d'un domaine où personne ne peut la menacer ni la déplacer. Une telle femme ne craint pas d'avoir des activités sociales et professionnelles car sa triple identité en tant qu'épouse, mère et maîtresse de maison lui assure la conservation de sa confiance en soi et lui permet de garder la tête haute face aux stress aigus de l'opposition, de la critique et même de l'échec dans la vie publique.

En réalité, ce qui tue la femme, ce qui la précipite dans la dépression, ce sont non les stress aigus de la vie de tous les jours, mais le stress chronique, ce stress qui est l'agression qu'exerce sur un individu une piètre estime de soi à la suite de l'incapacité d'avoir une bonne conscience. Or la ménopause, tout comme la puberté, constitue une période de vulnérabilité dans laquelle des problèmes existants prennent des proportions importantes et de vieux problèmes non résolus, refont surface[14].

Il est bouleversant de constater combien de femmes étouffent et refoulent pendant des années et des années des stress chroniques qui les agressent souvent depuis leur enfance. Elles vivent ainsi jusqu'à 40 ou 50 ans au-dessus d'une bombe qu'elles essaient d'empêcher d'éclater par la force de leurs négations et elles ne perçoivent pas combien d'énergie elles utilisent à cette fin. Elles sont étonnées de leur si grande fatigue et ne se rendent pas compte que ce stress chronique les maintient dans une dépression qui déforme leur personnalité et les amène, face aux stress aigus de la vie, — une mésentente conjugale, une maladie chez un de leurs enfants, un échec professionnel —, à ressentir une immense anxiété. Elles s'attaquent alors, très souvent, aux stress aigus croyant qu'ils sont la cause de leur détresse alors qu'ils n'en sont que la conséquence... Elles quittent leurs maris, abandonnent leurs enfants, changent d'emploi, pensant que leur anxiété va disparaître, mais elles se retrouvent dans de nouvelles relations, de nouveaux décors toujours avec elles-mêmes et donc avec leurs stress chroniques, et donc déprimées, incapables de comprendre pourquoi elles sont si malheureuses, vides et incapables d'exprimer leurs sentiments.

Il existe plusieurs sortes de stress chroniques, de ces stress qui marquent profondément la personnalité, qui mutilent le cœur et qui transforment l'individu ainsi agressé en infirme, en invalide affectif. Ces stress causent d'effroyables ravages car, attaquant les fibres les plus intimes de l'être humain, ils le transforment en une non-personne, privée d'individualité, facile à intimider, facile à manipuler.

Le sentiment de ne pas être aimé

Le stress chronique fondamental, l'unique véritable stress en fait, est celui que procure à un individu quel que soit son âge *le sentiment de ne pas être aimé,* car il constitue une frustration chronique de ses besoins émotifs de base.

Être privé d'amour et donc d'acceptation, provoque obligatoirement dans l'esprit humain une tragique insécurité, prélude à l'incapacité de contrôler et de maîtriser une situation quelconque[15,16].

Le sentiment de ne pas être aimé est la conséquence automatique d'un amour conditionnel, d'un amour qui ne sourit, qui ne caresse, qui ne félicite, qui n'encourage que lorsque l'enfant ou l'adulte qu'on a la responsabilité morale d'aimer, nous plaît, nous satisfait parce qu'il répond à nos aspirations, à nos désirs, à nos exigences, à nos critères. Or aimer conditionnellement équivaut à ne pas aimer du tout car il est impossible à un être humain de plaire en tous points, en tout temps à un autre être humain. Tôt ou tard et plus tôt que plus tard, il va nécessairement le décevoir dans ses attentes... Et retirer à un individu son amour au moment même où il subit un revers, un échec, une humiliation, une maladie (et cela parce qu'on exige qu'il soit parfait), constitue la forme la plus grave de torture mentale et d'abus psychologique qui soit.

Le seul amour qui est véritable, c'est l'amour inconditionnel. C'est cet amour qui peut dire honnêtement, sincèrement, amoureusement: «Ne t'inquiète pas, je t'aime *quand même...*» L'amour inconditionnel est un amour sans si et sans mais. Personne ne s'y est jamais trompé. Se faire dire: «Je t'aime... mais...» ou «je t'aimerais si...» est une forme cruelle, bien que souvent inconsciente de dire: «Je t'aime tant que tu me plais.»

Ne pas se sentir aimé équivaut à ne pas sentir que l'on est quelqu'un, que l'on a de la valeur. Cela équivaut à ne pas comprendre qui l'on est, à être incapable d'assumer de véritables responsabilités et à refuser, le moment venu, de jouer son rôle d'adulte. Une étude portant sur un groupe de femmes ménopausées souffrant de dépression a démontré que 70 p. 100 d'entre elles avaient le souvenir d'une enfance malheureuse noyée dans le sentiment douloureux de ne pas avoir été aimées et de n'avoir jamais réussi à satisfaire les désirs de leurs parents[17].

Ce sentiment assaille et tenaille plus particulièrement les femmes de tempérament «25», ces femmes qui, selon le psychiatre Ross Campbell, ont le désir inné de plaire et de maintenir la paix à n'importe quel prix[18]. C'est ainsi que toutes petites, elles n'expriment pas leur besoin de recevoir de l'attention et des caresses de peur de déranger, bien que ce besoin, chez elles, soit immense. Le tempérament «25» est un tempérament qui, en naissant, a une piètre estime de soi et qui, par conséquent, exige énormément de soins affectifs pour développer une saine estimation de sa personne. Lorsque ce besoin d'être aimé intensément n'est pas comblé, le tempérament «25» se met à faire énormément d'insécurité qui devient rapidement de l'anxiété qui débouche sur de la colère puis sur une dépression qui s'exprimera par le désir morbide de se détruire, désir habilement déguisé sous un air de misère, de pitié et d'incapacité chronique ou/et par le besoin compulsif de tout contrôler, de tout diriger et d'en arriver, en tout temps et à n'importe quel prix, à ses fins.

La manipulation émotionnelle

Le sentiment de ne pas être aimé ou de ne pas avoir été aimé produit dans le cœur humain un besoin désespéré d'amour, besoin que la femme aura généralement tendance à chercher à combler elle-même et à sa manière. N'ayant pas été aimée des siens, elle va s'arranger pour se faire aimer de qui elle a décidé qu'elle serait aimée et pour y parvenir, elle aura recours à une forme d'amour totalement destructrice : le renversement des rôles, cause fondamentale de la manipulation émotionnelle.

Le renversement des rôles est un phénomène aberrant qui défigure totalement l'amour. Voilà pourquoi : Vous voyez, il n'y a pas d'amour possible en dehors d'une relation entre deux personnes, l'une ayant pour rôle d'aimer et donc de *donner* de l'amour et l'autre ayant pour rôle d'être aimée et donc de *recevoir* de l'amour. L'amour, l'unique véritable amour, est un amour inconditionnel marqué par le don gratuit de l'amour et son acceptation libre. Or dès que l'amour quitte ce territoire béni mais étroit du don gratuit et de l'acceptation volontaire, pour aller s'égarer sur la voie des manigances et des intrigues, il devient contrainte. L'amour qui cherche à prendre est un amour qui va nier et mépriser la personne aimée car il va la forcer à donner alors qu'elle devrait recevoir ou à recevoir alors qu'elle devrait donner.

Voici un exemple : L'amour qui doit régner entre un parent et son enfant est un amour dans lequel le parent a obligatoirement le rôle de donner de l'amour et l'enfant a le rôle de le recevoir. Le parent doit donner car il est responsable de l'enfant et l'enfant doit recevoir car il est dépendant du parent. Or dès qu'un parent croit que l'enfant lui doit quelque chose ou dès que l'enfant agit comme s'il pouvait donner quelque chose à son parent, il se crée automatiquement un renversement des rôles dans lequel la personne responsable devient dépendante et la personne dépendante se sent responsable. De nombreux parents de jeunes enfants veulent, consciemment ou inconsciemment, que ceux-ci comblent leurs besoins affectifs. Ces parents attendent et demandent l'impossible de leurs enfants. Ils agissent comme des enfants mal aimés et effrayés en face de leurs enfants qu'ils considèrent comme s'ils étaient des adultes capables de leur donner réconfort et amour. Ces parents se mettent ainsi à exiger énormément de leurs enfants, à mépriser leurs besoins propres et à ignorer leurs possibilités limitées et leur faiblesse. C'est une fausse perception aux très graves conséquences de l'enfant par le parent. Entre autres, le parent n'accordera jamais à l'enfant la discipline et l'éducation nécessaires pour sa sécurité et son équilibre. C'est un renversement des rôles dans lequel obligatoirement, inévitablement le parent sera frustré et l'enfant manipulé, le parent ne pouvant jamais recevoir ce qu'il désire et l'enfant ne pouvant essayer de le donner qu'au prix de menaces, d'accusations et de chantage de la part du parent. Ce dernier croyant qu'il a le droit d'être réconforté et nourri affectivement par son enfant, croit aussi qu'il a le droit de le punir, de le bouder, de le frapper lorsqu'il ne le fait pas. Le mauvais traitement des enfants par les abus verbaux, physiques et sexuels est le résultat désastreux mais inévitable du renversement des rôles entre les parents et les enfants.

Évidemment quand l'enfant a grandi et le parent vieilli, il n'est pas rare de voir que le rôle exigé de l'enfant par le parent va maintenant être plus efficacement joué par l'enfant devenu adulte, mais avec tout autant de détresse et de stress. De nombreuses femmes, contre leur gré, mais sans pouvoir s'en empêcher, jouent à la mère de leurs parents alors que ceux-ci, comme des enfants ingrats, semblent vouloir n'en faire qu'à leur tête... Là encore, pour maintenir une telle relation boiteuse, le recours abondant à la manipulation, aux menaces, aux insinuations, aux accusations et au chantage est obligatoire. Tout le monde se sent coincé dans un étau étouffant marqué par une hypocrisie qui devient rapidement de la haine.

Il faut avoir le courage de l'affirmer: Un parent doit être un parent et un enfant ne peut être qu'un enfant, et cela quel que soit leur âge. Un parent pour mériter son titre de parent doit donner et un enfant pour jouir du privilège d'être un enfant doit recevoir, et cela en tout temps. L'amour parental et l'amour filial sont des privilèges dont on ne peut jouir que dans la mesure où parents et enfants remplissent les uns et les autres leurs rôles de parents et d'enfants qui sont, nous le répétons, pour les premiers de donner de l'amour, de la tendresse, de la sécurité, de l'encouragement car ils sont responsables de leurs enfants qu'ils ont mis au monde, et pour les seconds de recevoir amour, conseils, directives et réprimandes car ils dépendent de leurs parents qui les ont élevés. Dans le cadre d'une telle relation, jusqu'à leur mort, les parents auront le bonheur de s'occuper avec respect de leurs enfants et les enfants jusque dans leur maturité auront le privilège de jouir avec reconnaissance de la sagesse et de pouvoir compter sur la sympathie de leurs parents.

Toute relation humaine saine est donc marquée par la responsabilité et par la dépendance, à des degrés divers, des personnes concernées et cela est bon et indispensable car ce n'est que dans la mesure où l'on est en présence d'une personne responsable qu'on peut se sentir en sécurité et ce n'est que dans la mesure où l'on est en présence d'une personne dépendante que l'on peut l'entourer de tendresse et de soins protecteurs.

Le sens de sa responsabilité et le sens de sa dépendance sont les prérequis qui ennoblissent les relations parents-enfants, professeurs-élèves, patrons-employés, etc. Chacun doit comprendre, accepter et remplir son rôle pour que règnent la liberté, la dignité et l'amour. Renversons ces rôles et nous avons l'anarchie.

Il est facile pour une femme, dans ses relations avec un homme, de devenir la victime d'un renversement de rôles. Posons-nous la question: Dans une relation homme/femme, qui est responsable et qui est dépendant? Qui est responsable de donner de l'amour et qui a besoin d'être aimé?

Toute femme honnête sait qu'elle a besoin d'être aimée et que c'est ce besoin immense d'être aimée qui est le mobile de toutes ses actions. Elle veut être aimée, et l'histoire, la petite et la grande, est là pour nous raconter tout ce que certaines femmes, dans tous les temps, ont fait et ont pu faire pour s'assurer qu'elles étaient aimées, pour devenir l'élue d'un homme, pour être la reine de son cœur, l'unique objet de son amour. Chastes et réservées, ces femmes ont su agir de manière à ce que ces hommes soient obligés de se déclarer, de leur faire une cour sérieuse, de leur donner des garanties, de leur assurer leur protection, de prendre leurs responsabilités et de s'engager sans retour.

L'histoire est là aussi pour nous dépeindre l'enfer de ces femmes qui, minimisant leur besoin d'être aimées, ont offert à des hommes de les aimer pensant recevoir en retour ce qu'elles désiraient quand même : être aimées. Créant ainsi un renversement de rôles, elles sont devenues les victimes des manipulations de ceux qu'elles avaient enchaînés contre leur choix intime ou avant qu'ils n'aient eu le temps de le poser librement.

Beaucoup de femmes affligées du sentiment de ne pas être aimées croient qu'elles ne valent pas la peine qu'on les aime et que si elles ne s'arrangent pas pour forcer l'attention d'un homme, elles ne seront jamais aimées. Elles prennent donc l'habitude de faire des avances aux hommes et elles se lancent ainsi d'elles-mêmes sur la voie d'un renversement de rôles qui ne pourra pas échapper à la manipulation émotionnelle. Elles font les premiers pas et se mettent obligatoirement en position de faiblesse car dès qu'un homme sent qu'une femme « l'aime » alors qu'il n'a rien fait pour susciter ni mériter son amour, il ne peut résister à la tentation de la dominer dans un effort pernicieux de rester en position de force. Après un temps d'euphorie car elle semble avoir obtenu ce qu'elle voulait, soit l'attention de celui sur qui elle a placé son dévolu, la femme est rapidement envahie par un immense sentiment d'anxiété : Elle sait tout ce qu'elle a fait pour forcer cette relation et elle sait combien il s'est laissé tout simplement faire. Le doute alors la ravage. Elle se demande si elle est aimée et ne trouvant pas d'évidence, elle se lance dans une lutte tragique dont le but est de forcer un homme indifférent à lui manifester de l'amour.

On est en plein cœur maintenant d'un renversement de rôles dans lequel l'homme a accepté d'être aimé et la femme a proposé d'aimer. La recherche d'un redressement de ces rôles pénibles à jouer longtemps pour l'un comme pour l'autre, va malheureusement amener la femme à essayer de capturer un amour qui ne lui sera accordé parcimonieusement qu'au prix de manipulations pénibles et douloureuses.

Un renversement de rôles dans lequel la femme se sent responsable d'aimer et l'homme se rend dépendant de son amour, ouvre toute grande la porte à l'association d'un homme en colère et d'une femme à la piètre estime d'elle-même.

L'étude et la connaissance des tempéraments nous permettent de voir que ces relations aux rôles renversés unissent très souvent ce que le Dr Ross Campbell appelle un tempérament «75» qu'il décrit comme étant un tempérament caractérisé par le besoin de n'en faire qu'à sa tête doublé d'une très grande estime de soi naturelle, et un tempérament «25» caractérisé comme nous l'avons déjà signalé, par un profond désir de plaire souvent à n'importe quel prix et une piètre estime de soi naturelle. Le tempérament «75» a une très grande facilité à devenir un manipulateur et le tempérament «25» fait très rapidement du remords et ressent de la culpabilité pour la moindre petite chose.

Lorsqu'un tempérament «75» n'a pas le sentiment d'avoir été aimé, il en éprouve un cuisant dépit. Il ne comprend pas pourquoi un individu aussi extraordinaire que lui, n'a pas été estimé à sa juste valeur. Il se met à développer des sentiments puissants de rancœur et le désir de se venger de ses parents qu'il considère comme des bourreaux. Ils l'ont humilié, méprisé, et ces sentiments d'amertume produisent en lui un comportement passif-agressif qui est une expression de la colère qui se retourne contre quelqu'un d'une manière indirecte. Ayant étouffé sa colère consciemment, il a appris à la liquider en cherchant à blesser *indirectement* ceux qui l'aiment.

Les techniques passives-agressives «douces» mais très irritantes sont: la remise des affaires à plus tard, l'entêtement, l'incompétence intentionnelle, les «oublis», traîner, lambiner en tout. Une technique très dure et totalement destructrice est la manipulation par la culpabilité.

Un tempérament «25» parce qu'il a une piètre estime de soi, parce qu'il ne veut pas de chicane, parce qu'il n'aime pas se battre, parce qu'il cherche à plaire pour obtenir en fin de compte ce qu'il veut est une proie idéale pour un tempérament «75» en colère. Le manipulateur trouve constamment des arguments ou des façons pour que celui qu'il veut manipuler se sente coupable s'il ne cède pas à ses désirs. Le stratagème est dégoûtant et prend facilement ce ton qui témoigne qu'un renversement de rôles existe: «Si tu m'aimais vraiment, tu ferais ceci ou cela... Je vois bien que tu ne m'aimes pas vraiment parce que tu ne veux pas ceci ou cela... Je saurais que tu m'aimes si tu faisais ceci ou cela... Si tu étais gentille, tu me laisserais faire ceci ou cela...»

Lorsqu'un tempérament «25» qui, par nature, fait extrêmement facilement énormément de remords s'accroche à un tempérament «75» en colère qui est devenu un maître manipulateur, le renversement des rôles et la manipulation émotionnelle sont instantanés et obligatoirement cette relation sera destructrice parce que source d'un stress prolongé, d'un stress chronique engendré par le sentiment désespérant pour une femme de ne pas être au contrôle de la situation mais surtout plus subtilement, d'être exploitée, en fait de ne pas être aimée.

Van Holst a étudié l'effet du stress chronique dans un modèle animal. Pour cela, il a constitué des paires de musaraignes (genre de souris), en mettant ensemble une musaraigne dominatrice et une musaraigne qui se laisse faire. La cohabitation fut maintenue jusqu'au moment où la musaraigne dominatrice est passée à l'attaque. Les couples cependant, furent séparés avant qu'il n'y ait de blessés. La musaraigne docile fut alors placée de façon telle qu'elle pouvait voir la musaraigne dominatrice tout en restant hors de son atteinte. Dans toutes les paires, la musaraigne docile se tint immobile, surveillant l'adversaire, tous poils hérissés et, malgré la présence de nourriture et d'eau, toutes les musaraignes dociles moururent au bout de 2 à 16 jours[19]... Est-il alors difficile de comprendre qu'à la ménopause, de nombreuses femmes piégées depuis des années dans des relations aux rôles renversés avec leurs parents, leurs enfants et leurs conjoints, n'en puissent tout simplement plus et sombrent dans la mélancolie et même la folie?

Ainsi le sentiment de ne pas avoir été aimé de ses parents puis celui de ne pas être aimé tout court, imprime à un individu «25» une très piètre estime de soi, des sentiments de rejet et un profond besoin inassouvi d'amour alors

qu'il produit dans le cœur d'une personne « 75 » des sentiments d'amertume et de rancune envers ceux qui l'ont bles-
sée et le désir de «leur faire payer ça», désir qui se concré-
tisera, hélas, en faisant payer ça à quiconque s'accrochera
à elle pour recevoir d'elle affection et sécurité. Pour l'un et
l'autre, la dépression est inévitable; pour le tempérament
«25» parce qu'il sentira qu'il est de moins en moins une personne au contrôle de sa vie et pour le tempérament «75»
parce que sachant très bien qu'il est méchant, il perdra progressivement la haute estime qu'il a de lui-même, ce qui aura
pour effet malheureux d'augmenter sa colère et d'aggraver
son comportement passif-agressif.

Il est donc absolument urgent qu'une femme qui veut
échapper à la dépression comprenne et accepte son rôle de
femme qui est tout d'abord de recevoir l'amour de son mari.
Elle a besoin d'affection, de tendresse et de protection, —
oui! de protection parce que l'insécurité la tue —, et c'est sur
son mari que repose la responsabilité de lui assurer tout cela
car son rôle à lui, est d'aimer et de donner.

Beacoup d'hommes en colère jouent aux enfants et
obligent leur femme bourrelée de remords à jouer à leur
mère. Elles assument ainsi de plus en plus de responsabilités non seulement affectives mais aussi morales et matérielles alors que lui devient de plus en plus effacé et égoïste.
Ces femmes vont jusqu'à agir comme si elles étaient totalement responsables du succès de leur couple et arrivent à
accepter sans mot dire, à peu près n'importe quel comportement aberrant chez leur mari. Elles pensent qu'à force de
se taire, d'être gentilles et «d'aimer», elles réussiront finalement, un jour, à se faire aimer… Hélas! au sein d'une relation basée sur un renversement de rôles, il n'y a aucun espoir
de bonheur. Il faut un redressement radical et une mise au
point précise des rôles si l'on veut faire cesser la manipulation et pouvoir enfin relever la tête.

Ainsi la manipulation émotionnelle est la conséquence
obligatoire d'un renversement de rôles dans lequel l'homme
a généralement cédé aux avances d'une femme qui se trouve
maintenant piégée dans une relation dont elle se sent, elle,
responsable alors que l'homme se pense en droit d'en profiter puisque ce n'est pas lui qui l'a voulue. (Il rejette
évidemment la responsabilité de s'être laissé faire et d'en
avoir bénéficié.)

Les moyens de la manipulation sont nombreux, courants, subtils ou grossiers. Ils n'ont cependant toujours qu'un seul but: Exercer par des moyens détournés ou trompeurs une domination sur un individu dans le but de lui arracher ce que l'on convoite chez lui. On manipule en réalité car on veut obtenir par la force ce qui dans une relation saine et à l'endroit, se donne et s'accepte par amour. On manipule car sans le savoir bien souvent, on désire piéger la personne convoitée pour l'asservir et pouvoir ainsi l'utiliser pour assouvir des passions inavouées de haine ou de colère.

Voici maintenant une liste des moyens employés pour créer une manipulation émotionnelle dans le cadre d'un renversement des rôles. Oh! la détresse de ceux qui ignorent l'art d'aimer...

Les moyens de la manipulation

— On cherche immédiatement à susciter chez l'autre le trouble émotionnel en se permettant très rapidement des gestes d'attention ou d'affection physique fréquents: bises, main sur l'épaule, bras autour de la taille, chatouillements, frôlements, prises de bras, bagarres simulées, bousculades, etc.

— On a des regards profonds et séducteurs, on fait des clins d'œil puis on refuse de regarder, on détourne la tête et on fait semblant de ne pas voir la personne que l'on cherche à séduire pour la forcer à venir vers nous et à s'occuper de nous.

— On a un recours abondant à la flatterie et à la louange: «Tu es le seul ou la seule qui me comprend» ou «Je ne sais pas ce que je ferais sans toi». Un vieux proverbe avertit: «Un homme qui flatte son prochain tend un filet sous ses pas[20].»

— On est dirigé par ses intérêts personnels et non par le désir de faire du bien à l'autre. On n'est donc pas honnête envers l'autre. On ne lui dit pas ce qu'on pense ou ressent vraiment. On cache, on maquille, on étouffe ses sentiments véritables. On fait semblant d'être toujours d'accord avec lui et de lui donner raison en tout.

— On s'impose. On cherche à rendre l'autre redevable en offrant des cadeaux trop luxueux (fleurs, bijoux, pâtisseries, gadgets qui symbolisent l'amitié), des cartes sans raison valable, en dehors des fêtes ou des anniversaires.

— On se dépêche de placer l'autre dans une situation où il sera sur notre terrain et à notre merci. On propose donc hâtivement de mettre en commun ses affaires personnelles. On partage sa propriété, on prête ses meubles. On emménage ensemble sans contrat, ce qui crée une situation idéale pour le chantage.

— On fait souvent des insinuations pour provoquer le remords chez l'autre. On dit par exemple: «J'aurais désiré te téléphoner hier soir, mais je n'ai pas osé le faire car je me suis dit que tu étais probablement trop occupé(e) pour te soucier de moi...»

— On cherche à blesser l'autre et à le mettre hors de lui-même par de longues bouderies, des regards durs, des silences obstinés pour la moindre contrariété. À la question pressante: «Qu'est-ce qui ne va pas?», on répond en soupirant: «Rien».

— On a recours aux menaces si l'autre n'accède pas immédiatement et sans réserve à nos exigences: menaces de tomber malade, de devenir fou ou de se suicider.

— On provoque l'insécurité chez la personne convoitée en lui refusant notre approbation, en se moquant de ses points faibles, en l'humiliant publiquement, en la rendant jalouse, en faisant semblant de la quitter et de l'abandonner.

— On accapare l'autre au point qu'il n'a plus le temps de poursuivre ses activités personnelles ou professionnelles et l'on va jusqu'à exiger qu'il quitte son emploi pour le forcer à s'occuper de nous d'une façon exclusive.

— On cherche à détruire ses relations humaines personnelles. On lui raconte que personne ne l'aime, que tout le monde l'exploite, qu'il doit se détacher des autres parce qu'il leur est trop accroché. On cherche à être ami avec ses amis pour pouvoir leur monter la tête à son sujet afin qu'il se retrouve seul, coupé des siens, sans aide... à notre merci...

L'unique réaction normale et saine à toute forme de manipulation est l'indignation. C'est une ruse malsaine, mauvaise, malhonnête. La manipulation, *c'est mal*. Il n'y a aucune vertu à s'y laisser prendre et la seule façon de ne pas s'y faire prendre est d'affirmer avec fierté son identité sexuelle. Une femme est une femme et son rôle au sein du couple, son droit légitime est d'être aimée. Un homme est un homme et son rôle au sein du couple, son devoir obligatoire, est d'aimer. Que l'homme aime et que la femme soit aimée, et pour l'un comme pour l'autre, la dépression s'évanouira.

Les abus

Les abus sexuels constituent une forme hideuse de manipulation émotionnelle qui réunit en une unité maudite un manipulateur devenu *agresseur* et une personne docile devenue *victime*.

Dans notre société où l'on a arraché aux mères la responsabilité absolue et exclusive de veiller jalousement sur leurs enfants (parce qu'on leur a dit qu'aller travailler ailleurs était plus important que de veiller sur eux afin que rien de mal ne leur arrive et que de toute façon cette tâche pouvait tout aussi bien être accomplie par n'importe qui d'autre qu'elles), une fille sur quatre et un garçon sur dix subissent au cours de leur enfance ou de leur adolescence des abus sexuels, dans leur propre maison, par un membre ou un ami de leur propre famille.

Dans les maisons méditerranéennes, les mères ont une autorité totale sur leur foyer et elles l'exercent sans restriction dans le but de protéger leurs chéris de toutes les formes d'abus possibles. On les craint et personne ne désire être l'objet de leur colère ni même de leurs rouspétances. Elles n'ont pas peur d'avoir les yeux bien ouverts et malheur à qui se ferait attraper en train de ne pas marcher droit! Ces femmes, parce qu'elles ont une haute opinion d'elles-mêmes, savent protéger leurs filles et les soustraire en tout temps aux manipulations possibles des figures masculines de leur entourage grâce à une éducation rigide qui sépare les deux sexes et ne leur permet pas de familiarités.

En Occident, la toile de fond de l'inceste est très fréquemment et très étrangement, une mère qui se ferme les yeux et qui refuse de les ouvrir, une figure masculine que tout le monde excuse et garde en haute estime et une fille qui toute sa vie aura l'impression d'être la coupable parce qu'elle n'a pas pu empêcher le crime, parce que lorsqu'elle en a parlé à sa mère elle s'est fait gronder et traiter de vilaine à l'imagination perverse, parce que très tôt elle a été remplie de honte, du sentiment pénible de son infériorité et de son humiliation devant son agresseur ainsi que de son abaissement dans l'opinion de sa mère et de ceux à qui elle a essayé d'en parler.

L'inceste constitue un très puissant stress chronique car la seule façon qu'a sa victime d'y survivre est de *le nier* pour en refouler la douleur. Certaines victimes arrivent à tellement bien enterrer leur passé qu'elles sont capables pendant plus de dix ou vingt ans de vivre des vies, selon toute apparence, parfaitement normales, gaies et constructives. Puis un jour, leur monde s'écroule. Elles se mettent à lutter chaque jour contre une dépression qui monte des bas-fonds de leur âme avec des relents de rage, de colère et d'amertume. La tristesse devient leur compagne habituelle. Elles pleurent facilement et sans aucune raison apparente. Ces femmes se demandent ce qui se passe. Elles ne se reconnaissent plus et très souvent, elles deviennent une énigme pour leur entourage.

La négation, cet acte de l'esprit qui rejette une réalité ou une vérité, peut devenir mortelle si elle dure trop longtemps. Pour continuer à désavouer le passé, la victime est obligée de déployer une somme phénoménale d'énergie psychologique dans le but d'étouffer sa souffrance. Elle vit avec la panique constante de voir son passé pointer son horrible tête. Elle dépense alors énormément de sa force et parfois toute sa force, à enfouir son passé sous des couches et des couches de ciment ou de glace psychologique. En fin de compte, la victime se coupe de son passé et elle l'oublie complètement. Elle n'arrive plus à se souvenir de son enfance et elle s'ancre dans le présent qui devient pour elle la seule chose qu'elle pense pouvoir posséder et diriger selon ses désirs... et malheur à elle, si tout ne se passe pas comme elle le veut. Le désespoir la saisit, et souvent il va la plonger dans les drogues ou les aventures amoureuses à répétition qui sont de puissants anesthésiques d'un cœur qui a été violenté.

Les victimes de l'inceste ont donc bloqué leur passé et ses outrages de leur mémoire afin de pouvoir continuer à vivre, mais un jour, et la ménopause constitue dans ce sens une période de très grande vulnérabilité, quelque chose, quelque part, déclenche en elles le processus du souvenir et l'angoisse les saisit. Elles se mettent à faire des cauchemars, à avoir peur de s'endormir, à être terrorisées par le noir, à craindre d'être seules. Leurs pensées s'entre-choquent dans leur cerveau et elles ont l'impression de cul-buter au bord de la folie. Ces victimes ont besoin à ce moment-là, non pas d'œstrogènes, mais d'une thérapie véri-table et efficace de l'inceste qui saura calmer la honte qu'elles ressentent. Il faut leur assurer sans se lasser qu'elles sont innocentes, qu'elles ont été des victimes et non des criminelles. Il faut les amener à briser la conspiration du silence. Il faut qu'elles arrivent à se souvenir afin de ces-ser d'entretenir dans leur esprit les semences de la démence, car chaque fois que l'on excuse son agresseur et que l'on accuse sa victime, on crée un shéma mental contre-nature d'une violence inouïe dont l'explosion tôt ou tard, entraînera la désintégration de la personnalité. Il faut les amener enfin, non à absoudre le coupable et à condamner l'innocent mais à *pardonner* à ceux qui les ont offensées. Pardonner, c'est renoncer à tirer vengeance de quelqu'un qui a commis envers nous, non pas une faute imaginaire, mais une faute *réelle*.

Pardonner n'est pas humain. Pardonner, c'est un don de Dieu que l'on reçoit lorsqu'on le Lui demande et qui, une fois reçu, vide le cœur de son stress chronique et chasse progres-sivement la dépression. Pardonner permet de vraiment oublier.

Les avortements

Une étude belge a démontré que c'était les femmes qui n'avaient eu qu'un enfant qui semblaient le plus considérer l'hystérectomie comme une opération fâcheuse alors que c'était celles qui n'avaient eu que deux enfants qui sem-blaient le plus percevoir la ménopause comme un événement grave[21].

Encore aujourd'hui, malgré la publicité qui favorise, encourage et louange la famille de seulement un ou deux enfants, il y a énormément de femmes qui se rebellent en silence contre cette contrainte et qui manifestent leur cha-grin de ne pas avoir été plus fécondes par une dépression sournoise qui les envahit à la cessation des règles car main-tenant, c'est sûr, plus jamais elles ne pourront espérer avoir d'autre enfant. Ce fait leur donne un sentiment pénible à supporter pour une femme, un sentiment de ne pas avoir accompli les désirs profonds de son cœur et de son corps[22].

Avouons-le : Les femmes veulent des enfants et si elles n'expriment pas ce désir ouvertement dans notre société, c'est parce que cela fait longtemps qu'on le leur a fait ressentir comme une honte, comme de l'égoïsme, comme une menace écologique, comme un désastre social au point que la prise de la pilule contraceptive, ou du lendemain, ou l'avortement soient présentés comme moins dangereux qu'une grossesse à terme et un accouchement normal...

À la cessation des règles, à l'arrêt de l'ovulation, les femmes occidentales qui n'ont pas eu le nombre d'enfants qu'elles voulaient et qui ont passé leur vie fertile à lutter contre la vie, à la contrecarrer, sont envahies de regrets amers, rongées de remords. Au seuil de ce qu'elle considère être le début de leur décadence, elles sont seules et se sentent désertées et dans ce cas-là, il leur est difficile de ne pas s'accuser...

Oh ! le cauchemar de tant et tant de femmes : hantées par le sentiment débilitant de ne pas avoir été aimées, démolies par des abus criminels, elles ont été à répétition piégées dans des relations de manipulation émotionnelle qui les ont obligées de refuser l'enfant car elles savaient très bien qu'il ne pourrait jamais s'épanouir alors qu'elles et leurs partenaires vivaient un renversement de rôles honteux et débilitant.

Torturées par ces stress chroniques, sous le stress aigu d'une grossesse impossible à vivre dans la fierté et la joie de devenir mère, elles ont accepté le soulagement rapide d'un avortement provoqué. Malheureusement, si l'avortement annule un stress aigu, il provoque un stress chronique qui ne fera que grandir avec le temps qui passe pour emprisonner la femme dans une dépression sans issue. Le bébé est la première victime d'un avortement mais la femme en est toujours la seconde et la plus pénalisée, car alors que le bébé n'est plus, la femme, elle, est vivante et lorsque la ménopause approche, très souvent, elle succombe à un désespoir qui a assombri toute sa vie. La femme a froid dans son cœur. Le vide y est tellement grand, qu'elle a beau se réchauffer aux philosophies qui veulent l'anesthésier, rien n'y fait. Elle sent ce qui lui est arrivé et maintenant, maintenant qu'elle ne pourra plus jamais être mère, elle est torturée jusque dans ses entrailles par un deuil qu'elle ne s'est jamais permise de pleurer.

La femme qui a subi un ou plusieurs avortements que ce soit à quelques jours de grossesse ou à quelques semaines, ressemble tragiquement aux survivants de l'Holocauste qui n'ont pas pu assumer leurs deuils. Quarante ans, cinquante ans après, ils sont encore insoutenables. Ils ont essayé de se cantonner dans l'oubli. Ils se sont infligés une anesthésie affective mais plus le temps passe, plus ils sont enchaînés dans le sillon des événements démentiels qui ont marqué leur adolescence. Malgré tous les efforts qu'ils font et ont fait pour avancer, ils sont piégés par le passé qui continue à manipuler leur présent. Ils peuvent afficher une superactivité dans leur travail mais ils restent hantés par des cauchemars, des crises d'angoisse et des comportements phobiques qui empoisonnent leur vie familiale et sociale. Dans le traumatisme des survivants de l'Holocauste, le sentiment de culpabilité est écrasant. Comme le décrit le Dr Judith Stern, professeur à l'Université Ben Gourion d'Israël, ce sentiment de culpabilité est lié au fait que personne n'a pu survivre sans une aide humaine mais aussi sans abandonner un être proche. Le rescapé se sent ainsi coupable d'avoir survécu à des événements qui auraient dû lui être fatals. Pourquoi est-il en vie, lui, alors que les autres sont morts? Le survivant a l'impression d'avoir détruit les siens par sa propre volonté. Le sentiment de culpabilité avec le temps qui passe devient de plus en plus diffus, de plus en plus honteux.

Cependant la plus grande plainte des survivants de l'Holocauste, une fois que la conspiration du silence a été brisée grâce à une thérapie appropriée, est... de ne pas avoir pu pleurer leurs morts. Ce n'était ni la torture, ni la famine, ni l'humiliation qui les avaient déprimés, mais l'absence de cérémonie cathartique, capable de dissoudre leur peine, de libérer leur chagrin, de liquider leur traumatisme[23].

Nous sommes à une époque où l'on sait combien il est essentiel pour les vivants de pleurer leurs morts d'une façon appropriée. L'on sait combien il est indispensable pour une femme qui a mis au monde un enfant mort-né de le tenir dans ses bras, d'avoir des souvenirs de son existence (cliché de son écographie, bracelet de naissance, dossier de la grossesse, photos du bébé) qui prouveront que tout cela a été bien réel et de lui donner un prénom. La mère a besoin de savoir qu'elle a vraiment mis au monde un bébé même s'il était déjà mort, sinon elle risque une dépression marquée par l'insomnie, la perte de l'appétit, les tremblements, la difficulté de concentration et surtout la hantise qu'il vit encore quelque part ou l'angoisse de ne pas savoir où il est allé, où on l'a mis, ce qu'on en a fait. Son imagination erre sans répit, elle rêve à lui et ses fantasmes sont souvent plus horribles que la réalité. Les spécialistes affirment que lorsque «la naissance a rendez-vous avec la mort», le deuil va prendre six mois à un an. Ce n'est qu'au bout de cette période de temps que les grandes émotions vont s'estomper pour faire place à l'apaisement quoique pas toujours à l'acceptation et rarement à l'oubli[24].

Depuis 1975 aux États-Unis seulement, chaque année, 1,5 million de femmes ont subi «une interruption volontaire de grossesse.» Cet euphémisme agresse la femme pour la figer dans un vide nauséeux: Pourquoi son cœur aurait-il tant de peine et comment peut-il tant pleurer quand c'est tout simplement une grossesse qui a été interrompue? En cherchant à «aseptiser» leur geste, on a refusé aux femmes le droit de pleurer, de vivre leur deuil, d'assumer leur chagrin et plus cruellement, de rester humaines.

Alors à la ménopause, les femmes qui ont échangé leur stress aigu d'avoir été enceinte sans pouvoir ou sans vouloir assumer dignement leur grossesse pour le stress chronique d'avoir été deshumanisées, se laissent aller à la mélancolie qui les ronge en réalité depuis leur jeunesse. Il leur semble qu'elles ont assez fait semblant et maintenant elles décrochent d'une réalité peuplée par le souvenir de leurs enfants disparus.

Oh! secondes victimes de l'avortement, par pitié pour vous, pleurez, pleurez, pleurez... Vous sortirez de cette expérience la conscience enfin lavée, et armées d'une bonne conscience vous retrouverez l'estime de soi et vous sortirez de votre dépression. La promesse est là, certaine, absolue, des millions de fois expérimentée et vérifiée:

«Tant que je me suis tu, mes os se consumaient,
Je gémissais toute la journée...
Ma vigueur n'était plus que sécheresse, comme celle de l'été...

J'ai dit: J'avouerai mes transgressions à l'Éternel!
Et tu as effacé la peine de mon péché[25].

Un régime équilibré et le stress

Le stress chronique impose au corps un «coût» nutritionnel. La libération des substances chimiques reliées au stress accélère le renouvellement des protéines, des hydrates de carbone et des graisses dans l'organisme dans le but de produire de plus grandes réserves d'énergie. Le métabolisme alors augmente et il accroît le besoin de l'organisme en vitamines du groupe B, surtout en thiamine et en riboflavine, essentielles pour le métabolisme adéquat des œstrogènes au niveau du foie. Une utilisation accrue des protéines entraîne une plus grande perte en calcium et un besoin plus grand de vitamine B_6. La vitamine B_6 est essentielle pour la production et l'équilibre de la progestérone et des œstrogènes[26]. De plus, le corps retient de l'eau et du sodium, cause d'œdème et de gonflement, et il perd du potassium. La fuite en potassium induit de graves symptômes d'hypoglycémie.

Les moyens employés couramment pour dissiper le stress entraînent des carences encore plus prononcées: L'alcool cause des carences en thiamine, en acide folique, en vitamine B_6 et en zinc; le tabac augmente les besoins en vitamine C et en vitamine B_6; le café fait fuir le calcium et les vitamines B, il augmente la nervosité et l'irritabilité et il aggrave l'anxiété et la dépression.

Le stress chronique produit également un rétrécissement du thymus, de la rate et d'autres structures du système lymphatique qui jouent un rôle dans le système immunitaire. On a de plus en plus la preuve que des événements stressants peuvent altérer de façon significative la résistance de l'organisme aux infections et aux affections malignes (tumeurs, cancers) et que de tels effets se produisent par le biais du système immunitaire. Les carences en vitamines et autres nutriments peuvent causer une insuffisance de la réponse immunitaire et alors, obligatoirement, une diminution de la résistance à l'infection et à la maladie. Les vitamines les plus importantes pour la fonction immunitaire sont la vitamine B_6, l'acide pantothénique, l'acide folique, la vitamine C, la vitamine A et la vitamine E alors que le zinc est un oligo-élément indispensable.

Le stress qui épuise le plus les réserves vitaminiques du corps est le stress que produit le sentiment de ne plus avoir la maîtrise des événements et d'avoir à subir une dégradation de sa position sociale. Malheureusement, ce genre de stress considéré comme un stress intense coupe l'appétit et empêche ainsi la reconstitution des réserves nutritionnelles. En général, le stress déclenche le besoin de manger, tout comme la faim, mais manger ne diminue pas le stress. À un faible niveau de stress, le besoin de manger s'accroît (boulimie) mais à un niveau très intense de stress, il diminue (anorexie).

Le stress impose donc à l'organisme des exigences nutritionnelles nouvelles. «Aussi est-il important que l'état nutritionnel soit à un niveau optimal. *La meilleure défense est un régime alimentaire bien équilibré, composé d'aliments très variés*[27].» Pensons au pain complet, aux céréales non raffinées bien cuites et à l'infini variété de fruits et légumes frais.

Le stress agit toujours sur le système endocrinien qui libère des hormones en cascade dans le but de produire des réserves énergétiques rapidement mobilisables. Les réactions induites par le système hormonal durent dix fois plus longtemps que celles qui sont déclenchées par le système nerveux sympathique.

Le stress frappe très particulièrement les surrénales qui se mettent à fabriquer en grandes quantités «les hormones du stress», soit les corticostéroïdes et les catécholamines. Cette production cependant ne peut pas se faire adéquatement si les vitamines et les minéraux dont dépendent ces réactions ne sont pas présentes en quantité suffisante. Les surrénales alors «s'épuisent» et la personne se sent complètement à plat. Il se produit ainsi comme nous l'avons déjà dit, une baisse importante du cortisol et des œstrogènes. Or, *la poudre de racine de réglisse* est une source naturelle et abondante de cortisol. C'est donc un anti-stress puissant et efficace à ne jamais négliger et à utiliser en lieu et place de l'alcool, du tabac et du café qui ne fournissent aucune hormone et entraînent de graves carences vitaminiques.

Comme nous l'avons vu au début de ce chapitre, lorsque le corps subit un stress aigu, il va réagir par de la tension, des bouffées de chaleur et des sueurs qui sont les signes que l'individu est en train de faire de l'anxiété. On a découvert que *la vitamine E* atténue ou amortit la transmission de l'anxiété du cerveau émotif au cerveau pensant. Veillons donc à consommer une alimentation riche en vitamine E. Le melon cantaloup, les tomates, les amandes, les graines de sésame et de tournesol et le germe de blé très frais sont d'excellentes sources de cette vitamine indispensable à la lutte contre le stress et donc contre la dépression.

L'exercice et le stress

L'exercice quotidien et hebdomadaire est un excellent moyen de lutte contre le stress aigu et le stress chronique et il permet ainsi le soulagement de l'anxiété et de la dépression. Des études bien menées ont démontré que des séances d'exercice adaptées aux besoins des malades permettaient la réduction des symptômes dans l'obésité, la maladie coronarienne, l'hypoglycémie, la tension et la colère, la dépression et une piètre estime de soi. En fait, l'exercice (marche, course légère, jardinage, gymnastique simple) diminue la maladie en réduisant la perception que peut avoir un individu des événements stressants qu'il subit et ainsi, sa réaction[28]. La femme qui ressent de la dépression doit apprendre à se changer les idées en allant faire, comme cela était le réflexe autrefois, un petit tour dehors. Au retour d'une bonne marche ponctuée de respirations profondes, la vie semble toujours moins grise, moins lourde, moins terne.

La dépression féminine est une réalité aux conséquences personnelles, familiales et sociales tragiques. Il faut avoir le courage d'y faire face et d'aller aux racines du mal qui est personnel, familial et social. Les solutions à cette mort vivante sont personnelles, familiales et sociales. La lutte peut commencer par vous, chez vous alors que vous protégez vos filles en les éduquant sur les causes de la dépression et en les encourageant à se confier à vous afin que vous puissiez leur tendre la main. En jouant ainsi votre rôle de mère, vous vous aiderez vous-même à être fière d'être femme. Vous relèverez la tête. Vous acquerrez de l'assurance et vous verrez que la vie vaut la peine d'être vécue. Les vôtres ont besoin de vous, de votre sagesse, de votre expérience, de votre protection. Ouvrez-leur votre cœur.

1. Lam S.Y., Baker H.W.G., Seeman E., Pepperell R.J., Gynaecological disorders and risk factors in premenopausal women predisposing to osteoporosis. A review, *British Journal of Obstetrics and Gynaecology*, 95: 963-972, 1988.
2. Speroff L., From OC's to Replacement Therapy: A Strategy for Transition, *Dialogues in Contraception*, 2: 3, 1989.
3. Utian W.H., Current Status of Menopause and Postmenopausal Estrogen Therapy, *In Obstetrics and Gynecology Survey*, Williams and Wilkins, 1977.
4. Youngs D.D., Some Misconceptions Concerning The Menopause, *Obstetrics and Gynecology*, 75: 881, 1990.
5. Wilbush J., Tilt E.J. and the Change of Life (1857) — The Only Work On The Subject In The English Language, *Maturitas*, 2: 259-267, 1980.
6. Novak E., *Menstruations and its disorders*, New York: Appleton, 1923.
7. Kane F.J., Psychosis associated with the use of oral contraceptive agents, *Southern Medical Journal*, 62: 190-192, 1969.
8. Mc Kinlay, Sonja M., Jefferys M., The Menopausal Syndrome, *British Journal of Preventive Social Medecine*, 28: 108-115, 1974.
9. Lax R., The expectable depressive climacteric reaction, *Bull Meninger Clin*, 46: 151-157, 1982.
10. Mc Kinlay J.B., Mc Kinlay S.M., Brambilla D., The Relative Contributions of Endocrine Changes and Social Circumstances to Depression in Mid-Aged Women, *Journal of Health and Social Behavior*, 28: 345-363, 1987.
11. *Novak's Textbook of Gynecology*, p. 718, 1981.
12. Ballinger S., Stress as a Factor in Lowered Estrogen Levels in the Early Postmenopause, *Annals New York Academy of Sciences*, 95-111, 1991.
13. Kaufert P.A., Anthropology and the menopause: the development of a theoritical framework, *Maturitas*, 4: 181-193, 1982.
14. Utian W.H., Menopause, Hormone Therapy, And Quality Of Life, *Menopause: Evaluation, Treatment, and Health Concerns*: 193-209, Alan R. Liss, Inc., 1989.
15. Campbell R., *Comment vraiment aimer votre enfant*, Orion, Québec, 1992.
16. Campbell R., *L'adolescent, le défi de l'amour inconditionnel*, Orion, Québec, 1990.
17. Schneider M., Brotherton P., Physiological, Psychological And Situational Stresses In Depression During The Climacteric, *Maturitas*, 1: 153-158, 1979.
18. Pour une étude approfondie des tempéraments, voir de Starenkyj D., *L'enfant et sa nutrition*, «Découvrir le tempérament de son enfant», p. 149-181, 1988.
19. Edwards M., Les effets du stress sur la nutrition, *Nutrition Actualité*, 11, 1: 3-8, 1987.
20. Proverbes 29: 5.

21. Boulet M., Lehert Ph., Riphagen F.E., The menopause viewed in relation to other life events — a study performed in Belgium, *Maturitas*, 10: 333-342, 1988.

22. Starenkyj D., *Les cinq dimensions de la sexualité féminine*, Québec, Orion, 1992.

23. Hémond E., La psychothérapie face à l'incommensurable deuil des survivants de l'Holocauste, *Santé Société*, Vol. 12, No. 1, hiver 1989-1990.

24. Louis S., Lorsque naissance et mort coïncident: favoriser l'évolution du deuil, *Santé Société*, Vol. No. 1, hiver 1989-1990.

25. Psaumes 32: 3-5.

26. Lever J., Brush M.G., *Premenstrual Tension*, New York: Mc Graw Hill Book Company, 1981.

27. Edwards M., Les effets du stress sur la nutrition, *Nutrition Actualité*, 11, 1: 3-8, 1987.

28. Gannon L., The Potential Role of Exercice in the Alleviation of Menstrual Disorders and Menopausal Symptoms: A Theoretical Synthesis of Recent Research, *Women and Health*, Vol. 14(2): 105-127, 1988.

12

La beauté de la maturité

Il y a quelque temps, j'ai acheté un livre qui déclarait répondre à 400 questions couramment posées sur les soins à donner à la peau et aux cheveux. Ma fille, Élisabeth, était enthousiasmée car étant donné le prix exhorbitant et le sérieux du livre — il était édité par une des plus grandes maisons de livres scientifiques au monde, commandité par l'Académie américaine de dermatologie et écrit par cinq médecins membres de l'Association médicale américaine —, elle était sûre d'y trouver des solutions sinon miraculeuses du moins *efficaces*. Avant même que j'aie le temps de le feuilleter, Élisabeth s'était mise à le parcourir avec gravité, cherchant, bien sûr, comme toute jeune dame soucieuse de son apparence, des réponses aux problèmes qu'elle s'imaginait avoir...

Au bout d'une heure de silence, je l'entendis soupirer, puis vraiment agacée, elle me dit: «Maman, ce livre est décevant. Si tu ne nais pas belle, il n'y a aucun espoir de le devenir, même avec une chirurgie plastique. Toutes les solutions offertes ont des effets secondaires épouvantables et la majorité des réponses se terminent par «Pour plus de détails, consultez votre dermatologue»!

J'ai souri à ma fille et je l'ai serrée dans mes bras. Comme toutes les femmes de tous les temps, elle était en train de vivre une expérience extrêmement pénible et je voulais qu'elle fasse le bon choix: Accepterait-elle d'avoir pour identité ses charmes aléatoires ou prendrait-elle la décision que sa féminité tiendrait à autre chose? Elle venait d'être confrontée à une vérité très crue: Elle ne serait jamais ni aussi belle ni aussi jeune qu'elle le désirait et la beauté et la jeunesse qu'elle avait présentement ne dureraient jamais aussi longtemps qu'elle le voulait et cela sans aucun doute possible, malgré toutes les interventions médicales et cosmétiques possibles et impossibles, *quoiqu'elle fasse!* Un jour, c'est absolument certain, elle vieillirait puis... elle serait vieille et même... très vieille, et alors? Ma fille connaissait ma réponse et tout doucement, je lui ai répété ce qu'elle m'a si souvent entendu dire...

Les femmes qui s'identifient à l'enveloppe extérieure de leur corps, qui établissent l'estime qu'elles se portent sur l'évaluation qu'elles se font de leur beauté, qui ont gagné l'attention de leur entourage par leur allure, quand celles-ci se mettent à faire défaut, commencent à souffrir d'une souffrance sans remède pour en souffrir pendant les deux tiers de leur vie, au moins.

Que la beauté d'une femme soit grande ou petite, classique ou excentrique, noble ou commune, si elle s'en sert pour définir sa personnalité, elle est vouée, tôt ou tard, à la dépersonnalisation après avoir été pendant des années l'esclave anxieuse de son épiderme. Ancrée à elle-même, ses horizons n'ont jamais pu être très larges et finalement, elle n'a fait que vivre autour d'elle-même. Alors quand arrive le premier coup de vieux, elle est prête à faire n'importe quoi qui lui promet la conservation de la seule chose qui est l'expression de sa personne: sa beauté, sa jeunesse...

Les femmes de l'aristocratie européenne, dès la fin de la Renaissance, ont bu des litres et des litres d'«Eau de la Reine de Hongrie». C'était un alcoolat de romarin qui, à partir de 1370, devait passer pour avoir transformé une princesse âgée de 70 ans, paralytique et goutteuse, en une séduisante jeune fille qui fut alors demandée en mariage par un roi charmant de Pologne. Cet élixir de jeunesse a très longtemps été en vogue et je soupçonne qu'il n'a été éclipsé que par les œstrogènes de la ménopause offerts en janvier 1966 par le Dr Robert Wilson comme «la pilule de la jeunesse» et promettant la conservation d'une peau lisse, de seins fermes et d'un vagin lubrifié aussi longtemps qu'une femme en prendrait, soit au moins jusqu'à 72 ans... Grâce à une publicité très bien orchestrée, les hormones de la ménopause ont alors fait fureur, car elles ont été perçues par des millions de femmes comme un moyen de prévention du vieillissement, bien que cela n'ait jamais été déclaré *officiellement* par aucune société ou organisme scientifique au monde.

En réalité, on a toujours su que les hormones féminines avaient de multiples effets secondaires désagréables pour l'apparence des femmes, mais celles-ci ont été encouragées à les accepter sans dire mot car être enceinte ou être ménopausée étaient, n'est-ce pas? infiniment plus grave. J'ai sous les yeux une monographie de produit qui liste parmi les 53 «réactions indésirables» possibles d'un contraceptif oral de type combiné: l'hirsutisme (développement excessif du système pileux), la calvitie, les maux de tête violents et répétés (on n'est guère belle quand on a mal à la tête), les rougeurs congestives de la peau des jambes, des pieds, des genoux, des coudes, des poignets ou des avant-bras (érythème noueux, érythème polymorphe), une éruption hémorragique, la porphyrie et l'altération de la fonction rénale[1]. En termes moins savants, les femmes qui prennent la pilule contraceptive ou la pilule de la jeunesse peuvent observer les effets cosmétiques désagréables suivants: eczéma, ballonnements extrêmes, taches brunes sur la peau du visage ressemblant au masque de grossesse, peau très sèche ou très grasse, susceptibilité accrue aux bleus et aux veines éclatées, infections herpétiques récalcitrantes laissant des cicatrices permanentes sur le visage, le cou, la poitrine et les mains, troubles du foie qui décolorent la peau et laissent également des cicatrices, vergetures, acné grave, prise de poids permanente, infections vaginales tenaces et intenses, poils dans les oreilles, sourcils en broussaille, «allergie» au soleil.

Ces trois derniers phénomènes sont souvent les tout premiers signes de la porphyrie cutanée tardive, un effet secondaire grave de la prise des œstrogènes mais aussi de plusieurs médicaments dont le Librium® et le Valium® et de l'alcool. Cette maladie est déclenchée par l'effet toxique des œstrogènes sur le foie et l'on observe alors de terribles manifestations cutanées dues à la photo-sensibilité sur les parties de la peau exposées au soleil, avec formations de bulles, des érosions et des croûtes. Ces lésions guérissent lentement et laissent des cicatrices chroniques et des kystes épidermoïdes. La peau exposée au soleil devient très brune. Elle vieillit précocement et prend un aspect hachuré et rugueux. Cette maladie peut être accompagnée de symptômes abdominaux (douleurs violentes dans le ventre qui ressemblent à d'affreuses coliques pouvant être accompagnées de vomissements et de constipation) mais aussi de symptômes neurologiques (fourmillements, picotements, brûlures aux extrémités, douleurs, paralysies des bras et/ou des jambes) et mentaux (psychose aiguë avec hallucinations, agitation, faiblesse, douleur morale intense et idées de suicide[2]).

Il est donc difficile de croire que l'hormonothérapie substitutive de la ménopause va rendre les femmes de 40 ans et plus, magnifiquement belles et jeunes quand les hormones de la contraception auront déjà tellement hypothéqué leur intégrité physique intérieure et extérieure...

Une fois de plus, après avoir pendant longtemps cru et espéré, les femmes doivent reconnaître que l'élixir de la jeunesse n'existe pas en bouteille ni en pilule. Les hormones de la ménopause, pas plus que l'«Eau de la Reine de Hongrie» ne leur donneront 20 ans à 70 ans. Par contre, les femmes d'antan, guidées par leur pudeur et leur modestie ont toujours eu un truc infaillible pour préserver la souplesse et l'éclat de leur peau: des vêtements épais enveloppant tout leur corps, des gants et des chapeaux à large bord qui les protégeaient efficacement contre les rayons du soleil.

Il est maintenant fermement établi scientifiquement que tous les effets du vieillissement que l'on a voulu mettre au compte de la ménopause doivent être mis au compte de l'habitude des femmes modernes de s'exposer deshabillées pendant de longues heures au soleil, de se promener et de travailler dehors bras et mains nus, jambes nues et tête nue. Plusieurs études ont démontré que le peau jamais exposée au soleil, comme la peau des fesses ou de l'intérieur des cuisses et des bras, était chez les femmes de tous les âges largement dépourvue de rides, de taches brunes et de rousseur, de grains de beauté, de bleus, de verrues, de boutons et de kératoses (épaississement de la couche cornée de la peau). On a aussi établi que les rougeurs, les ecchymoses (taches brunes, noires, jaunâtres), la sécheresse, le prurit, l'apparition de poils disgracieux survenaient principalement et avec une plus grande fréquence sur la peau exposée au soleil alors que la peau conservée à l'abri de ses rayons restait étonnement saine et fraîche[3].

Dans une étude spécialisée[4], on a essayé de mesurer les effets des œstrogènes de la ménopause sur la peau en donnant à deux groupes de femmes ménopausées naturellement, soit des œstrogènes sous forme d'implants soit un placebo sous la même forme pendant six mois. Les femmes qui avaient été médicamentées ont rapporté une diminution marquée des rougeurs accompagnant les bouffées de chaleur, *une tendance* à moins de sécheresse de la peau exposée au soleil (bras, jambes, ventre, dos), une diminution des rougeurs survenant à la suite de la consommation d'aliments chauds et épicés et une plus grande tendance à avoir la peau du visage grasse. Tous les autres symptômes dont ces femmes se plaignaient et qu'elles mettaient au compte de la ménopause n'ont pas été améliorés : la sécheresse, les poils au visage, l'hypersensibilité au froid (frilosité), les bleus, l'acné, la chute des cheveux.

Par contre, lorsque la ménopause est précoce et survient avant 40 ans (ménopause iatrogène ou chirurgicale), on observe un vieillissement accéléré de la peau, tant de celle qui est exposée au soleil que de celle qui ne l'est pas. L'étude des fibres élastiques du derme (couche profonde de la peau recouverte de l'épiderme et formée de tissu conjonctif) révèle alors chez ces femmes de 30 à 37 ans, un âge chronologique de 50 à 70 ans[4]. Les auteurs de cette recherche voient dans ce phénomène une suggestion leur permettant de croire qu'il y a malgré tout, une relation entre la carence en œstrogènes et le vieillissement de la peau. Autrefois, la sagesse populaire affirmait que les femmes qui vieillissaient prématurément étaient les vieilles filles qui n'avaient jamais eu d'enfant alors que les femmes mariées qui avaient eu plusieurs enfants au cours des trois décennies de leur vie fertile, étaient assurées de rester jeunes jusqu'à leur mort. Avoir des enfants, pour une femme, était fermement considéré comme un facteur certain de jeunesse et il est difficile, même aujourd'hui, de nier que lorsqu'une femme peut avoir plusieurs enfants dans de bonnes conditions physiques (alimentation saine et abondante) et psychologiques (sentiment de sécurité et acceptation joyeuse de ses grossesses), elle reste jeune beaucoup plus longtemps qu'une femme infertile dont l'infertilité est la conséquence de la prise d'hormones, d'avortements ou d'une chirurgie comme la ligature des trompes, l'hystérectomie ou l'ovariectomie.

Ainsi les hormones maltraitent la peau, le soleil la dégrade et en attaque l'intégrité au point qu'il peut y déclencher un cancer mais tout récemment, on a découvert qu'il y avait aussi le tabac qui défigurait. En effet, on s'est habitué à la connaissance que le tabac «tue» mais sait-on qu'il vieillit?

En 1971, Daniell avait rapporté une association entre la fumée de cigarette et les rides[5]. En 1985, Model avait décrit le visage du fumeur et démontré que l'on pouvait prédire la quantité de tabac fumé et le nombre d'années passées à fumer en observant les rides autour de ses yeux et de sa bouche[6]. En 1991, un groupe de chercheurs américains a mis sur pied une étude pour déterminer si fumer est réellement un facteur à risque pour le développement de rides précoces sur le visage. Leurs conclusions sont absolues: En tenant compte des facteurs reconnus de vieillissement, comme l'âge, le sexe (il semble que les hommes vieillissent plus vite que les femmes) et l'exposition au soleil, et en les isolant, fumer reste un facteur indépendant, tant par le nombre d'années de tabagisme que le nombre de paquets de cigarettes consommées. De plus, c'est définitif, les effets de l'exposition au soleil et du tabagisme *se multiplient*[7].

On explique que le tabac ride prématurément et cause particulièrement la patte-d'oie et les ridules autour de la bouche et au-dessus des lèvres, parce qu'il provoque un changement dans la micro-vascularisation de la peau exposée aux produits toxiques de la fumée de tabac. La peau, cependant, est non seulement exposée directement à la fumée mais aussi indirectement, car les produits fumés se retrouvent dans le sang. On observe alors des modifications dans la quantité ou la qualité du collagène ou de l'élastine, modifications semblables à celles qui se produisent au cours de la bronchite chronique (emphysème). Finalement, les rides causées par le tabac ont aussi une cause mécanique: la fumée piquant les yeux, on cligne des yeux et on développe un rictus de la bouche[7].

Bien sûr, la publicité en faveur du tabac agressivement dirigée vers les adolescentes et les jeunes femmes ne laisse absolument pas soupçonner une telle réalité: le tabac ride, empoisonne l'haleine et jaunit les dents[8]. Par contre, cesser de fumer rajeunit et embellit comme aucune crème sur le marché ne peut le faire, coûterait-elle une fortune et viendrait-elle du bout du monde... Essayez, attendez les compliments et ne gardez pas votre secret!

Jusqu'à présent, il n'y a rien dans toute cette information qui puisse rajeunir instantanément et il semble que je vous entends soupirer comme ma fille. Ah! si seulement il pouvait y avoir quelque part cette fontaine de Jouvence dont les eaux donneraient la jeunesse... La voici: «Buvez huit verres d'eau par jour. Il n'y a rien qui rajeunisse plus que cela et abandonnez les boissons gazeuses et l'alcool. Dormez aussi 7 à 8 heures par nuit. Vous ne vous reconnaîtrez plus car vos cernes auront disparu et votre visage sera merveilleusement reposé.» Oui, l'eau qui purifie, le sommeil qui embellit sont à la portée de tous, mais combien en profite? On préfèrerait qu'ils soient en bouteille luxueuse ou en pilule colorée pour s'en servir et conserver ainsi l'illusion qu'ils pourraient être miraculeux dans leurs effets, instantanés dans leur action...

Pourtant, on sait aujourd'hui combien tous les produits de beauté, d'hygiène et de maquillage peuvent entraîner de graves problèmes de peau sous forme d'eczéma, de réactions allergiques, d'inflammations, de démangeaisons, de plaques rouges, d'infections et d'acné, dite acné cosmétique, persistante. Heureusement de plus en plus de femmes et à raison, recherchent des produits hypo-allergènes et non parfumés. En utilisant des produits non parfumés pour leur toilette personnelle mais aussi pour l'entretien de leur maison et la lessive, elles évitent un phénomène insoupçonné, celui des *allergies cérébrales*, ces allergies qui attaquent non seulement la peau mais aussi le cerveau en y provoquant une forme de dépression difficile à secouer.

Les parfums employés pour imprimer à tous les produits d'usage courant une odeur persistante sont synthétiques. Dérivés de produits pétroliers et constitués de grosses molécules d'hydrocarbures, ils sont extrêmement toxiques pour un très grand nombre de personnes. Les manifestations d'une allergie aux parfums sont, outre les manifestations cutanées: le nez bouché, le nez qui coule, le nez qui pique, des sécrétions post-nasales, les éternuements à répétition, les yeux qui coulent, piquent, brûlent, qui sont lourds, injectés de sang, la vision embrouillée, des taches devant les yeux, une vision double, des maux de tête parfois violents, le sentiment que la tête est lourde, qu'elle va exploser, une grande fatigue, les bâillements, la somnolence, les étourdissements, la perte de l'équilibre, les évanouissements, les envies de pleurer, de crier, de tout casser ou de se replier sur soi, la confusion mentale, l'agitation, le négativisme[9]. Le Dr Philpott, spécialiste américain des allergies cérébrales, affirme: «De nombreuses personnes sont des malades physiques ou mentaux chroniques parce qu'elles sont exposées à des émanations d'un poêle à gaz ou d'une fournaise à l'huile. Certaines réagissent gravement aux vapeurs de l'encre du papier journal ou de livres fraîchement imprimés (...). Les vapeurs des crayons-feutre (...), les bâtons de vaseline pour lèvres gercées, les cosmétiques à cheveux (brillantine, laque, pommade) sont particulièrement enclins à provoquer des réactions propres aux produits pétro-chimiques[9]»: Ils irritent le cerveau et provoquent des états de tristesse ou d'agitation souvent intenses qui, du fait de leur usage courant ou quotidien, deviennent chroniques. Il est alors difficile d'être belle et de se sentir jeune tant l'impression d'être moche et l'envie de mourir sont grandes...

Allons! La beauté, ça ne se mange pas en salade. Il y a plus important que cela dans la vie, comme d'être en bonne santé. Quand la poursuite obsessionnelle de la beauté conduit à la déchéance physique et mentale, il est grand temps de se ressaisir, de changer de direction.

Pourquoi tant vouloir être jeunes quand la vie à 40 ans nous propose d'être mûres? Pourquoi être à ce point obnubilées par la jeunesse quand la maturité maintenant s'offre à nous pour nous conférer la plénitude de nos moyens physiques et intellectuels?

Le langage populaire appelle la puberté, l'âge ingrat car il est souvent difficile d'imaginer derrière les boutons, la voix rauque et le corps empâté des adolescents, les beaux jeunes gens qu'ils seront bientôt[10]. Il appelle par contre la ménopause, l'âge critique car si la femme ne voit pas au-delà de la cessation des règles un avenir pour elle, elle risque de sombrer dans une existence végétative et de s'éteindre à l'aube de la troisième phase de sa vie, la plus fascinante. Dégagée des exigences de la fécondité, la femme va enfin pouvoir être autonome. Débarrassée des multiples oscillations de ses cycles ovariens qui ont si souvent tourmenté son humeur et son dynamisme, elle est maintenant bénie par un retour à un état basal, tonique, continu. Sa capacité de résistance et de travail augmente tout d'un coup et lui donne une force et un courage qui pourront la porter au sommet d'une nouvelle carrière. Le temps de la séduction physique est terminé, tout comme celui de la maternité et de l'éducation des enfants. C'est un nouveau départ qui s'offre à la femme. Saura-t-elle ne pas le rater?

La femme d'aujourd'hui, malheureusement, inverse sa vie. Elle la vit contre elle-même, contre son corps, car alors qu'elle devrait chercher à plaire à un homme, à avoir de lui plusieurs enfants et à mettre son point d'honneur à les éduquer pour qu'elle puisse en être fière, elle veut être libre, ne pas avoir d'enfants et faire carrière. Hélas! Incapable de ne pas tomber, un jour ou l'autre, dans les liens d'une relation amoureuse, cette même femme se retrouve bientôt avec un conjoint et un ou deux enfants auxquels elle ne donnera jamais le meilleur d'elle-même car elle travaille et cherche à réussir là. La femme se retrouve rapidement pendant le temps de sa fécondité, coincée, pour ne pas dire déchirée, entre les exigences de son cœur et celles de sa tête. Elle vit alors le stress chronique «d'une adaptation contre nature ou d'un antagonisme absurde entre ses fonctions maternelles et ses fonctions professionnelles» alors qu'elle pourrait en les juxtaposant, les vivre harmonieusement[11].

Cette obligation culturelle pour la femme de réussir dans le monde du travail à 20 et 30 ans, la force à être à contre-courant de tout son être. Alors qu'elle pourrait concevoir et consacrer à cette tâche toute son énergie, la femme veut ou pense qu'elle doit travailler, mais, quelle absurdité, au moment où elle pourrait travailler sans embûche, sans remords, sans souci, il semble qu'elle veuille se fixer sur l'amour et la famille. Après avoir dédaigné les privilèges de la jeunesse qui sont avant tout d'être aimée et d'avoir des enfants, la femme boude les privilèges de la maturité qui sont de développer ses talents pour les mettre au service de la société.

Intransigeante, dure et garçonne à 20 ans, car elle déclare vouloir être appréciée pour autre chose que sa beauté, la femme à 40 ans se met à faire des mains et des pieds pour être mignonne, séduisante et désirable... Quel gachis que cette violence exercée par la femme contre elle-même d'un bout à l'autre de sa vie! Non! C'est assez de s'épuiser. Tournons nos regards vers la beauté de la maturité. Contemplons-la, désirons-la et recherchons-la... C'est le blé parvenu à maturité qui donne le pain qui nourrit, soutient et fortifie. C'est la femme parvenue à sa maturité qui pourra enseigner le bien et apprendre aux jeunes femmes à aimer leur mari et leurs enfants, à être modestes, chastes, dévouées à leur maison, bref, à faire mieux qu'elle n'a fait. Mûre et heureuse de l'être, la femme ménopausée qui accepte cette autre approche de cette nouvelle étape de sa vie pourra enfin véritablement transformer son monde et se réjouir de le voir devenir meilleur.

Retarder le vieillissement

La jeunesse, ça passe. La maturité, ça reste, et c'est elle qui permet le plus efficacement de retarder aussi longtemps que possible, le vieillissement. La science de la nutrition a établi avec certitude quelles étaient les erreurs alimentaires qui entraînaient chez l'être humain la dégradation de ses tissus et organes. Face à une telle connaissance, une personne qui a de la maturité, trouvera la motivation pour changer ses habitudes et modifier son style de vie. Elle jouira alors d'une bonne santé, gage à tout âge, de beauté et de jeunesse.

Bien sûr, cela fait des millénaires que les êtres humains refusent de vieillir et qu'ils avalent avec une crédulité inconcevable, poudres, eaux, tisanes et aliments exotiques réputés pour leurs vertus exceptionnelles. À l'aube du XXIe siècle, cela ne doit plus se faire car on sait maintenant que la cause principale du vieillissement accéléré du corps et de l'esprit est *la suralimentation en protéines*.

L'excès de protéines qui constitue une caractéristique de l'alimentation occidentale depuis les cent dernières années, entraîne des modifications sérieuses dans le rein: La circulation sanguine y est ralentie, le rythme de filtration et d'excrétion des toxines diminue et sa masse décline. Or tout cela est catastrophique car la fonction du rein est de débarrasser le sang des déchets du métabolisme et en particulier des déchets du métabolisme des protéines: urée, acide urique, créatinine. Les reins contribuent aussi

312

à maintenir constante la composition du plasma sanguin en éliminant ou en réabsorbant, selon les circonstances, des quantités variables d'eau, de glucose et de sels minéraux. Les reins interviennent également pour une grande part dans la régulation de l'équilibre acido-basique du sang. Ils permettent de maintenir constant le pH sanguin en éliminant constamment du sang, sous forme de phosphates, les produits acides qui s'y trouvent en quantités d'autant plus importantes que le régime est riche en viande et en fromage.

Toute affection qui réduit la circulation et le débit sanguin dans les reins influence négativement l'excrétion des substances étrangères et toxiques et provoque une auto-intoxication qui aura plus ou moins rapidement raison de la personne. Que l'on pense tout simplement que l'arrêt de la fonction rénale entraîne une mort par empoisonnement en 2 à 4 jours.

Jusqu'à tout récemment, on croyait que la détérioration de la fonction rénale était une conséquence «normale» du vieillissement, mais plusieurs études ont permis d'établir que celle-ci n'était pas universelle ni obligatoire, autant chez les animaux que chez les humains. En fait, on a pu découvrir que si l'on soumettait des animaux à des régimes «pauvres» en protéines (et donc «pauvres» en calories), on pouvait éviter le vieillissement des reins, prolonger leur longévité de 45 p. 100 et éviter totalement le vieillissement du système immunitaire, l'atrophie de la masse maigre du corps et la survenue de néoplasmes (tumeurs)[12].

Sans nier les effets dévastateurs de l'hypertension, de l'athérosclérose, du diabète, des infections et de la prise de médicaments, particulièrement d'anti-inflammatoires non stéroïdiens, d'antibiotiques (aminosides), d'analgésiques (acétaminophène), d'antidépresseurs (lithium) et d'hormones, la suralimentation chronique en protéines dès la toute petite enfance est une cause indubitable non seulement de vieillissement mais aussi de multiples infirmités que l'on a, elles aussi, appris à mettre au compte de l'âge comme l'hypertension, l'athérosclérose, l'arthrite, l'ostéoporose et la sénilité.

La science de la nutrition recommande un apport quotidien en protéines de 56 g pour un homme et de 44 g pour une femme. Or l'apport quotidien des Occidentaux est de

100 g *et plus* par jour ce qui a fait dire au Dr Barry Brenner de l'Université Havard: «Il y a une discordance fondamentale entre la conception du rein humain et le fardeau que lui impose le régime occidental riche en protéines» et il souligne le fait que cet excès de protéines quotidien depuis la plus tendre enfance (le lait de vache est beaucoup plus riche en protéines que le lait humain qui n'en comporte que très peu, soit moins de 1 p. 100) est la cause de la perte précoce de la fonction rénale même chez des individus qui, apparemment, sont par ailleurs en bonne santé[13].

En gardant à l'esprit que la consommation de protéines animales (lait, œufs, fromage, viande) entraîne également une sécrétion maximale d'insuline qui provoque une synthèse accrue de cholestérol qui entraîne des risques sérieux de problèmes cardio-vasculaires, il est obligatoire d'adopter aussi rapidement que possible un régime normal en protéines qui devra alors obligatoirement, être pauvre en viande, en œufs, en produits laitiers, en noix et en légumineuses et être riche en céréales non raffinées bien cuites, en pain complet, en fruits et en légumes frais. À la lumière de ces faits irréfutables, une femme intelligente comprendra immédiatement combien il peut être dangereux pour sa santé de prendre des suppléments de protéines sous forme de poudres ou autres concoctions, qu'elles soient végétales ou animales[14].

Il est intéressant de souligner ici que de très nombreuses femmes, à l'approche de la ménopause, perdent le goût de la viande et des produits laitiers pour désirer manger plus de pommes de terre, de pain et de pâtes. Ce désir est sain et c'est un facteur positif de beauté car lorsque les reins fonctionnent efficacement grâce à une consommation normale de protéines majoritairement végétales et de huit grands verres d'eau fraîche par jour, la peau est saine, les yeux sont brillants, le corps est souple, l'humeur est gaie. En se soumettant aux données de la physiologie, de la nutrition et de son goût personnel, la femme ménopausée fera preuve de maturité.

Un autre facteur indéniable de vieillissement sont *les carences nutritionnelles*. Les signes cliniques et les symptômes de ces carences peuvent être subtils et être considérés malheureusement tout à fait à tort comme les conséquences inévitables du vieillissement. Seul un régime équilibré, donc abondant — il faut que je me répète — en céréales non raffinées bien cuites, en pain complet, en fruits et en légumes et totalement et résolument dépourvu de tous les produits raffinés, de l'alcool et du tabac, fournit adéquatement vitamines et minéraux et met à l'abri de carences aux conséquences malheureuses.

Voici un petit tableau qui vous aidera à vous éloigner du fatalisme mièvre: «Que veux-tu, c'est l'âge!». Avec maturité, vous pourrez dire: «C'est mon régime, à moi de le corriger.»

Symptômes de carences nutritionnelles

Insuffisance de calories
(moins de 1 700 calories par jour)

Maigreur
Atrophie musculaire
Pâleur et fatigue
Affections de la peau (dermatites)
Baisse de l'immunité
Risque accru d'infections
Oedème

Carence en vitamine B_1

Anorexie (perte de l'appétit)
Malaise
Faiblesse des jambes
Pieds qui «brûlent»
Réflexes lents ou absents
Palpitations
Insuffisance cardiaque
Encéphalopathie (confusion mentale, crises d'épilepsie, coma)

Carence en vitamine B_2

Inflammation des lèvres (chéilite)
Inflammation de la bouche (stomatite)
Vision embrouillée avec sensation de brûlure dans les yeux
Inflammation des nerfs (polynévrite)
Trouble de la coordination du mouvement pendant la marche (ataxie)
Perte excessive des cheveux

Carence en vitamine B$_3$

Dépression et sautes d'humeur
Irritabilité et pertes de mémoire
Affection du système nerveux périphérique (neuropathie)
Altération des réflexes
Difficulté et même impossibilité de marcher (ataxie spinale)
Anémie
Fatigue rapide

Carence en acide folique

Anorexie
Irritabilité, pertes de mémoire
Conduite paranoïaque (fausseté de jugement, méfiance ex-
  trême, absence d'auto-critique, orgueil démesuré)
Anémie
Malabsorption

Carence en vitamine B$_{12}$

Anémie mégaloblastique
Inflammation de la langue
Destruction des nerfs
Malabsorption

Carence en vitamine C

Perte de ses forces
Bleus au moindre coup
Douleurs articulaires
Inflammation des gencives
Saignement des gencives

Carence en vitamine D

Douleurs dans les os
Démarche de canard
Fractures spontanées
Perte de la mobilité
Faiblesse musculaire

Carence en vitamine A

Mauvaise vision de nuit
Affection de la peau (dermatite)

316

Carence en calcium/phosphore

Douleurs multiples
Os fragiles
Fractures à répétition

Carence en zinc

Perte du goût et de l'odorat
Perte excessive de cheveux
Prostration
Mauvaise vision de nuit
Mauvaise guérison des plaies
Perte de l'appétit (anorexie)

Carence en iode

Goitre

Carence en cuivre

Anémie (hypochrome)
Neutropénie (baisse des globules blancs)
Anomalie des os

Carence en chrome

Intolérance au glucose (diabète)

Carence en sélénium

Troubles du cœur
Inflammation des muscles (myosite)
Anémie (hémolytique)

Obtenir et maintenir un poids normal

S'il est un domaine où beaucoup trop de femmes font preuve d'un manque de maturité, c'est bien celui des régimes pour maigrir. Oh! À quoi ne sont-elles pas prêtes à se soumettre! Par contre, dès qu'on leur présente le bon sens, ces mêmes femmes reculent car, disent-elles, «c'est trop dur». Pourtant, pour maintenir et obtenir un poids normal, il n'y a pas d'autre moyen que d'adopter un régime équilibré et de le *conserver*, tout en y joignant une forme d'exercice quotidien simple, comme la marche.

Le meilleur régime pour ne pas grossir est de faire chaque jour 3 kilomètres à pied, de ne *jamais* manger ou boire autre chose que de l'eau entre les repas et de ne pas manger le soir de graisses visibles ni de protéines concentrées (fromage, beurre, viande, noix, etc.). Un repas de pain complet grillé accompagné de crudités, d'une bonne soupe ou de fruits frais, selon la saison, favorise une activité saine en fin de journée, suivie d'un sommeil réparateur et une reprise en forme le lendemain matin par un solide petit déjeuner. Quand on veut être en forme, c'est le matin qu'il faut faire le plein!

Se détoxiquer, c'est rajeunir

Alors que votre lecture de ce livre tire à sa fin, je ne sais si vous vous rappelez la découverte du savant Wise rapportée dans le quatrième chapitre, à savoir que la prise d'hormones exogènes accélère le vieillissement[16]. Vous désirez peut-être un grand nettoyage, un bon bain de propreté, une purification de votre système pour le débarrasser enfin du fardeau de toutes ces pilules avalées sous la pression de votre ignorance... Il est extrêmement réjouissant, il est presque exaltant de savoir que un tiers à la moitié de tous les œstrogènes, tant ceux qui sont fabriqués par notre corps que ceux qui sont ingérés à la suite de la prise de médicaments ou de produits animaux en contenant, sont éliminés dans la bile pour être réabsorbés à 80 p. 100 dans le tube digestif. On dit qu'ils connaissent une circulation entéro-hépatique (du tube digestif dans la bile, de la bile dans le tube digestif). Ils peuvent donc être captés dans le tube digestif, avant qu'ils ne soient réabsorbés, et être éliminés dans les selles.

Les fibres des céréales complètes et du pain intégral ont une certaine capacité de lier les œstrogènes et de les entraîner hors du corps. Le charbon activé en poudre, par contre, adsorbe avec une très grande efficacité les œstrogènes pour en débarrasser définitivement le corps. En vérité, le charbon activé en poudre adsorbe tellement bien les œstrogènes qu'un laboratoire pharmaceutique indique clairement que la prise de la pilule anticonceptionnelle et des hormones de la ménopause est une contre-indication à la prise de charbon[17]. En d'autres mots, si l'on tient à avoir les effets des hormones, il ne faut pas prendre de charbon, mais si l'on désire en être libéré, il n'y a rien de plus efficace et de plus rapide...

Des gérontologues ont démontré que la prise quotidienne et régulière de charbon activé en poudre effectuait dans le corps une entérosorption, soit la purification des 6 à 9 litres de sucs digestifs que l'on sécrète chaque 24 heures, ce qui influence automatiquement la composition du sang qui devient «propre». L'usage oral du charbon activé permet aussi de modifier le spectre des lipides (graisses) et des acides aminés du contenu intestinal et d'en éliminer les substances toxiques. Il abaisse également les taux de triglycérides et de cholestérol. Le charbon est donc sans aucun doute un facteur indispensable de rajeunissement de l'organisme car il «nettoie» les sucs digestifs, le sang et la lymphe. Or quand l'intérieur est propre, cela ne peut pas faire autrement que de se voir à l'extérieur dans une peau, des cheveux, des yeux plus clairs, plus brillants, plus vifs, dans une haleine douce, une sueur inodore et un mieux-être qui fait sauter et chanter de joie[18].

Qu'est-ce que la maturité?

Ma fille, j'en suis sûre, a décidé de vivre sa vie de femme en femme. Voyez ce que j'ai trouvé dans son cahier de poésie: Cette question suivie des réponses que voici:

La maturité, c'est la capacité de maîtriser sa colère et de régler ses conflits sans violence ni destruction.

La maturité, c'est la patience. C'est être prêt à renoncer à un plaisir immédiat pour un bonheur à long terme.

La maturité, c'est la persévérance.

La maturité, c'est la capacité de faire face aux choses désagréables et à la frustration, à l'inconfort et à l'échec sans se plaindre ni s'effondrer.

La maturité, c'est l'humilité. C'est être assez grand pour dire: «J'ai eu tort» et lorsque l'on a raison, c'est se refuser la satisfaction de jubiler: «Je te l'avais bien dit».

La maturité, c'est la capacité de prendre une décision et de la maintenir. Les personnes immatures passent leur vie à explorer mille et une possibilités et à ne jamais rien faire.

La maturité, c'est garder sa parole et tenir bon à travers une crise. Les personnes immatures sont maîtresses dans l'art de fournir des alibis. Elles sont désorganisées et constamment en conflit. Leur vie est un marécage de promesses manquées, d'amis abandonnés ou trahis, d'entreprises inachevées et de bonnes intentions qui ne se sont jamais matérialisées.

La maturité, c'est l'art de vivre en paix avec ce qu'on ne peut pas changer, le courage de changer ce que nous savons doit changer et la sagesse de savoir faire la différence...

La maturité, c'est réellement l'essence de cette beauté inaltérable que le temps qui passe améliore, affine, bonifie, perfectionne. Lorsqu'on la recherche et la poursuit de tout son cœur, on est sûr de la posséder et elle imprime alors à toute la personne d'une femme, un air de grande dame auprès de laquelle il fait bon vivre. Oh! dites-le de tout votre cœur, acceptez-le de tout votre être: Vive la maturité, vive la ménopause!

1. *Compendium des Produits et Spécialités Pharmaceutiques*, 16ᵉ édition 1981.
2. Starenkyj D., *L'allergie au soleil*, Orion, Québec, 1986.
3. Stableford L.T., Aging in unexposed human skin, *Proc Penn Acad Sci*, 55: 126-130, 1981.
4. Bolognia J.L., Braverman I.M., Rousseau M.E., Sarrel P.M., Skin changes in menopause, *Maturitas*, 11: 295-304, 1989.
5. Daniell H., Smoker's wrinkles. A study in the epidemiology of «crow's feet», *Ann Intern Med*, 75: 873-80, 1971.
6. Model D., Smoker's face: an underrated clinical sign? *Br Med J (Clin Res)*, 291: 1760-1762, 1985.
7. Kadunce D.P., Burr R., Gress R., Kanner R., Lyon J.L., Zone J.J., Cigarette Smoking: Risk Factor for Premature Facial Wrinkling, *Annals of Internal Medecine*, 114: 840-844, 1991.
8. Kottke T.E., Smoking and Wrinkles: Does It Matter? Editorial, *Annals of Internal Medecine*, 114: 908-909, 1991.
9. Philpott W.H., Maladaptive Reactions to Frequently Used Foods and Commonly Met Chemicals as Precipitating Factors in Many Chronic Physical and Chronic Emotional Illnesses, in *A Physician's Handbook on Orthomolecular Medecine*, Williams R.J., Kalita D.K., Eds., Pergamon Press, 140-150, 1977.
10. Starenkyj D., *L'adolescent et sa nutrition*, «Faisons face à l'acné», Orion, Québec, 1989.
11. Denard-Toulet A., *La ménopause effacée*, p. 456, Robert Laffont, 1975.
12. Rudman D., Kidney Senescence: A Model for Aging, *Nutrition Reviews*, 46: 209-213, 1988.
13. *Vibrant Life*, January/February 1990.
14. Starenkyj D., *Mon «petit» docteur*, p. 127, Orion, Québec, 1991.
15. Gupta K.L., Dworkin B., Gambert S.R., Common nutritional disorders in the ederly: Atypical manifestations, *Geriatrics*, 43 (Feb.): 87-97, 1988.
16. Marx J.L., Sexual Responses Are — Almost — All in the Brain, *Research News*, 1990.
17. Starenkyj D., *Mon «petit» docteur*, p. 121, référence 51, Orion, Québec, 1991.
18. Starenkyj D., *Mon «petit» docteur*, «Comment rester jeune longtemps», p. 237-258, Orion, Québec, 1991.

*Aux hommes
d'aujourd'hui*

Le climatère au masculin

« Les enfants des enfants sont la couronne des vieillards,
Et les pères sont la gloire de leurs enfants[1]. »

C'est au tout début des années 40 que les premières recherches sur le climatère masculin ont débuté avec une série d'articles parus dans le *Journal of the American Medical Association.* Le premier d'entre eux décrit le traitement efficace, grâce au propitionate de testostérone, de deux hommes qui souffraient de symptômes dont se plaignent normalement les femmes. Le deuxième parle de sémantique: Le terme «climatère» est-il réellement le mot à utiliser? Les autres articles proposent de raffiner les techniques de dépistage de cette nouvelle et étrange maladie et conseillent de ne pas poser un diagnostic avant d'avoir mesuré les gonadotrophines et les 17-cétostéroïdes urinaires.

En 1945, on peut lire le rapport de deux nouvelles études, l'une portant sur 54 cas et l'autre sur 273 cas qui tous semblent avoir des symptômes de femmes ménopausées. En 1946, on n'est pas encore fixé sur la terminologie à employer pour cerner ce phénomène: On semble bien être en présence d'un «syndrome» mais plutôt que climatère masculin, il faudrait employer le terme «insuffisance testiculaire».

Le temps passe: 1946, 1951, 1952. Les techniques de dépistage subissent des raffinements plus poussés. On a appris à mesurer avec précision les taux plasmatiques des gonadotrophines et de la testostérone par radio-immunodosage. Paraît alors en 1954, un article fracassant dans le *British Medical Journal*. Son auteur, Spencer, déclare avoir identifié une «entité clinique» en se basant sur une comparaison de ses symptômes avec ceux dont les eunuques souffrent, mais aussi à la suite de l'analyse de la sécrétion des 17-cétostéroïdes, de l'excrétion des gonadotrophines urinaires, des changements dans la structure des testicules et de la réaction des patients à une thérapie endocrinienne spécifique. En 1955, un médecin suggère d'employer quand même des critères encore plus sérieux pour poser un diagnostic de climatère masculin et il en établit le protocole: Il exige une analyse des symptômes, une absence de signes physiques qui pourraient suggérer la présence d'une maladie organique, l'exclusion de toute autre maladie, la recherche des 17-cétostéroïdes urinaires, le dosage biologique des gonadotrophines urinaires, chaque fois que possible, et un test thérapeutique dans lequel on donne tour à tour au patient un placebo et un médicament.

Alors que les recherches américaines et anglaises deviennent de plus en plus sophistiquées, le monde scientifique reçoit, en provenance d'Europe et de Russie, une série d'essais scientifiques qualifiés, plutôt dédaigneusement par certains, d'«impressionnistes» car on y trouve la suggestion que l'attitude et la réaction de l'épouse à sa ménopause influencent le climatère du mari et l'invitation à prendre en considération l'état de la relation conjugale à cette période de la vie, car tous les deux, l'homme et la femme, peuvent être «climatériques».

En 1959, Kupperman établit une liste des onze symptômes les plus courants de la ménopause. Des médecins japonais cherchent alors à vérifier si on peut les dépister chez des hommes au travail et à voir s'il existe une relation entre la survenue de ces symptômes et l'âge chronologique. En 1974, une équipe de trois savants américains internationalement respectés affirme catégoriquement qu'il existe un climatère masculin dans les termes suivants: «Celui-ci survient généralement chez les hommes entre 48 et 60 ans, légèrement plus tardivement que chez les femmes. Environ

20 p. 100 des hommes sont climatériques entre 48 et 58 ans et environ 35 p. 100 entre 58 et 68 ans... Le véritable climatère est la cessation physiologique de la fonction testiculaire accompagnée de symptômes vasomoteurs, neurologiques et psychosomatiques. »

En 1989, un chercheur devait rappeler que cette déclaration aux estimations précises, n'était accompagnée d'aucune preuve et que depuis, *aucune preuve n'avait été avancée.* Pourtant, cette déclaration avait eu pour effet de rendre légitimes les études sur ce sujet et c'est ainsi, qu'à partir de ce moment (1974), on enregistre la tenue de plusieurs conférences internationales et la formation de la Société internationale de la ménopause en 1978 ayant pour but de promouvoir « l'étude de tous les aspects du climatère tant chez les hommes que chez les femmes » ainsi que le lancement d'un journal internationalement respecté, *Maturitas*, plate-forme et porte-parole officiels de cette Société. L'étude du climatère masculin était enfin institutionalisée et bientôt, on pouvait entendre le premier président de la Société internationale de la ménopause mettre vigoureusement au défi, tout médecin qui refuserait de considérer le climatère masculin comme une véritable entité clinique.

En 1987, après une présentation intitulée « Un survol historique du concept de l'andropause » lors d'un atelier sur « La fonction gonadique chez l'homme vieillissant », son auteur, un endocrinologue, énumérait les caractéristiques essentielles pour pouvoir poser un diagnostic définitif d'andropause ou de climatère masculin : être homme, avoir plus de 60 ans, avoir des problèmes d'érection (« l'érection est moins puissante et le patient s'en plaint »), avoir des troubles vasomoteurs (« semblables aux bouffées de chaleur et aux sueurs des femmes »), ressentir une fatigue de plus en plus grande (au point d'avoir « de la difficulté à travailler »), faire de l'insomnie, avoir des taux de testostérone plus bas, des taux plus grands d'hormone lutéinisante (progestérone), un taux normal de prolactine, une fonction hépatique normale et une fonction rénale normale.

Il est intéressant de noter qu'alors que la littérature médicale parle d'un climatère féminin de plus en plus précoce (moins de 35 ans), il semble qu'elle veuille reculer aussi loin que possible le climatère masculin pour le situer au seuil même de la vieillesse, soit plus de 60 ans. Peu importe!

Du moment que ce phénomène est devenu «une entité clinique», entendons par là un groupement constant de manifestations pathologiques formant un tout et pouvant être dépisté par l'observation directe du malade, on est maintenant non seulement en droit, mais aussi dans l'obligation de rechercher des formes adéquates de traitement. Avec 20 ans de retard sur la ménopause, le climatère masculin était enfin médicalisé!

À la recherche d'un remède, on se rappelle les travaux de Werner qui, en 1939, avait proclamé que la testostérone soulageait les symptômes subjectifs de cette nouvelle maladie et ceux de Browning qui en 1960, proposait l'usage de l'hormone gonadotrophine chorionique fortifiée en déclarant qu'elle est efficace dans 75 à 80 p. 100 des cas (dans une série de 120 cas). En 1973, un médecin avait rapporté qu'il avait obtenu de bons résultats avec des œstrogènes dans une étude de 100 cas. Puis on entend que certains docteurs cherchent à vérifier l'efficacité de l'usage combiné et séquentiel de la gonadotrophine chorionique et de la testostérone (sur 36 cas). On parle d'hormonothérapie substitutive de l'andropause et on vante les résultats extraordinaires de la testostérone dans le traitement des chaleurs et des sueurs, de la perte du désir sexuel et de l'impuissance. Par contre, en 1980, une étude faite aux États-Unis met un frein à cette extase: l'hormonothérapie substitutive de l'andropause a provoqué le cancer de la prostate chez un patient qui avait subi une ablation chirurgicale des testicules (orchidectomie). On se met donc à proposer l'usage des œstrogènes plutôt que celui de la testostérone...

Ce bref survol des études sur le climatère masculin nous montre combien elles ressemblent étrangement aux premières études sur la ménopause. Après avoir exploité une angoisse féminine, on en a médicalisé les symptômes puis on a inventé son traitement et on l'a proposé à des millions de femmes. Cependant après plusieurs décennies de traitement pour leur ménopause, les femmes d'aujourd'hui, désillusionnées, mutilées et aviles se détournent du miracle hormonal qui n'a été pour elles qu'un cruel mirage... et alors qu'elles échappent de plus en plus aux promesses fallacieuses des alchimistes de notre temps avide de plaisir instantané et perpétuel, les hommes dont la virilité a subi une puissante érosion au cours de notre dernier demi-siècle, en nombre grandissant, constituent un nouveau marché à conquérir.

La population occidentale est de plus en plus vieillissante. Il y a de moins en moins de naissances. Les hommes et les femmes d'âge moyen et âgés sont devenus une mine d'or à exploiter. Pour les femmes de 40 à 60 ans, cela a déjà été fait, amplement. Il reste ainsi les hommes à bombarder de slogans destinés à provoquer en eux la peur de vieillir et à leur faire croire à la possibilité, et donc à l'obligation, de rester jeunes et puissants jusqu'à 80 ans...

Voilà que l'on essaie de répéter la même histoire: La sécrétion principale des testicules est la testostérone; le vieillissement entraîne un déclin des taux de testostérone, déclin causé par un ralentissement puis un arrêt de la sécrétion de testostérone par les testicules. Il serait merveilleux alors de conserver ces taux de testostérone élevés avec une hormonothérapie substitutive... Ainsi, grâce à des taux constamment élevés de testostérone, l'homme moderne serait assuré de rester jeune, séduisant, séducteur, puissant et désirable: finis les troubles d'érection, le désintérêt sexuel, les bouffées de chaleur, les problèmes de prostate et... la dépression!

Les hommes ont toujours eu une certaine répugnance à parler de ces choses-là. Heureusement pour eux, car les cliniciens, les praticiens et les chercheurs qui sont très majoritairement des hommes, se sont dépêchés d'affirmer que si on peut mesurer chez l'homme au fur et à mesure qu'il vieillit une baisse de testostérone, cette baisse n'est pas universelle et elle peut être due (et doit être due) à d'autres facteurs que la dégradation des testicules. En effet, quelques études ont déjà démontré les conséquences néfastes du tabac, de l'alcool et de l'obésité sur les testicules et leur production de testostérone. Un auteur a affirmé: Quand on compare des sujets sains à des sujets malades, on obtient une «claire» indication qu'un quelconque déclin de testostérone avec l'âge est la conséquence d'une mauvaise santé «plutôt que d'un processus physiologique naturel».

Dans les cercles médicaux, on s'interroge donc très sérieusement sur la réalité d'un tel phénomène et on pose carrément la question: Y-a-t-il un climatère masculin? De plus, on n'est pas content des expressions ou mots employés pour le décrire. Le terme couramment utilisé pour dépeindre les désordres psycho-sexuels des hommes d'âge moyen dans la littérature médicale américaine, «ménopause masculine» (male menopause), est offusquant. Les hommes n'ayant pas de menstruations, ils ne peuvent pas, de toute évidence, en expérimenter leur cessation. Ce terme est aussi grotesque que celui d'«homme sage-femme» forgé vers la fin de la Renaissance. Il est probablement aussi inquiétant... l'apparition d'hommes sages-femmes ayant été la première étape d'un processus assez radical qui devait provoquer la mise de côté des femmes dans un domaine qui, depuis tous les temps, leur avait été strictement réservé, soit l'accouchement, l'allaitement, l'éducation des enfants et la cessation des règles. Certains auteurs européens proposent le mot «andropause» et aujourd'hui, il est celui que les Français utilisent le plus volontiers. Construit comme le terme ménopause, de deux mots grecs, il est cependant beaucoup moins heureux. On se rappelle que c'est de Gardanne qui, au début du XIXe siècle, avait proposé, pour désigner «la cessation des menstrues», l'emploi du mot ménespausie de *mênès*, règles, menstrues, et de *pausis*, cessation. Le mot andropause est composé du mot *andros*, homme, et de *pausis*, cessation, et il signifie littéralement «la cessation de l'homme[2]». Peu flatteur, il plaît cependant, car étant plutôt obscur pour la très grande majorité des gens, il est possible et facile de lui faire véhiculer une notion de crise ou de tragédie exigeant une aide médicale et médicamenteuse.

Les anciens termes de retour d'âge, d'âge critique et de climatère sont enrichis aujourd'hui de l'adjectif «masculin» tout comme ils avaient été enrichis au XIXe siècle de l'adjectif «féminin», alors qu'historiquement, ils ont plutôt représenté une réalité masculine[2].

Cette difficulté à nommer cette nouvelle maladie est le signe d'un malaise. La médicalisation des hommes vieillissant normalement, au dire des médecins, présente des défis: Étiqueter une maladie et lui trouver un traitement n'est pas facile quand on n'a pas réussi à lui trouver un nom précis, un nom unique, un nom... magique. Donner un nom à quelque chose donne à celui qui la nomme de la puissance. Il est impossible pour un médecin de poser un diagnostic quand il n'a pas un nom à avancer: Diagnostiquer, donc nommer, est la preuve qu'il a une connaissance de la maladie mais c'est aussi la preuve qu'il a la capacité de la traiter.

Lorsqu'un médecin qui n'a pas été entraîné à dépister et à démasquer les troubles du comportement, se trouve face à un patient aux plaintes bizarres qui attend son verdict, il ne peut se permettre d'avoir l'air indécis. Il doit indiquer rapidement sa familiarité avec la maladie de son patient et sa capacité de la traiter. Il faut donc qu'il la nomme.

Pourquoi le diagnostic de la ménopause a-t-il connu si rapidement un si grand succès? Les historiens sont unanimes: La ménopause a instantanément été utilisée comme «un panier à papier dans lequel on pouvait jeter de nombreux «miasmes et lubies» féminins de classification difficile». Contrairement à l'hystérie, la neurasthénie ou «les nerfs», ce mot n'offensait pas. C'était une excellente étiquette qui donnait satisfaction tant au docteur qu'à sa patiente. Cette pratique n'a pas seulement servi à rendre confuse la nature exacte du climatère et à obscurcir le caractère véritable de ses troubles, mais en réalité, elle a permis d'encourager leur manifestation et d'augmenter leur incidence. Pour tous les symptômes des femmes de 40 à 60 ans, on avait maintenant un nom, un diagnostic que n'importe qui (mari, patron, médecin) pouvait poser sans examen ni test compliqués. «Cela doit être sa ménopause», est rapidement devenu une excuse, une explication ou une accusation universelles aux maux, aux misères, aux détresses, aux désirs et aux revendications de la femme passé 40 ans.

Les femmes, entre 40 et 60 ans, c'est donc absolument sûr, ont une ménopause, mais les hommes, c'est encore douteux, vivent-ils vraiment quelque chose d'analogue? S'il est facile pour des hommes de poser envers des femmes un diagnostic de ménopause, il est très difficile pour des hommes de poser envers des hommes un diagnostic d'andropause... On prend des gants pour accuser un frère d'un problème qui le réduit à toute fin pratique à l'état d'un eunuque, d'un homme châtré, à l'apparence féminine, ayant tendance à l'obésité et possédant une voix grêle... En conservant l'usage courant de plusieurs mots pour le désigner, on entretient le doute sur la réalité d'un tel événement dans la vie d'un homme; en exigeant des tests multiples et précis pour son dépistage et en continuant à ne pas trop savoir d'où il vient (s'agit-il vraiment d'un arrêt ou seulement d'un ralentissement de la fonction testiculaire?) ni quand il survient (entre

40 et 60 ans ou entre 60 et 80 ans?), on empêche la naissance d'un syndrome et son universalisation.

Une très grande étude épidémiologique intitulée *The Massachusetts Male Aging Study* portant sur 2 000 hommes de 40 à 69 ans tous en bonne santé, se poursuit depuis quelques années aux États-Unis[3]. Son but est d'étudier des hommes «normaux» apparemment sans maladie, afin de posséder un véritable point de référence. Si l'on sait ce qu'est un homme normal de 40 à 70 ans, on pourra déterminer qui est malade et dans quelle mesure il est malade. Les hommes de science qui ont organisé cette recherche veulent être sûrs de savoir quels sont les taux normaux de testostérone chez un homme sain afin de pouvoir connaître avec exactitude, dans le cas d'une hormonothérapie substitutive, à quels taux il faudrait ramener ou amener les taux d'un homme qui serait malade. Ils affirment que la plus grande partie de la recherche sur le vieillissement faite jusqu'à présent s'est concentrée en réalité sur des individus malades ou sur des groupes ayant des besoins spéciaux et donc ne pouvant constituer un critère pour une population américaine «normale» de 40 millions d'hommes ayant plus de 40 ans.

On sent beaucoup de réticence et même de la crainte dans les démarches de ces spécialistes... L'association d'un vieillissement naturel avec une certaine pathologie et la possibilité d'un traitement, comme si vieillir c'était tomber malade, va sans aucun doute augmenter l'usage des soins médicaux et exposer les hommes au risque des désordres iatrogènes, provoqués par le médecin et ses médicaments. On connaît déjà les dangers de l'administration des androgènes stéroïdiens à des hommes d'âge moyen, ces dangers étant l'augmentation des cancers et de l'hypertrophie de la prostate. De plus, en faisant passer les changements de comportement qui surviennent vers le milieu de la vie chez les hommes pour des problèmes psychiatriques, on les expose à des thérapies d'efficacité discutable comme l'usage de médicaments psychotropes et aux électrochocs, sans toujours en prévoir les conséquences qui peuvent être tout à fait fâcheuses. Et plus encore, de telles associations affectent la façon dont on se sert des services de santé en encourageant les individus à rechercher de l'aide et à être dépendants de cette aide pour ce qui est tout simplement l'expression ou la conséquence des problèmes quotidiens de la vie.

Il y a ainsi une nouvelle tendance de plus en plus marquée dans la population masculine à exiger des soins médicaux non plus seulement pour des symptômes objectifs mais pour des problèmes latents qui découlent de relations humaines tendues, perturbées ou brisées, de l'incapacité de jouer son rôle d'homme et du stress social. Pourquoi tout ce tra-la-la quand on sait d'ores et déjà que l'homme normal qui vieillit n'est probablement pas exposé à des taux de plus en plus faibles de testostérone ou à des taux de plus en plus élevés d'œstrogènes, et que cette condition, si elle devait exister, n'est pas mortelle mais qu'elle est, c'est presque absolument certain, la conséquence d'un style de vie marqué par l'usage du tabac et de l'alcool et l'obésité causée par l'excès de graisses et de sucre dans le régime et le manque d'exercice? Voilà pourquoi à tous les termes proposés, on préfère et on emploie de plus en plus celui de climatère, signifiant non un syndrome, non une maladie, mais «une période de la vie caractérisée par un ralentissement de l'activité sexuelle chez l'homme». C'est bien sûr, à 40 ans puis à 60 ans, on n'a plus la fougue qu'on avait à 20 ans... et, c'est encore plus sûr, il n'y a pas là de quoi fouetter un chat!

En effet, il est utile ici, de signaler que la puissance d'un homme sain, il y a des millénaires, exigeait environ 50 rapports sexuels par an. En se rapportant aux traités et aux observations disséminés dans les textes anciens, on découvre que Solon et Socrate estiment qu'il est «normal» d'entretenir des rapports sexuels conjugaux tous les dix jours environ, ce qui nous ramène au chiffre de 35 à 40 par an. Les Juifs qui s'abstenaient de relations sexuelles pendant la semaine des menstruations et parfois aussi pendant la semaine qui les suivait et parfois aussi pendant la semaine qui les précédait, ne disposaient que de douze jours environ, les jours fertiles, pour s'adonner aux relations conjugales. Il est ainsi permis de croire que les rapports sexuels ne dépassaient guère le chiffre mensuel de quatre, soit environ 45 par an[4].

L'homme d'autrefois physiquement infiniment mieux portant et plus sain que celui d'aujourd'hui, parce qu'il ne vivait pas dans l'atmosphère de frénésie sexuelle qui est celle de notre société, avait un instinct et une puissance sexuels moins exigeants, plus paisibles que les nôtres. Plusieurs études et l'expérience l'ont amplement prouvé: la puissance sexuelle est, dans une grande mesure, une question de stimulation et d'habitude. Notre société a créé puis imposé jusque dans la rue le besoin du «sexe» et rares sont les individus qui ont encore le courage d'écouter leur véritable instinct et d'affirmer que la virginité, la chasteté et la fidélité les rendent parfaitement heureux.

Lorsqu'à 40 ans, un homme ralentit son activité sexuelle de 200 à 300 rapports par an à 50, il ne fait que se rapprocher d'un rythme d'activité qui a été la norme pour des générations et des générations d'hommes jeunes et virils. Ceux-ci, parce qu'ils vivaient près de la nature, savaient que cette activité est une activité épuisante qui, si elle n'était pas tenue en bride, aurait rapidement raison de leur courage, de leur ardeur au travail et de leur force physique. Ils pouvaient à l'occasion observer des taureaux, des étalons, des béliers ou des boucs lachés sans bride dans un troupeau de femelles en chaleur. En quelques jours, ils étaient totalement épuisés, amaigris, dépouillés de leur fougue et de leur ardeur, pour souvent ne jamais les retrouver...

Aujourd'hui, la science sait que l'activité sexuelle exige le déploiement d'une très grande énergie nerveuse et qu'elle exerce sur plusieurs organes vitaux, le cœur tout particulièrement, un énorme stress[5,6]. L'activité sexuelle entraîne également au cours de l'excitation et de l'éjaculation, la perte d'éléments indispensables à la santé de l'homme et à son équilibre mental. On doit nommer tout particulièrement *le zinc* dont la carence est une cause certaine des désordres suivants: nervosité intense, psychoses, déficits immunitaires, chute des cheveux, hypertrophie et cancer de la prostate. Les troubles de la prostate sont à leur tour une cause fréquente des maux de dos et de l'incontinence d'urine[8]. «Le ralentissement de l'activité sexuelle chez l'homme», s'il est accepté rationnellement, est salutaire. Après un temps marqué par la tempérance, il permettra à tout homme de 40 ans et plus, un retour à un équilibre indispensable pour sa virilité.

Il nous reste maintenant une question fondamentale à poser: Après tant de détours, si le climatère ne constitue pas un réel problème masculin, pourquoi tant d'angoisse chez les hommes de 40 à 60 ans?

Certes les temps sont difficiles... difficiles pour les femmes qui essaient de vivre sans leurs hommes, difficiles pour les enfants qui ne peuvent compter sur leurs pères, difficiles pour les pères qui ont perdu l'illusion d'une société meilleure bâtie par leurs fils, difficiles pour les hommes qui savent qu'ils sont sans force...

Accablés par un passé insaisissable qui les hante, tourmentés par les conséquences évidentes de leurs échecs, tremblants devant l'avenir, les hommes vacillent et s'effacent...

Dépassés par des événements qu'ils ont abandonné à la merci du hasard, ils désespèrent et ils se sentent seuls et incompris. Têtes courbées, charpentes affaissées, ils s'accrochent à leur travail, dernier retranchement d'une défaite lamentable. Nés pour conquérir, les hommes ne désirent qu'une chose: échapper aux responsabilités. Nés pour vaincre, les hommes sont vaincus.

Alors épuisés de tant lutter contre l'appel même de leur être, les hommes deviennent une proie facile pour les plaisirs qui étourdissent, pour les stupéfiants qui font oublier pour un peu de temps la réalité toujours présente et pour les relations troubles qui torturent le cœur et l'esprit. À la recherche d'une consolation facile, ils acceptent de se laisser séduire par des théories aliénantes et chaque matin, ils se lèvent insatisfaits. Le remords les pourchasse le jour, leurs nuits sont sans sommeil.

Couronnés d'intelligence, certains hommes en arrivent à envier le sort des avortons. «Mieux valu ne jamais naître», voilà leur pensée secrète qui est le refrain même de la dépression, refuge invitant pour ceux qui choisissent de ne plus lutter. Blessés de la vie, ces hommes, comme des épaves, rejoignent les rangs de ceux qui appellent la délivrance. Dépouillés de leur gloire, ils sont dans le désespoir, mais non sans espérance...

D'autres, après une période de résistance, succombent à des voix de démons qui étouffent en eux leurs dernières aspirations à la bonté et à la douceur. Révoltés, ils maugréent contre le Ciel qu'ils rendent responsable de leur misère. Dorénavant, ils ne veulent plus que s'accrocher à aujourd'hui pour en arracher les plus beaux morceaux. Le succès alimente le feu de leurs passions et captivés, ils acceptent les chaînes qui les lient à la perdition. Ils méprisent les conseils des leurs. L'épuisement, un jour, les arrêtent mais alors, il n'y a plus personne autour d'eux pour les secourir. Dans leur détresse, ils crient et seul le Ciel n'est pas sourd à leurs supplications...

D'autres encore décident de se livrer de tout cœur aux réjouissances enivrantes. Leur devise est «Mangeons et buvons et demain nous en ferons autant». Bien que d'une hardiesse insensée, ils n'échappent pas aux conséquences inévitables de leur mépris des lois de la vie. On les retrouve aux portes de la mort, cloués sur un lit de douleur, leur avenir ne tenant qu'à des tubes et des fils. Vidés, désabusés, ils se prennent en dégoût et refusent même leur nourriture. Vivront-ils jusqu'au matin? Dans leur malheur, ils pleurent et voilà qu'une main s'offre à tirer les rideaux pour faire entrer dans leur cœur la lumière d'un jour nouveau...

Et puis, il y a ces hommes qui sont insouciants, prospères et heureux d'exister. Ils ont décidé qu'ils flotteraient sur les eaux larges d'une vie sans accroc et ils dirigent leur navire vers des demains sans fin, voulant ignorer qu'un jour, il n'y aura plus de lendemains. Sans qu'ils aient pu le prévoir, tout d'un coup, une violente tempête les contraint de tourner leurs regards vers la réalité. Pris de vertige, ils descendent dans les profondeurs de l'abîme où la terreur les saisit. Leur superbe assurance s'évanouit et dans leur angoisse, désemparés, ils gémissent comme des enfants. Maintenant, il ne leur reste plus qu'à être sauvés...

Il n'y a aucune situation embrouillée aussi désespérante qu'elle paraisse qui ne puisse être démêlée; il n'y a aucune relation humaine si tendue qu'elle ne puisse être dénouée; il n'y a pas d'esprit si confus qu'il ne puisse y voir clair; il n'y a pas d'habitude pernicieuse si enracinée qu'elle ne puisse être vaincue; il n'y a pas d'homme si faible qu'il ne puisse devenir fort[9].

Certes, l'angoisse que ressent un homme à 40 ans n'est pas le résultat d'un ralentissement de la fabrication de testostérone par ses testicules. Demandons-le carrément: Tous ses tourments ne lui viendraient-ils pas de la voix de sa conscience qui maintenant, avec force, l'appelle à un changement afin qu'il soit enfin délivré de sa dépression qui est l'expression ultime d'un sentiment qu'il a soigneusement réprimé ou maquillé jusqu'à présent, la colère?

Les hommes décrits plus haut sont des hommes en colère, des hommes congelés dans leur colère, une colère puissante qui les tient captifs et les dirige à son gré aux confins de la révolte, de la haine et de la folie. Oui, la colère est un sentiment extrêmement destructeur qui, lorsqu'elle se loge dans le cœur d'un homme, l'amène systématiquement au refus d'être homme et donc à l'auto-destruction.

Pourquoi les hommes sont-ils en colère? Ne vous y trompez pas: Ils ne sont pas en colère à cause de leurs femmes; ils ne sont pas en colère à cause de leurs enfants; ils ne sont pas en colère à cause de leurs patrons. Non! Ils sont en colère à cause de leurs pères qui les ont irrités en les ignorant, en les maltraitant, en leur faisant honte alors qu'ils n'étaient encore que des enfants... Chaque soir, ils se sont ainsi endormis la colère au cœur et chaque matin, ils se sont réveillés avec le mépris dans l'âme pour ceux qui les avaient engendrés. Et d'un jour à l'autre, sans même qu'ils s'en aperçoivent, un fossé entre eux et leurs pères s'est creusé. Bientôt ne pouvant plus les rejoindre malgré certains efforts réels de rapprochement, ils n'ont eu qu'un seul but, un seul désir, justifier leur colère, leur faire payer ça et surtout, surtout ne pas leur ressembler pour les ignorer, les maltraiter et leur faire honte, vraiment honte...

Le refus pour un garçon de s'identifier à son père est éminemment destructeur de sa virilité. Il l'oriente automatiquement vers une efféminisation qui, à des degrés divers, s'exprimera par l'incapacité de s'attacher de tout son cœur à une femme unique (comment s'attacher à une femme et aux enfants qu'elle nous a donnés quand on n'est pas encore détaché de son père et de sa mère?), par le désir inconscient de la détruire car elle constitue soit un obstacle entre lui et son père, soit sa personnification (elle deviendra alors la cible de sa colère par le biais d'un comportement passif-agressif et de la manipulation), par le refus absolu d'avoir des enfants, refus qui, s'ils viennent quand même, l'amènera à son tour à les ignorer, à les maltraiter et à les humilier.

L'expression ultime de la révolte du fils contre le père (ou de la fille contre la mère) est le style de vie homosexuel, ses victimes étant des individus suprêmement en colère, totalement captifs de leurs désirs de vengeance de cet être dont ils auraient tant voulu être aimés, cajolés, entourés, remarqués, encouragés, respectés, reconnus, légitimés...

Lorsqu'un homme en colère contre son père atteint ses 40 ou 50 ans, l'angoisse le saisit car celui autour duquel finalement toute sa vie a tourné est maintenant vieux, mourant ou mort. Il sait confusément mais intensément que ses désirs de vengeance ont été vains (son père n'a pas cessé de l'ignorer et de le mépriser), qu'ils l'ont transformé en un monstre d'insensibilité et que finalement, il en a été la victime directe: C'est son mariage qu'il a démoli, c'est sa femme qu'il a poussé au seuil de la folie, ce sont ses enfants qu'il a abandonnés, c'est son travail qu'il a saboté, c'est son corps qu'il a détruit par un style de vie à risque.

Cet homme en colère peut aussi ressentir que si son père meurt avant qu'il n'ait eu le temps d'apaiser sa colère envers lui, il en restera à jamais prisonnier. L'espoir de s'en tirer en se vengeant lui échappera et il devra envisager de vivre à toujours en colère, irrémédiablement brouillé avec un homme dont maintenant il désire, parfois plus que jamais, l'affection, la tendresse et la gouverne. Malade de tant d'excès, honteux de tant de trahisons, ébranlé de tant d'échecs, cet homme en colère sera tenté de se réfugier dans un syndrome nébuleux, l'andropause, qui, tout en lui déclarant la perte de sa virilité, lui permettra de mettre tout ce gachis sur le compte de ses testicules défaillants...

C'est ainsi que le climatère devient un phénomène réel: C'est la détresse du milieu de la vie de ces hommes qui sont encore sous le coup des séquelles de leurs conflits d'enfance et d'adolescence et qui n'ayant en fin de compte jamais pu quitter mentalement leur passé, n'ont pas encore commencé à vivre leur vie. Ils sont alors assaillis par le sentiment de n'avoir rien fait de valable jusqu'à ce jour et par le besoin maintenant urgent de se réaliser. Ils s'aperçoivent tout d'un coup que la vie est incroyablement courte et qu'ils ont carrément perdu leur temps. Alors que dans leur tête, ils en étaient encore à dire non à leur père, à taper du pied et à bouder, leurs cheveux sont tombés et ont grisonné, leur visage s'est ridé, leur puissance s'est évanouie. Ils sont passés sans transition, semble-t-il, du petit garçon au vieillard et ils ont l'impression d'en devenir fou...

On a commencé dans notre société à érotiser le corps masculin et on a provoqué son efféminisation par le biais d'une mode qui après avoir amené les femmes à s'habiller et à se coiffer comme des hommes, pousse maintenant les hommes à s'habiller et à se coiffer comme des jeunes filles. Le renversement des rôles semble être complet car comment peut-on agir comme une femme quand chaque jour on porte un vêtement d'homme et comment peut-on agir comme un homme quand on ne refuse plus de se parer, de se parfumer, de se coiffer comme une femme? Il est difficile de ne pas craindre que ces hommes à qui l'on dérobe de plus en plus le droit et le devoir d'être et d'avoir l'air viril, ne résisteront plus longtemps aux promesses mirobolantes de la testostérone capable, assure-t-on, de redonner un second souffle à ceux qui sont épuisés nerveusement, mentalement et physiquement. Peut-être que le terme andropause, après tout, n'est pas si gauche que ça, le climatère, incontestablement, étant marqué par le malaise des hommes qui ont des doutes sur leur virilité, qui ne savent plus qu'un véritable comportement d'homme est caractérisé par les vertus les plus hautes: courage, hardiesse, droiture, honnêteté, intégrité, patience, diligence et sens pratique.

Ainsi la colère est la cause de la dépression des hommes de 40 à 60 ans, colère qui d'abord dirigée vers leur père (ou leur mère) a peu à peu envahi toute leur vie pour aller attaquer toute figure d'autorité et aliéner toutes leurs relations humaines. Ces hommes en colère après avoir méprisé leur père, puis leurs professeurs, puis leurs patrons, par des détours subtils ou brutaux ne peuvent pas faire autrement que de finir par en vouloir à Dieu. Tout comme ils se sont opposés à leur père, ils en arrivent à braver Dieu qu'ils rendent responsable de leur détresse. Or il est très difficile d'accepter l'aide de Celui dont on a appris ainsi à se méfier et même à avoir peur.

Pourtant, voulant éviter aux hommes le marécage de la colère, Dieu leur a donné deux directives. Il a dit aux pères: «Pères, n'irritez pas vos enfants, de peur qu'ils ne se découragent[10]»; et Il a dit aux enfants: «Honore ton père et ta mère, afin que tu sois heureux et que tu vives longtemps sur la terre[11]». Malheureusement ces deux commandements étant de plus en plus ignorés de pères en fils et de fils en pères — les pères qui irritent leurs enfants ayant souvent été des enfants qui ont déshonoré leurs pères et les fils qui ont déshonoré leurs pères devenant souvent des pères qui irritent leurs enfants —, une colère générale gronde dans toute notre société qui en est formidablement secouée. Les hommes s'effondrent. Les enfants se corrompent.

Il faut que les hommes abandonnent leur colère. Ils doivent comprendre qu'ils ont été irrités par un père qui avait été lui-même irrité par son père. Il n'y a qu'une seule façon de racheter le temps perdu, de renverser le sort, d'annuler le passé, le secouer le joug: Il faut que le cœur des pères soit ramené aux enfants... Ce que l'on n'a pas reçu en tant qu'enfant de son père, on peut le donner en tant que père à ses enfants. En se tournant vers les leurs, en se penchant sur eux, en répondant à leurs besoins, en se souciant de leur bonheur, les hommes échapperont à la colère et donc à la dépression. Ils pourront devenir des hommes fiers d'être homme et ils ne risqueront plus de succomber aux fantasmes d'une société en mal de vivre qui bombarde ses membres de formules destinées à les enchaîner à une sensualité dont le résultat assuré est d'effacer en eux toute trace d'humanité, tout soupçon de noblesse. Ce qui définit un homme véritable, ce ne sont pas ses exploits ni ses prouesses d'ordre sexuel mais le degré de sécurité et de protection qu'il peut offrir à sa femme et à ses enfants.

On comprend ainsi pourquoi, chaque fois qu'une société se redresse, les hommes deviennent de bons et loyaux travailleurs. Ils comprennent que le travail ennoblit l'homme et constitue pour lui une garantie de bonheur en le gardant loin du vice. Ils comprennent aussi que le travail est une assurance de liberté et d'indépendance et un moyen indispensable de prouver aux siens l'amour que l'on a pour eux. Pourvoir à leurs besoins et le faire avec abondance et générosité devient leur fierté et la source de leur identité. Époux fidèles et pères attentifs, ils mettent leur honneur à travailler de leurs mains, à s'occuper de leurs propres affaires, à se conduire honnêtement, à vivre tranquilles et à n'être à charge à personne[12]. Leurs bouches apprennent à répéter souvent à leurs enfants les proverbes qui leur ont insufflé le désir de travailler:

«Le précieux trésor d'un homme, c'est l'activité[13]»... et la honte de ne pas se rendre utile:

«Si quelqu'un ne veut pas travailler, qu'il ne mange pas non plus[14].»

Les sociologues occidentaux se font l'écho de cette sagesse biblique lorsqu'ils affirment que la violence sans cesse croissante faite aux femmes et aux enfants, la montée en flèche de la consommation des drogues et le relâchement excessif des mœurs qui en découle, sont la conséquence d'un mal social tragique, le chômage qui oblige des hommes à la puissante musculature, en pleine force de l'âge, à rester oisifs. Mais là encore le refus de travailler ou la volonté de travailler le moins possible ou juste, juste ce qu'il faut pour ne pas avoir l'air d'un lâche, sont des manifestations de colère et de la dépression qui s'en suit. L'homme en colère est toujours improductif, animé qu'il est du désir de ne rien réussir pour bien marquer le fait qu'on ne l'a pas aimé, qu'on ne l'a pas apprécié, qu'on ne l'a pas estimé comme il le fallait... et que tout ça, *ça n'est pas juste!* En nourrissant leur colère, les hommes très tristement nourrissent leur honte et baissent dans leur propre estime. Ils s'en veulent ou en veulent aux autres, les autres prenant facilement la figure des leurs, de leur propre chair, leur femme et leurs enfants qu'ils poussent au désespoir puis abandonnent, pensant qu'ils sont allés trop loin et que la situation est irrécupérable.

Pourtant, avouer sa détresse, reconnaître que l'on est victime d'une vieille colère qui est sur le point d'avoir raison de nous, comprendre que jusqu'à présent on a été incapable d'aimer comme on le voulait, crier sa peine, déclarer sa misère, confesser son tourment ne seraient pas de la lâcheté mais le début d'une nouvelle vie basée sur l'honneur, la gloire et une authentique virilité.

En effet, qu'est-ce qui est plus honorable, qu'est-ce qui est plus noble, qu'est-ce qui est plus homme : Pardonner ou ne pas pardonner? Vaincre son orgueil ou vaincre sa peur?

« Fais un homme de toi... » *Quel est l'homme qui n'a pas entendu et réentendu ce reproche qu'une génération après l'autre n'apprend pas à taire? Les hommes braves, n'est-ce pas, ne reculent jamais devant les obstacles. C'est pourquoi, comme pour une doctrine sacrée, les hommes ont préféré mourir que de perdre la face. Ils ont préféré faire mentir leurs véritables sentiments que d'encourir la honte de ne pas être un homme, de ne pas être un homme à l'image de l'homme, à cette image formée dès le berceau à coups de bravoures, de gageures, de menaces, d'accusations, d'intimidations et de rudesses. Un homme doit être un homme*

et être homme, assure-t-on, c'est vivre sans peur. Ainsi parce qu'ils veulent surmonter la peur ou faut-il dire, l'exorciser pensant qu'elle est une bête féroce qui se tapit dans leur cœur pour les paralyser, les hommes ont embrassé les défis les plus effroyables, les aventures les plus dangereuses, les montagnes les plus meurtrières... Et la peur, cette sensation par nature désagréable, s'est peu à peu transformée en excitation, en stimulation recherchée, en euphorie sublime, en «sport». Semblables aux poisons devenus des boissons, les périls deviennent des plaisirs et l'homme ainsi intoxiqué est engourdi, insensible aux avertissements, sourd aux pressentiments... Est-il alors étonnant que ce qu'il redoute lui arrive en plein jour? Peut-on manquer de prudence et ne pas tomber?

D'accord, dites-vous, mais qui veut vivre avec la peur constamment au cœur? N'est-il pas préférable d'être blessé mais libre plutôt que d'être entier mais esclave? Ne vous laissez pas séduire par un tel raisonnement. Demandez-vous pourquoi les hommes sont-ils soumis à cette torture? Pourquoi l'esprit de l'homme doit-il connaître ces angoisses dignes d'un jugement dernier? Pourquoi faut-il subir l'épuisement de ces examens de conscience qui privent de sommeil tout homme encore sobre et qui, à chaque nouvelle révélation, font augmenter le poids de la responsabilité? La vie, est-elle un jeu macabre et irraisonnable?

Faut-il croire que la peur de vivre fait partie intégrale de notre existence et qu'elle est attribuable à une erreur de la création ou à un échec de l'évolution dont nous serions les pauvres victimes? Ne serait-il pas alors louable d'assimiler ce qu'on ne peut pas vaincre et d'apprendre tout simplement à vivre avec un tel phénomène?

Voulez-vous par une telle conclusion ajouter à votre souffrance, la pensée qu'il n'y a pas de guérison possible[15]?

Le premier homme alors qu'il venait de trahir son Créateur, se voyant nu, alla se cacher loin de Lui et lorsque Celui-ci l'aimant encore et toujours, est venu vers lui, l'a appelé tendrement et lui a dit simplement: «Où es-tu?», il a répondu: «...J'ai eu peur... et je me suis caché...». Pour le père de notre race, la peur a été la conséquence immédiate et instantanée de sa désobéissance, et abruti par sa faute insensée, il a fui loin de son Père que maintenant il ne pouvait plus regarder en face.

Embrouillé par des millénaires de désobéissance et de haine, ce scénario se répète à chaque génération, entre chaque fils et son père, entre chaque père et son fils pour planter en plein milieu de leurs cœurs, la peur de vivre... parce que là où l'amour ne règne pas, la peur saisit l'esprit pour le terrasser, le torturer et le précipiter dans la folie.

Oui, la peur qui griffe et lacère le cœur des hommes pour le défigurer complètement est le résultat obligatoire et inévitable d'un échec d'amour. Blessé dans les fibres les plus intimes de sa personne, l'homme qui ne reconnaît plus l'amour devient un monstre. Complètement centré sur sa blessure, il n'arrive pas à aimer et il perpétue ainsi l'enfer des hommes qui ne croyant pas avoir, refusent obstinément de donner... Et lorsque vient le milieu de la vie, que les forces employées jusqu'à ce jour pour étouffer la peur se mettent à décliner, que les yeux si longtemps tournés vers soi, pour un instant, regardent autour d'eux, l'homme est saisi de vertige. Il sait que l'amertume dont il a nourri son cœur, a contaminé toute son existence. Il a fait aux siens ce qu'il reproche aux autres, et maintenant, il ne peut plus se croire meilleur.

Sa conscience le condamne et il passe par un âge critique. Une nouvelle lutte s'élève dans son âme. Après avoir tant œuvré pour mater la peur — devant quels risques, devant quelles hontes, devant quelles abjections a-t-il reculé ou hésité? — il doit faire face aux deux seules options qui s'offrent à lui: Continuer à haïr et rester digne d'être haï ou... pardonner et découvrir que l'amour véritable, l'unique amour qui réchauffe et rend heureux est l'amour *inconditionnel*, cet amour qui n'aime pas qui mérite d'être aimé mais qui a *besoin* d'être aimé...

Un proverbe affirme: «L'homme qui a de la sagesse est lent à la colère, et il met sa gloire à oublier les offenses[16]». Si au retour d'âge, au juste retour des choses du passé afin qu'elles soient enfin liquidées, l'homme en colère pouvait pour un instant seulement contempler le Calvaire...

Peut-être que par le passé, tout comme la foule avant vous, vous n'avez jeté qu'un regard furtif sur cette scène qu'on ne peut cependant pas ignorer car elle est à la croisée des chemins...

Ce n'est pas que vous n'auriez pas voulu vous arrêter plus longtemps, mais vous étiez trop obnubilé par votre colère pour vous attarder auprès de ces mourants. Maintenant que nous y sommes à nouveau, n'aimeriez-vous pas vous approcher de plus près ? Pourquoi ne pas pénétrer au-delà de vos doutes et de vos peurs ? De toute façon, vous savez qu'au point où vous en êtes, vous ne perdriez rien, si ce n'est ce que vous pourriez apprendre. Si vous ressentez de la crainte, ça se comprend, quoiqu'il n'y ait rien à craindre, si ce n'est de manquer cette opportunité. Si tout cela vous gêne, c'est bien, comment aurait-on alors du respect auprès de ceux qui meurent ? Si vous avez honte de vous approcher du Mourant du milieu, c'est normal, puisque vous L'avez méprisé plus d'une fois en ne faisant aucun cas de Lui. Cependant, sachez que s'Il n'a pas empêché que deux larrons victimes de leur colère soient crucifiés avec Lui, Il vous permettra à vous aussi de venir tout près de Lui[17]...

Sur la croix du milieu souffre le Fils de Dieu pour une race qu'Il aime à mourir. Il est en train de subir l'ultime conséquence de la culpabilité de ceux pour qui Il implore : «Père, pardonne-leur, car ils ne savent pas ce qu'ils font». Oh ! si l'homme en colère à cause du mal que les hommes lui ont fait, pouvait soudain comprendre que cet Être sans défaut, sans colère, sans peur, sans rancune meurt pour un monde qui Lui a vraiment fait mal, il tomberait réconcilié, plein d'admiration, à genoux et L'adorerait. Il serait alors délivré de son orgueil, de sa haine et de sa peur. Il sentirait qu'il a été aimé et qu'il est encore aimé inconditionnellement par un Sauveur infiniment miséricordieux et compatissant. Il abandonnerait enfin la colère et se laisserait remplir par l'amour de Dieu...

Le climatère masculin, pas plus que la ménopause, n'a donc à faire avec une carence soudaine en hormones, mais tout comme la ménopause, le climatère est une période naturelle et universelle de la vie qui constitue un test de vérité pour l'homme. C'est maintenant, alors qu'il est au milieu de sa vie, que sa jeunesse est passée et que la maturité s'offre à lui, qu'il doit enfin reconnaître que l'estime qu'il se porte est le véritable baromètre de sa santé physique et mentale. L'homme qui a une piètre estime de lui-même parce qu'il n'a pas accompli son devoir d'homme, lors de son climatère, souffre aussi intensément que la femme ménopausée qui a une piètre estime d'elle-même parce qu'elle sait qu'elle n'a pas accompli son devoir de femme.

Cependant, tout comme la ménopause pour la femme, le climatère bien compris, peut devenir pour l'homme une grâce qui lui permettra de connaître un nouveau départ, un second souffle : Ayant découvert sa véritable identité —, il n'est pas moins que l'axe de sa famille —, et l'acceptant, il pourra enfin vivre comme il l'a désiré depuis sa plus tendre enfance, soit, en aimant puissamment et de tout son cœur les êtres confiés à sa garde, dépendants de sa protection, assoiffés de son affection, avides de ses instructions, impatients de jouir de son autorité.

Cette autre approche du climatère et de la ménopause ennoblira tout homme et toute femme qui accepteront de l'envisager, et elle leur permettra de connaître une maturité puis une vieillesse dignes d'un homme et d'une femme qui se respectent, les yeux tournés vers les autres et levés vers le Ciel d'où vient tout don parfait.

Courage. Courage.

1. Proverbes 17:6
2. Wilbush J., What's In A Name? Some Linguistic Aspects of the Climateric, *Maturitas*, 3:1-9, 1981.
3. Mc Kinlay J.B., Is There An Epidemiologic Basis For A Male Climacteric Syndrome? The Massachusetts Male Aging Study, *Menopause: Evaluation, Treatment, and Health Concerns*, 163-192, 1989.
4. Willy A., La fréquence des rapports sexuels, p. 309, *La sexualité*, Tome 1, Marabout Université, Belgique, 1964.
5. Bartlett R.G., Physiologic Responses During Coitus, *Journal of Applied Physiology*, November 1956.
6. Ueno M., The So-called Coitus Death, *Japanese Journal of Legal Medecine*, September 1963.
7. Starenkyj D., *L'adolescent et sa nutrition*, «La carence en zinc», p. 86-93, 171-173, 257, 261, 262, Orion, Québec, 1989.
8. Pfeiffer C.C., *Mental and Elemental Nutrients*, Keats Publishing Inc., 1975.
9. Starenkyj S., Réflexions sur le psaume 107, avec permission, 1990.
10. Colossiens 3:21
11. Exode 20:12; Deutéronome 5:16, 27:16; Matthieu 15:4; Marc 7:10; Éphésiens 6:2-3
12. Éphésiens 4:28; 1 Thessaloniciens 4:9-12; 2 Thessaloniciens 3:6-15
13. Proverbes 12:27
14. 2 Thessaloniciens 3:10
15. Starenkyj S., Pourquoi cette peur? avec permission, 1990.
16. Proverbes 19:11
17. Starenkyj S., À la croisée des chemins, avec permission, 1990.

Index

INDEX

Table des matières

MARQUIS
Montmagny, Qc
novembre 1992